François Rabelais

Gargantua

Modernisation du texte et dossier réalisés par
Emmanuel Naya

Lecture d'image par
Valérie Lagier

folioplus
classiques

Ancien élève de l'École normale supé-
rieure, agrégé de lettres classiques,
maître de conférences à l'université
Lumière-Lyon 2, **Emmanuel Naya** a
consacré une thèse à la redécouverte du
scepticisme antique à la Renaissance, et à
son impact sur la littérature. Auteur d'un
ouvrage de synthèse sur le rôle des passions dans l'œuvre de Rabelais, il collabore actuellement à une nouvelle édition
des *Essais* de Montaigne chez Gallimard
(collection « Folio »).

Conservateur au musée de Grenoble
puis au musée des Beaux-Arts de Rennes,
Valérie Lagier a organisé de nombreuses expositions d'art moderne et
contemporain. Elle a créé, à Rennes, un
service éducatif très innovant, et assuré
de nombreuses formations d'histoire de
l'art pour les enseignants et les étudiants.
Elle est l'auteur de plusieurs publications
scientifiques et pédagogiques. Elle est
actuellement conservateur des musées
de Vitré.

Couverture : Gustave Doré, *L'Enfance de
Gargantua*. Musée d'Art Moderne et
Contemporain, Strasbourg. Photo A.
Plisson.

Sommaire

Sommaire

Principes d'édition du texte

Nous avons choisi de proposer ici l'édition dite «définitive», parue en 1542 à Lyon chez François Juste. Afin de reproduire cet état du texte avec fidélité, nous nous sommes fondés sur l'édition de référence que Mireille Huchon en a donné dans la «Bibliothèque de la Pléiade» en 1994, en prenant pour seul parti de moderniser l'orthographe et les graphies rabelaisiennes afin de proposer au lecteur d'aujourd'hui l'accès le plus aisé au texte de «Maître François». On ne trouvera donc pas ici une traduction impliquant une réécriture du texte cherchant à reproduire globalement le sens de Rabelais. Nombreuses sont les adaptations qui font passer le principe de «lisibilité» maximale avant celui du respect du texte et des intentions de l'auteur. Nous n'avons pas voulu donner ici par le biais d'une réécriture une interprétation personnelle de ce que Rabelais a voulu dire : ceci est affaire de lecture personnelle et semble contraire au principe d'expression «en sens agile» revendiqué dans l'inscription gravée sur la porte de l'abbaye de Thélème; si, comme le veut le prologue, ce livre doit délivrer au lecteur de «très hauts sacrements et mystères horrifiques», cette révélation repose sur une libération du sens irréductible aux lectures de tel ou tel «Frère Lubin» ou de tel autre éditeur, «vrai croquelardon» et aussi «fol» que lui. Loin de proposer au lecteur un texte qui ne serait plus celui de son auteur, avec tous les choix réducteurs qu'une telle entreprise entraîne, nous avons veillé à reproduire le texte dans l'intégrité de sa syntaxe et de son lexique, tout en ôtant le principal obstacle : celui de l'éloignement orthographique d'un texte de la Renaissance, époque où les normes sont encore peu fixées et où un terme peut varier de graphie d'une page à une autre. Si le lecteur doit imiter le chien de Platon que le prologue dresse en exemple, nous nous sommes contentés de refaire briller l'os — le rendant peut-être plus appétissant et plus digeste — avant de le lui jeter pour qu'il en retire la « substantifique moelle » ; le ronger et le digérer avant lui aurait été préjudiciable à son expérience gustative. Car c'est bien de goût, libérateur de sens, qu'il s'agit : le style rabelaisien et sa poétique dans son ensemble sont un plaisir esthétique dont il serait fort triste de se priver.

Bien sûr, nous n'avons pas laissé le lecteur tout à fait seul face au texte, mais avons préféré cantonner nos interventions aux notes de bas de page, proposant une clarification de tel ou tel terme : soit parce qu'il n'existe plus aujourd'hui dans l'emploi courant et n'a pas de forme moderne, soit parce que son emploi, s'il est toujours d'actualité, est devenu très spécialisé. Nous avons rendu le sens de tel ou tel mot dans une perspective historique, proposant de lui attacher un sens courant à la Renaissance. Nous avons voulu limiter notre travail d'élucidation à ces éclairages ponctuels, allant parfois jusqu'à proposer une équivalence de construction dans le cas où la syntaxe, encore proche de son substrat latin, semblerait obscure. Nous n'avons eu qu'un but : donner l'accès le plus aisé au texte de Rabelais et à lui seul. Cette édition est une édition permettant de lire, et elle n'a pas la vocation d'une édition savante qui serait d'établir toutes les variantes, d'expliquer toutes les allusions historiques dont fourmille ce texte d'inspiration à la fois populaire et érudite, de souligner tous les jeux de mots auxquels l'auteur se livre facétieusement ; si nous avons parfois jugé indispensable de donner un élément permettant de ne pas passer à côté d'une lecture fondamentale du texte, ce type d'annotation est assez limité ; il s'agissait de permettre la lecture sans l'ankyloser par trop de notes.

Pour ce qui est de la transcription orthographique, les principes ont été les suivants : moderniser l'orthographe sans faire dévier la syntaxe ni le sens, en prélevant dans notre lexique les formes qui demeurent tout à fait proches des formes renaissantes : ainsi, « dueil » est devenu « deuil » et « vestimens » a donné « vêtements ». La transposition s'est faite chaque fois que la proximité était réelle, et que les jeux stylistiques d'homophonie — ou la métrique des pièces versifiées — n'en souffraient pas (ainsi, dans « mon bondon, mon bouchon », nous n'avons pas proposé la forme moderne

« bonde » afin de ne pas rompre la paronomase ; l'équivalent est alors passé en note). Bien sûr, les mots de Rabelais ne connaissent pas tous d'équivalent moderne qui respecterait une telle proximité. Dans le cas d'un terme perdu, sorti de notre dictionnaire actuel, nous avons gardé le terme original en en proposant le sens en note, si ce n'est pour les démonstratifs de la famille d'« icelui » ou « icelle » : leur fréquence ne demandait pas un retour systématique de l'annotation, et nous nous sommes bornés à en uniformiser l'orthographe en modernisant l'emploi du –*y*. Ainsi, afin de ne pas trop rompre la fluidité de la modernisation, nous avons opéré sur de tels termes les interventions les plus courantes de modernisation : finales des verbes en –*oi* qui passent en –*ai*, le *l* qui disparaît devant le –*t* ou le –*x* (comme avec « mieulx » qui devient « mieux »), le –*cq* qui devient –*q*, comme dans « horrifique », le –*ez* du participe passé qui donne -*és*. Les *es* ont été rendus par *aux*, le *on* par *au* (« onquel » donne alors « auquel »). L'orthographe des lieux — qui appartiennent à une géographie poitevine pour la plupart — a été aussi modernisée, voire uniformisée (la « Roche-Clermault », par exemple). La ponctuation, pour sa part, a été conservée. Sur un plan syntaxique, seules des transformations n'entraînant pas d'effet stylistique ou sémantique ont été faites : les harmonisations de genre ont été opérées, et ainsi l'adjectif ou le participe suivant une liste de substantifs a été accordé à l'ensemble du groupe et non au dernier comme le latin le permettait (par exemple, « pour l'énorme cruauté et vilenie que j'y ai connues » et non « connue ») ; de même l'article « au » a été accordé en genre au substantif qu'il accompagne (« au dieux » devient « aux dieux ») ; les élisions ont été opérées (« de Égypte » donne « d'Égypte »). Le pronom relatif « que » a été remplacé par « qui » lorsque sa fonction dans la relative l'exigeait. Enfin, nous avons fait le choix de restaurer une majuscule après les points d'interrogation. Les interventions ont donc été fort nombreuses, mais toutes ont eu pour souci d'instaurer une transparence sur le texte de Rabelais sans en modifier la spécificité ni le génie.

La vie trèshorrifique
du grand Gargantua,
père de Pantagruel

jadis composée par M. Alcofribas
abstracteur de quintessence [1]

Livre plein de Pantagruélisme [2]

---

1. Le narrateur se présente ici comme un alchimiste arrivant à extraire par distillation la part la plus subtile et essentielle des choses.

2. Attitude spirituelle et intellectuelle faite d'indifférence stoïcienne à ce qui ne dépend pas de nous et d'un optimisme indéfectible qui appelle à rester joyeux et à tout prendre « en bonne part ». Elle est réclamée au lecteur dans le dizain ci-dessous, et semble convenir dans le prologue à la description des mœurs de Socrate.

Aux lecteurs

Amis lecteurs qui ce livre lisez,
Dépouillez-vous de toute affection[1],
Et le lisant ne vous scandalisez.
Il ne contient mal ni infection.
Vrai est qu'ici peu de perfection
Vous apprendrez, sinon en cas[2] de rire :
Autre argument[3] ne peut mon cœur élire[4].
Voyant le deuil, qui vous mine et consomme,
Mieux est de rire que de larmes écrire.
Pour ce que rire est le propre de l'homme.

---

1. Passion.
2. Si ce n'est pour rire.
3. Sujet.
4. Choisir.

Prologue de l'auteur

Buveurs très illustres, et vous Vérolés très précieux (car à vous non à autres sont dédiés mes écrits) Alcibiade au dialogue de Platon intitulé, *Le Banquet*, louant son précepteur Socrate [1], sans controverse prince des philosophes : entre autres paroles le dit être semblable aux Silènes. Silènes étaient jadis petites boîtes telles que voyons de présent aux boutiques des apothicaires peintes au-dessus de figures joyeuses et frivoles, comme de harpies, satires, oisons bridés, lièvres cornus, canes bâtées, boucs volants, cerfs limonniers [2], et autres telles peintures contrefaites à plaisir pour exciter le monde à rire. Quel [3] fut Silène maître du bon Bacchus [4] : mais au dedans l'on réservait les fines drogues, comme Baume, ambre gris, amome, musc, civette [5], pierreries : et autres choses

---

1. Philosophe grec dont la sagesse était encore emblématique à la Renaissance : Érasme voyait en lui une préfiguration du Christ, par son alliance de bassesse et de grandeur.
2. Attelé à des limons.
3. Tel.
4. Dieu du vin et de la vigne, moins associé chez Rabelais à la débauche qu'à l'inspiration.
5. Substance odorante venue d'Afrique ou d'Inde, synonyme de parfum précieux.

précieuses. Tel disait être Socrate : par ce que le voyant au dehors, et l'estimant par l'extérieure apparence, n'en eussiez donné un copeau d'oignon : tant laid il était de corps et ridicule en son maintien, le nez pointu, le regard d'un taureau : le visage d'un fol[1] : simple en mœurs, rustique en vêtements, pauvre de fortune, infortuné en femmes, inepte à tous offices[2] de la république, toujours riant, toujours buvant d'autant à un chacun[3], toujours se guabelant[4], toujours dissimulant son divin savoir. Mais ouvrant cette boîte : eussiez au dedans trouvé une céleste et inappréciable drogue, entendement plus que humain, vertu merveilleuse, courage invincible, sobresse[5] non pareille, contentement certain, assurance parfaite, déprisement[6] incroyable de tout ce pourquoi les humains tant veillent, courent, travaillent, naviguent et baaillent.

À quel propos, en votre avis, tend ce prélude, et coup d'essai ? Par autant que[7] vous mes bons disciples, et quelques autres fous de séjour[8] lisant les joyeux titres d'aucuns livres de notre invention comme *Gargantua, Pantagruel, Fessepinte, La dignité des braguettes, Des pois au lard cum commento* etc. jugez trop facilement n'être au dedans traité que moque-

---

1. La laideur de Socrate est fameuse, tranchant sur la grande beauté de son âme.
2. Devoirs civiques, fonctions.
3. Toujours levant son verre à la santé de chacun.
4. Se moquant.
5. Sobriété.
6. Détachement.
7. C'est que.
8. Fous au repos, oisifs.

ries, folâtreries, et menteries[1] joyeuses : vu que l'enseigne extérieure (c'est le titre) sans plus avant enquérir, est communément reçue à dérision et gaudisserie[2]. Mais par telle légèreté[3] ne convient estimer les œuvres des humains. Car vous-mêmes dites, que l'habit ne fait point le moine : et tel est vêtu d'habit monacal, qui au dedans n'est rien moins que moine : et tel est vêtu de cape espagnole, qui en son courage nullement affiert[4] à Espagne. C'est pourquoi faut ouvrir le livre : et soigneusement peser ce qui y est déduit[5]. Lors[6] connaîtrez que la drogue dedans contenue est bien d'autre valeur, que ne promettait la boîte. C'est à dire que les matières ici traitées ne sont tant folâtres, comme le titre au-dessus prétendait.

Et posé le cas, qu'au sens littéral vous trouvez matières assez joyeuses et bien correspondantes au nom, toutefois pas demeurer là ne faut, comme au chant des Sirènes : ains[7] à plus haut sens[8] interpréter ce que par aventure[9] cuidiez dit[10] en gaieté de cœur.

---

1. Mensonges.
2. Moquerie, gausserie.
3. Avec une telle légèreté.
4. Convient.
5. Développé.
6. Alors.
7. Mais.
8. En un sens plus élevé (« *altior sensus* »), plus spirituel, et qui doit être dégagé, selon le modèle de l'exégèse des textes religieux, du simple « sens littéral ».
9. Peut-être.
10. Pensiez être dit.

Crochetâtes-vous onques[1] bouteilles ? Caisgne[2]. Réduisez à mémoire la contenance qu'aviez. Mais vîtes vous onques[3] chien rencontrant quelque os médullaire[4] ? C'est comme dit Platon. *lib. II. de rep.*[5] la bête du monde plus philosophe. Si vu l'avez : vous avez pu noter de[6] quelle dévotion il le guette : de quel soin il le garde : de quelle ferveur il le tient, de quelle prudence il l'entame : de quelle affection il le brise : et de quelle diligence il le suce. Qui le induit[7] à ce faire ? Quel est l'espoir de son étude[8] ? Quel bien[9] prétend-il ? Rien plus qu'un peu de moelle. Vrai est que ce peu, plus est délicieux que le beaucoup de toutes autres[10] : pour ce que la moelle est aliment élaboré à perfection de nature, comme dit Galen. *III. facu. natural. et. xi. de usu. parti*[11].

À l'exemple d'icelui[12] vous convient être sages pour fleurer, sentir, et estimer ces beaux livres de haute graisse[13], légers au prochaz[14] : et hardis à la rencontre. Puis par curieuse leçon[15], et méditation fré-

1. N'avez-vous jamais débouché.
2. Chienne, Nom d'un chien !
3. Jamais.
4. Os à moelle.
5. Au deuxième livre de la *République*.
6. Avec.
7. Pousse.
8. Effort.
9. À quel bien.
10. Toutes autres choses.
11. Comme le dit Galien au livre III des *Facultés naturelles* et au livre XI de l'*Utilité des parties du corps humain*.
12. Celui-ci.
13. De grande valeur.
14. À la poursuite.
15. Par une lecture attentive.

quente rompre l'os, et sucer la substantifique moelle. C'est à dire : ce que j'entends par ces symboles pythagoriques[1] avec espoir certain d'être fait escors[2] et preux à ladite lecture. Car en icelle[3] bien autre goût trouverez, et doctrine plus absconse[4], laquelle vous révélera de très hauts sacrements et mystères horrifiques, tant en ce qui concerne notre religion, qu'aussi l'état politique et vie économique.

Croyez-vous en votre foi[5] qu'onques Homère écrivant l'*Iliade* et *Odyssée*, pensât aux allégories, lesquelles de lui ont calfreté[6] Plutarque, Héraclide Pontique, Eustatie, Phornute[7] : et ce que d'iceux[8] Politien[9] a dérobé ? Si le croyez : vous n'approchez ni des pieds ni des mains à mon opinion : qui décrète icelles[10] aussi peu avoir été songées d'Homère, que d'Ovide en ses *Métamorphoses*, les sacrements de l'évangile[11] : lesquels un frère Lubin vrai croquelardon s'est efforcé de montrer, si d'aventure il rencontrait

---

1. Pythagoriciens : conceptions ésotériques propres à l'école du philosophe grec Pythagore.
2. Assagis.
3. Celle-ci.
4. Cachée.
5. En toute conscience.
6. Calfaté.
7. Plutarque, auteur grec de traités moraux et philosophiques. Héraclide du Pont, grammairien alexandrin ayant composé un ouvrage sur les allégories dans l'œuvre d'Homère. Eustathe, archevêque de Thessalonique au XIIᵉ siècle. Cornutus, philosophe stoïcien du Iᵉʳ siècle.
8. De ceux-ci.
9. Ange Politien, humaniste de la Renaissance.
10. Celles-ci, c'est-à-dire ces allégories.
11. Que les sacrements de l'Évangile n'ont été conçus par Ovide dans ses *Métamorphoses*.

gens aussi fous que lui : et (comme dit le proverbe) couvercle digne du chaudron.

Si ne le croyez[1] : quelle cause est, pourquoi autant n'en ferez[2] de ces joyeuses et nouvelles chroniques ? Combien que[3] les dictant n'y pensasse en plus[4] que vous qui par aventure buviez[5] comme moi. Car à la composition de ce livre seigneurial, je ne perdis ni employai onques plus ni autre temps, que celui qui était établi à prendre ma réfection corporelle : savoir est, buvant et mangeant. Aussi est-ce la juste heure, d'écrire ces hautes matières et sciences profondes.

---

1. Si vous ne le croyez pas (qu'Homère écrivant l'*Iliade* pensât aux allégories…).

2. Quelle raison y a-t-il pour que vous n'en fassiez pas autant (sous-entendu, que le chien de Platon avec son os) de ces joyeuses et nouvelles chroniques ?

3. Bien que, quoique, même si.

4. Pas plus.

5. Le vin permet ici de résoudre le paradoxe selon lequel le lecteur doit chercher un plus haut sens auquel l'auteur n'a jamais songé au fil de la rédaction ; selon le *Problème XXX* d'Aristote, texte très connu à la Renaissance — notamment des médecins —, l'humeur mélancolique qui participe au métabolisme sanguin (le « tempérament », ou « complexion ») des hommes de génie explique la fulgurance de leur esprit par une prédisposition à l'extase, moment où l'âme s'élève au-delà du corps pour recevoir une inspiration divine. La bile noire (mélancolie) qui les rend enclins à de telles folies prophétiques est elle-même comparée par Aristote au vin auquel il prête par analogie des propriétés comparables, substance qu'il oppose à l'huile, qui ne provoque aucune inspiration. Ces deux liquides sont justement convoqués ici par Rabelais pour expliquer un principe d'écriture, qui sera aussi dans nombre de prologues un adjuvant de la lecture spirituelle — en plus d'être aussi un motif intradiégétique important : si « doctrine plus absconse » il y a dans son texte, ce n'est pas en vertu de sa propre volonté ; l'auteur, dès qu'il écrit la bouteille sur sa table, se fait prophète et laisse à l'inspiration qui le dépasse le soin de déployer, de manière voilée, un « plus haut sens ». L'exemple du chien de Platon doit alors être plus que jamais suivi.

Comme bien faire savait Homère parangon[1] de tous Philologues[2], et Ennie[3] père des poètes latins, ainsi que témoigne Horace[4], quoiqu'un malotru ait dit, que ses carmes[5] sentaient plus le vin que l'huile.

Autant en dit un Turlupin[6] de mes livres, mais bren[7] pour lui. L'odeur du vin ô combien plus est friante, riante, priante, plus céleste, et délicieuse que d'huile[8] ? Et prendrai autant à gloire[9] qu'on dise de moi, que plus en vin ai dépendu[10] qu'en huile, que fit Démosthène, quand de lui on disait, que plus en huile qu'en vin dépendait. À moi n'est que honneur et gloire, d'être dit et réputé bon gautier[11] et bon compagnon : et en ce nom suis bienvenu en toutes bonnes compagnies de Pantagruélistes[12] : à Démosthène[13] fut reproché par un chagrin que ses oraisons sentaient comme la serpillière d'un ord et sale[14] huilier. Pourtant interprétez tous mes faits et mes dits en la perfectissime partie[15], ayez en révérence le cerveau

---

1. Modèle par excellence.
2. « [Amoureux] des bonnes lettres », selon la définition de l'humaniste Guillaume Budé.
3. Ennius, poète latin du début du IIe s. av. J.-C.
4. Comme en témoigne Horace (dans ses *Épîtres*), poète latin du Ier s. av. J.-C.
5. Vers.
6. Misérable hérétique.
7. Merde.
8. Celle de l'huile.
9. Trouverai glorieux.
10. Dépensé.
11. Bon vivant.
12. Ceux qui adhèrent à l'état d'esprit du géant Pantagruel, voir ci-dessus n. 2, p. 9.
13. Orateur grec du IVe s. av. J.-C.
14. Adjectifs synonymes.
15. Dans le sens le plus parfait.

caséiforme[1] qui vous paît de ces belles billevesées[2], et à votre pouvoir[3] tenez-moi toujours joyeux.

Or ébaudissez-vous[4] mes amours, et gaiement lisez le reste tout à l'aise du corps, et au profit des reins. Mais écoutez vits d'ânes[5], que le maulubec vous trousque[6] : vous souvienne de boire à my[7] pour la pareille : et je vous pleigerai[8] tout ares metis[9].

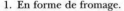

---

1. En forme de fromage.
2. Qui vous nourrit de ces belles et vaines facéties.
3. Autant qu'il vous sera possible.
4. Réjouissez-vous.
5. Sexes d'ânes.
6. Que les varices vous fassent boiter.
7. Qu'il vous souvienne de boire à ma santé.
8. Tiendrai tête en buvant.
9. À ce moment même, sur-le-champ (expression gasconne).

Chapitre I

De la généalogie
et antiquité de Gargantua

Je vous remets[1] à la grande chronique pantagruéline reconnaître la généalogie et antiquité dont nous est venu Gargantua. En icelle vous entendrez plus au long comment les Géants naquirent en ce monde : et comment d'iceux par ligne directe issit[2] Gargantua père de Pantagruel : et ne vous fâchera, si pour le présent je m'en déporte[3]. Combien que[4] la chose sait telle, que tant plus serait remembrée[5], tant plus elle plairait à vos seigneuries : comme vous avez l'autorité de Platon *in Philebo et Gorgias,* et de Flacce[6], qui dit être aucuns[7] propos tels que ceux-ci sans doute, qui plus sont délectables, quand plus souvent sont redits[8].

---

1. Renvoie.
2. Sortit, naquit.
3. Abstiens.
4. Bien que.
5. Remémorée.
6. Dans le *Philèbe,* le *Gorgias* et chez Horace (surnommé Flaccus), dans son *Art poétique.*
7. Certains.
8. Sont d'autant plus délectables qu'ils sont souvent répétés.

Plût à Dieu qu'un chacun sût aussi certainement sa généalogie, depuis l'arche de Noé jusqu'à cet âge. Je pense que plusieurs sont aujourd'hui empereurs, Rois, ducs, princes, et Papes, en la terre, lesquels sont descendus de quelques porteurs de rogatons et de coustrets[1]. Comme au rebours[2] plusieurs sont gueux de l'hostiaire[3], souffreteux, et misérables : lesquels sont descendus de sang et ligne de grands rois et empereurs. Attendu l'admirable transport[4] des règnes et empires.

Des Assiriens aux Mèdes.

Des Mèdes aux Perses.

Des Perses aux Macédoniens.

Des Macédoniens aux Romains.

Des Romains aux Grecs.

Des Grecs aux Français.

Et pour vous donner à entendre de moi qui parle, je cuide que sois[5] descendu de quelque riche roi ou prince au temps jadis. Car onques ne vites homme, qui eut plus grande affection[6] d'être roi et riche que moi : afin de faire grand chère : pas ne travailler, point ne me soucier, et bien enrichir mes amis et tous gens de bien et de savoir. Mais en ce[7] je me réconforte, qu'en l'autre monde je le serai : voire plus grand que de présent[8] ne l'oserais souhaiter. Vous en telle ou

---

1. Porteurs de reliques et d'indulgences.
2. En revanche.
3. Hospice.
4. Vu l'admirable communication.
5. Je pense être.
6. Désir passionnel.
7. Ceci.
8. Qu'à présent.

meilleure pensée réconfortez votre malheur, et buvez frais si faire se peut.

Retournant à nos moutons je vous dis que par don souverain des cieux nous a été réservée l'antiquité et généalogie de Gargantua, plus entière que nulle autre. Exceptée celle du Messie [1], dont je ne parle, car il ne m'appartient, aussi les diables (ce sont les calomniateurs et cafards) s'y opposent. Et fut trouvée par Jean Audeau, en un pré qu'il avait près l'Arceau Gualeau au dessous de l'Olive, tirant à Narsay [2]. Duquel faisant lever les fossés, touchèrent les piocheurs de leurs mares [3], un grand tombeau de bronze long sans mesure [4] : car onques n'en trouvèrent le bout, parce qu'il entrait trop avant les écluses de Vienne [5]. Icelui ouvrant en certain lieu signé au-dessus d'un gobelet, à l'entour duquel [6] était écrit en lettres étrusques, *Hic bibitur* [7], trouvèrent neuf flacons en tel ordre qu'on assied les quilles en Gascogne. Desquels celui qui au milieu était, couvrait un gros, gras, grand, gris, joli, petit, moisi livret, plus mais non mieux sentant que roses.

En icelui fut ladite généalogie trouvée écrite au long, de lettres cancelleresques [8], non en papier, non

---

1. Jésus-Christ.
2. En direction de Narsay. Tous ces lieux renvoient à la géographie de la région de Chinon.
3. Pioches.
4. Démesurément long.
5. De la rivière de la Vienne.
6. En un endroit surmonté d'une gravure de gobelet, autour duquel...
7. Ici l'on boit.
8. En lettres de chancellerie.

en parchemin, non en cire : mais en écorce d'Ul-
meau[1], tant toutefois usées par vétusté, qu'à peine en
pouvait-on trois reconnaître de rang[2].

Je (combien qu'indigne[3]) y fus appelé : et à grand
renfort de bésicles[4] pratiquant l'art dont on peut lire
lettres non apparentes, comme enseigne Aristote, la
translatai[5], ainsi que voir pourrez en pantagruélisant,
c'est à dire, buvant à gré[6], et lisant les gestes[7] horrifiques de Pantagruel. À la fin du livre était un petit
traité intitulé, *Les Fanfreluches antidotées*. Les rats et
blattes ou (afin que je ne mente) autres malignes
bêtes avaient brouté le commencement, le reste j'ai
ci-dessous ajouté, par révérence de l'antiquaille.

---

1. D'ormeau.
2. Reconnaître trois à la suite.
3. Bien qu'indigne.
4. Binocles, lunettes.
5. Traduisis.
6. À plaisir, tout votre soûl.
7. Exploits.

Chapitre 2

Les Fanfreluches [1]
antidotées [2] *trouvées*
en un monument antique

a   i [3] ? enu le grand dompteur des Cimbres
v   sant par l'air, de peur de la rosée,
'   sa venue on a rempli les timbres
∂'   beurre frais, tombant par une housée [4]
=   uquel quand fut la grand-mère arrosée
Cria tout haut, « hers [5] par grâce pêche-le.
Car sa barbe est presque toute embousée [6]
Ou pour le moins, tenez-lui une échelle. »

Aucuns [7] disaient que lécher sa pantoufle [8]
Était meilleur que gagner les pardons [9] :

---

1. Bagatelles. Ce texte propose une énigme créant un jeu de miroir avec celle du chapitre 58. Malgré des éléments thématiques répétés instaurant une critique du pape, le sens reste obscur et l'on peut penser que Rabelais se livre là à un jeu de mystification consistant à parodier ironiquement les textes énigmatiques plus qu'à en écrire un.

2. Porteuses d'un antidote, permettant à celui qui saura les interpréter de s'immuniser contre une corruption morale et spirituelle.

3. La corruption du texte, comportant de nombreuses lacunes, permet de créer l'illusion d'un antique parchemin retrouvé en un état de délabrement avancé.

4. Ondée.

5. Seigneur.

6. Recouverte de bouse.

7. Certains.

8. Baiser la pantoufle (du pape).

9. Indulgences, dont l'obtention était censée alléger le poids des péchés le jour du Jugement.

Mais il survint un affecté maroufle,
Sorti du creux où l'on pêche aux gardons
Qui dit, «messieurs pour Dieu nous en gardons.
L'anguille y est, et en cet étal musse [1].
La trouverez (si de près regardons)
Une grand tare, au fond de son aumusse [2].»

Quand fut au point de lire le chapitre,
On n'y trouva que les cornes d'un veau.
Je (disait il) sens le fond de ma mitre
Si froid, qu'autour me morfond [3] le cerveau.
On l'échauffa d'un parfum de naveau [4]
Et fut content de soi tenir aux âtres [5],
Pourvu qu'on fit un limonnier [6] nouveau
À tant de gens qui sont acariâtres.

Leur propos fut [7] du trou de saint Patrice,
De Gibraltar, et de mille autres trous :
S'on [8] les pourrait réduire à cicatrice,
Par tel moyen, que [9] plus n'eussent la toux
Vu qu'il semblait impertinent à tous :
Les voir ainsi à chacun [10] vent bailler.

---

1. Se dissimule.
2. Tiare, coiffe papale.
3. Prend froid, s'enrhume.
4. Navet.
5. Près du foyer de la cheminée.
6. Attelage.
7. Ils se mirent à parler.
8. Si on.
9. De sorte que.
10. Tout.

Si d'aventure ils étaient à point clos,
On les pourrait pour otages bailler[1].

En cet arrêt le corbeau fut pelé
Par Hercule : qui venait de Libye.
« Quoi ? dit Minos, que[2] n'y suis-je appelé,
Excepté moi tout le monde on convie.
Et puis l'on veut que passe mon envie,
À les fournir d'huîtres et de grenouilles.
Je donne[3] au diable en cas que de ma vie
Prenne à merci leur vente de quenouilles. »

Pour les mater survint, Q. B. qui clope[4]
Au sauf-conduit des mites[5] sansonnets.
Le tamiseur, cousin du grand Cyclope,
Les massacra. Chacun mouche son nez
En ce guéret[6] peu de bougrins[7] sont nés,
Qu'on n'ait berné sur le moulin à tan.
Courrez y tous : et à l'arme sonnez[8].
Plus y aurez, que n'y eûtes antan.

Bien peu après, l'oiseau de Jupiter
Délibéra parier pour le pire.
Mais les voyant tant fort se dépiter :

---

1. Donner.
2. Pourquoi.
3. Je me donne.
4. Boite.
5. Gracieux, mais aussi à rapprocher de « myste » : celui qui est initié aux mystères d'une religion.
6. Champ, sur cette terre.
7. Bougres, sodomites.
8. Sonnez l'alarme.

Craignit qu'on mit ras, jus [1], bas, mat [2], l'empire
Et mieux aima le feu du ciel empire [3]
Au tronc ravir où l'on vend les sorets [4] :
Que air serein, contre qui l'on conspire,
Assujétir aux dits des Massorets [5].

Le tout conclu fut à pointe affilée,
Malgré Até [6], la cuisse héronnière,
Qui là s'assit, voyant Penthésilée [7]
Sur ses vieux ans prise pour cressonnière.
Chacun criait, «vilaine charbonnière
T'appartient-il toi trouver [8] par chemin ?
Tu la tollus [9] la romaine bannière,
Qu'on avait fait au trait du parchemin.»

Ne fût Junon, qui dessous l'arc céleste
Avec son duc tendait à la pipée [10] :
On lui eût fait un tour si trèsmoleste [11]
Que de tous points [12] elle eût été fripée.

---

1. À terre.
2. Qu'on tienne échec et mat, vaincu.
3. L'empyrée était la partie la plus élevée du ciel où l'on pla-
çait, avec les astres, le séjour des dieux.
4. Harengs saurs.
5. Il aima mieux ravir le feu de l'empyrée (…) qu'assujettir l'air
serein aux sentences des Massorètes (interprètes des textes sacrés
rédigés en hébreu).
6. Déesse de l'erreur symbolisant tout outrage.
7. Reine des Amazones, promue vendeuse de cresson au chapitre 30 du *Pantagruel*.
8. As-tu le droit de te trouver sur ce chemin ?
9. L'enlevas.
10. Allait à la chasse aux oiseaux.
11. Accablant.
12. Partout.

L'accord fut tel, que d'icelle lippée [1]
Elle en aurait deux œufs de Proserpine
Et si jamais elle y était grippée [2],
On la lierait au mont de l'Aubépine.

Sept mois après, ôtez-en vingt et deux
Cil [3] qui jadis annihila Carthage,
Courtoisement se mit en milieu d'eux
Les requérant [4] d'avoir son héritage.
Ou bien qu'on fît justement le partage
Selon la loi que l'on tire au rivet [5],
Distribuant un tatin [6] du potage
À ses faquins [7] qui firent le brevet.

Mais l'an viendra signé d'un arc turquois [8]
De v. fuseaux, et trois culs de marmite
Auquel le dos d'un roi trop peu courtois
Poivré [9] sera sous un habit d'ermite.
Ô la pitié. Pour une chattemite [10]
Laisserez-vous engouffrer tant d'arpents ?
Cessez, Cessez, ce masque nul n'imite [11].
Retirez-vous au frère des serpents [12].

---

1. Bouchée.
2. Prise.
3. Celui. Ici, référence à Scipion l'Africain.
4. Leur demandant.
5. Que l'on tire dans un sens comme dans l'autre, c'est-à-dire
équitable.
6. Une petite quantité.
7. Portefaix.
8. À la turque, oriental.
9. Maltraité.
10. Hypocrite.
11. Que nul n'imite ce masque.
12. À l'approche du diable.

Cet an passé, cil qui est[1], règnera
Paisiblement avec ses bons amis.
Ni brusq, ni Smach[2] lors ne dominera
Tout bon vouloir aura son compromis.
Et le soulas[3] qui jadis fut promis.
Aux gens du ciel, viendra en son beffroi.
Lors les haras qui étaient étommis[4]
Triompheront en royal palefroi.

Et durera ce temps de passe-passe
Jusque à tant que Mars ait les empas[5].
Puis en viendra un qui tous autres passe
Délicieux, plaisant, beau sans compas[6].
Levez vos cœurs : tendez à ce repas
Tous mes féaux[7]. Car tel est trépassé
Qui pour tout bien ne retournerait pas,
Tant sera lors clamé le temps passé.

Finalement celui qui fut de cire
Sera logé au gond du jaquemart[8].
Plus ne sera reclamé, « Sire, Sire, »

---

1. Périphrase pour désigner Dieu : «Je suis celui qui est, qui était et qui vient» (*Apocalypse de Jean*, I, 8).
2. Ni violence ni outrage.
3. Réconfort.
4. Mis en pièces.
5. Les entraves, jusqu'à ce que la guerre cesse.
6. D'une incommensurable beauté.
7. Fidèles.
8. Statuette munie d'un marteau destiné à frapper les heures dans les horloges.

Le brimbaleur [1], qui tient le coquemart [2].
Heu [3], qui pourrait saisir son braquemart [4] :
Tôt seraient nets [5] les tintouins [6] cabus [7]
Et pourrait-on à fil de poulemart [8]
Tout bafouer [9] le magasin d'abus.

Chapitre 3

Comment Gargantua fut onze mois porté au ventre de sa mère

Grandgousier était bon raillard [10] en son temps, aimant à boire net autant qu'homme qui pour lors fut [11] au monde, et mangeait volontiers salé. À cette fin avait ordinairement bonne munition de jambons de Mayence et de Bayonne, force langues de bœuf fumées, abondance d'andouilles en la saison [12] et bœuf

----

1. Celui qui bringuebale, qui agite.
2. La bassine.
3. Hélas !
4. Épée courte désignant par extension l'arme (le bâton de croix de frère Jean, par exemple), mais aussi le membre viril.
5. Nettoyés.
6. Embarras.
7. Pommés.
8. Ficelle très résistante.
9. Attacher.
10. Rigolard.
11. Fut alors.
12. Quand c'était la saison.

salé à la moutarde. Renfort de boutargues[1], provision de saucisses, non de Bologne (car il craignait le bouconb[2] du Lombard) mais de Bigorre, de Longaulnay, de la Brenne, et du Rouergue. En son âge viril épousa Gargamelle fille du roi des Parpaillos[3], belle gouge[4] et de bonne trogne. Et faisaient eux deux souvent ensemble la bête à deux dos, joyeusement se frottant leur lard, tant qu'elle engrossa[5] d'un beau fils, et le porta jusqu'au onzième mois.

Car autant, voire davantage, peuvent les femmes ventre porter, mêmement quand c'est quelque chef d'œuvre, et personnage qui doive en son temps faire grandes prouesses. Comme dit Homère que l'enfant (duquel Neptune engrossa la nymphe[6]) naquit l'an après révolu : ce fut le douzième mois. Car (comme dit A. Gelle *lib. III.*[7]) ce long temps convenait à la majesté de Neptune, afin qu'en icelui l'enfant fut formé à perfection. À pareille raison[8] Jupiter fit durer xlviii. heures[9] la nuit qu'il coucha avec Alcmène. Car en moins de temps n'eut-il pu forger Hercule qui nettoya le monde de monstres et tyrans.

Messieurs les anciens Pantagruélistes ont conformé[10] ce que je dis, et ont déclaré non seulement pos-

---

1. Œufs de poisson séchés.
2. La bouchée empoisonnée du Lombard ; les Italiens étaient alors réputés être des experts en maniement du poison.
3. Papillons.
4. Belle fille.
5. Devint enceinte.
6. La nymphe Tiro.
7. Au livre III des *Nuits attiques*.
8. Pour la même raison.
9. 48 heures.
10. Confirmé.

sible, mais aussi légitime l'enfant né de femme l'onzième mois après la mort de son mari.

Hippocrate *lib. de alimento.*

Pline *li. VII. cap. V.*

Plaute *in Cistellaria.*

Marcus Varro en la satire inscrite, Le testament, alléguant l'autorité d'Aristote à ce propos.

Censorinus *li. de die natali.*

Aristote *libr. VII. capi. iii. et. iiii. de nat. animalium.*

Gellius *li. III. ca. XVI.* Servius *in egl.* exposant ce *mètre* de Virgile *Matri longa decem* etc.

Et mille autres fols. Le nombre desquels a été par les légistes accrû. *V. de suis et legit. l. Intestato. §. fi.*

Et in autent. de restitut. et ea que parit in. xi. mense.

D'abondant en ont chaffourré[1] leur robidilardique loi[2].

Gallus. V. de lib. et posthu. et. l. Septimo. V. de stat. homi. et quelques autres, que pour le présent dire n'ose.

Moyennant lesquelles lois[3], les femmes veuves peuvent franchement jouer du serrecroupière à tous envis et toutes restes[4], deux mois après le trépas de leur mari. Je vous prie par grâce vous autres mes bons averlans[5], si d'icelles en trouvez qui vaillent le débraguetter, montez dessus et me les amenez. Car si au troisième mois elles engrossent : leur fruit sera

---

1. Recouvert.
2. Leur loi de rongeurs de lard.
3. Compte tenu de ces lois.
4. S'adonner aux plaisirs de leur croupe sans compter.
5. Amis.

héritier du défunt. Et la groisse[1] connue, poussent hardiment outre, et vogue la gualée[2], puisque la panse est pleine. Comme Julie fille de l'empereur Octavien ne s'abandonnait à ses taboureurs sinon quand[3] elle se sentait grosse, à la forme que[4] le navire ne reçoit son pilote, que premièrement ne soit calfaté et chargé. Et si personne les blâme de se faire rataconniculer ainsi sur leur groisse, vu que les bêtes sur leur ventrée n'endurent jamais le mâle masculant[5] : elles répondront que ce sont bêtes, mais elles sont femmes : bien entendant les beaux et joyeux menus droits de superfétation[6] : comme jadis répondit Populie selon le rapport de Macrobe *li. II. Saturnal*[7]. Si le diavol[8] ne veut qu'elles engrossent, il faudra tordre le douzil[9], et bouche close.

---

1. Grossesse.
2. Et vogue la galère.
3. Ne s'abandonnait à ses tambourineurs que quand…
4. De la même manière que.
5. Faisant son office de mâle.
6. Prenant bien en considération les beaux, joyeux et menus droits (l'équivoque du substantif et de l'adjectif est ici signifiante) de la superfétation (c'est-à-dire du renouvellement de la fécondation).
7. Au livre II des *Saturnales*.
8. Diable.
9. Le fausset du tonneau, cheville qui bouche son trou ; encore une équivoque grivoise.

Chapitre 4

Comment Gargamelle
étant grosse de Gargantua
mangea grand
planté [1] de tripes

L'occasion et manière comment Gargamelle enfanta fut telle. Et si ne le croyez, le fondement vous échappe. Le fondement lui échappait un après-dîner le III. jour de février, par [2] trop avoir mangé de gaudebillaux [3]. Gaudebillaux : sont grasses tripes de coiraux. Coiraux : sont bœufs engraissés à la crèche et prés guimaux. Prés guimaux : sont qui portent herbe deux fois l'an. D'iceux [4] gras bœufs avaient fait tuer trois cent soixante sept mille et quatorze, pour être à mardi gras salés : afin qu'en la prime vere [5] ils eussent bœuf de saison à tas, pour au commencement des repas faire commémoration de salures [6], et mieux entrer en vin.

Les tripes furent copieuses, comme entendez : et tant friandes étaient que chacun en léchait ses doigts. Mais la grande diablerie à quatre personnages [7] était

---

1. Une grande quantité.
2. Pour.
3. Tripes de bœuf.
4. De ceux-ci.
5. Au printemps.
6. Salaisons, poissons ou viandes salées.
7. Pièce populaire réunissant quatre diablotins.

bien en ce que possible n'était longuement les réserver. Car elles fussent pourries. Ce qui semblait indécent. Dont fut conclu, qu'ils les bâfreraient sans rien y perdre. À ce faire [1] convièrent tous les citadins de Sainnais, de Seuillé : de la Roche-Clermault, de Vaugaudray, sans laisser arrière le Coudray, Montpensier, le Gué de Vède et autres voisins : tous bons buveurs, bons compagnons et beaux joueurs de quille là. Le bon homme Grandgousier y prenait plaisir bien grand : et commandait que tout allât par écuelles. Disait toutefois à sa femme qu'elle en mangeât le moins, vu qu'elle approchait de son terme, et que cette tripaille n'était viande moult [2] louable. «Celui (disait-il) a grande envie de mâcher merde, celui qui d'icelle le sac mange.» Nonobstant [3] ces remontrances : elle en mangea seize muids, deux bussars, et six tupins [4]. Ô belle matière fécale, qui devait boursouffler en elle.

Après dîner tous allèrent (pêle-mêle) à la saulaie : et là sur l'herbe drue dansèrent au son des joyeux flageolets [5] et douces cornemuses : tant baudement [6] que c'était passe-temps céleste les voir ainsi se rigoler [7].

---

1. Pour ce faire, à cette fin.
2. Très.
3. Malgré.
4. Le muid est une mesure de 268 litres, le bussar un grand tonneau, et le tupin un pot en céramique.
5. Flûte à bec.
6. Joyeusement.
7. Se divertir.

Chapitre 5

Les propos des bien ivres

Puis entrèrent en propos [1] de resjeuner [2] au propre lieu.

Lors flacons d'aller : jambons de trotter, gobelets de voler, breusses [3] de tinter. « Tire, baille [4], tourne, brouille. Boute [5] à moi, sans eau, ainsi mon ami fouette-moi ce verre galantement, produis-moi [6] du clairet, verre pleurant. Trêve de soif. Ha fausse [7] fièvre, ne t'en iras tu pas ? Par ma foi ma commère je ne peux entrer en bette [8]. Vous êtes morfondue m'amie [9]. Voire. Ventre saint Quenet parlons de boire. Je ne bois qu'à mes heures, comme la mule du pape. Je ne bois qu'en mon bréviaire, comme un beau père gardien [10]. Qui fut premier soif ou buverie ? Soif. Car qui eut bu sans soif durant le temps d'innocence [11] ? Buverie. Car *priuatio presupponit habitum* [12]. Je suis clerc. *Fœcundi calices quem non fecere*

---

1. Conçurent le projet.
2. Goûter.
3. Vases.
4. Donne.
5. Épaissir le vin.
6. Montre.
7. Insidieuse.
8. À commencer à boire.
9. Ma mie, mon amie.
10. Père supérieur d'un monastère.
11. Avant qu'Adam et Ève ne soient déchus de leur félicité au jardin d'Éden à cause du péché originel.
12. La privation présuppose l'habitude.

disertum [1]. Nous autres innocents ne buvons que trop sans soif. Non moi pécheur sans soif. Et si non présente pour le moins future. La prévenant comme entendez. Je bois pour la soif à venir. Je bois éternellement, ce m'est éternité de buverie, et buverie d'éternité. Chantons buvons. Un motet [2]. Entonnons. Où est mon entonnoir ? Quoi je ne bois que par procuration.

« Mouillez-vous pour sécher, ou vous séchez pour mouiller ? Je n'entends point la théorique [3], de la pratique je m'aide quelque peu. Hâte [4]. Je mouille, j'humecte, je bois. Et tout de peur de mourir. Buvez toujours vous ne mourrez jamais. Si je ne bois je suis à sec. Me voilà mort. Mon âme s'enfuira en quelque grenouillère. En sec jamais l'âme n'habite. Sommeliers, ô créateurs de nouvelles formes rendez-moi de non buvant buvant [5]. Pérennité d'arrosement par ces nerveux et secs boyaux. Pour néant boit qui ne s'en sent [6]. Cetui [7] entre dedans les veines, la pissotière n'y aura rien. Je laverai volontiers les tripes de ce veau que j'ai ce matin habillé. J'ay bien saburré [8] mon estomac. Si le papier de mes cédules [9] buvait aussi bien que je fais, mes créditeurs auraient bien leur vin

---

1. Qui est-ce que les coupes fécondes ne rendent pas disert ?
2. Poème chanté, religieux ou profane.
3. Je ne comprends pas la théorie.
4. Vite.
5. Faites de moi qui ne buvais pas un buveur.
6. Celui qui ne s'en ressent pas boit en vain.
7. Celui-ci, « l'arrosage ».
8. Rempli.
9. Feuilles sur lesquelles on écrit, et plus particulièrement ici des reconnaissances de dette.

quand on viendrait à la formule d'exhiber[1]. Cette main vous gâte le nez. Ô quant autres[2] y entreront, avant que cetui-ci en sorte. Boire à si petit gué : c'est pour rompre son poitrail. Ceci s'appelle pipée à flacons[3]. Quelle différence est entre bouteille et flacon ? Grande, car bouteille est fermée à bouchon, et flac[4] con[5] à vits. De belles. Nos pères burent bien et vidèrent les pots. C'est bien chié chanté, buvons. Voulez-vous rien mander[6] à la rivière ? Cetui-ci va laver les tripes. Je ne bois en plus[7] qu'une éponge. Je bois comme un templier, et je *tanquam sponsus*[8], et moi *sicut terra sine aqua*[9]. Un synonyme de jambon ? C'est une compulseur de buvettes[10]. C'est un poulain. Par le poulain on descend le vin en cave, par le jambon, en l'estomac. Or çà à boire, boire ç'à[11]. Il n'y a point charge. *Respice personam : pone pro duos : bus non est in usu*[12]. Si je montais aussi bien comme j'avale, je fusse pieç'a[13] haut en l'air. Ainsi se fit Jacques Cœur riche. Ainsi profitent bois en friche. Ainsi conquêta Bacchus

---

1. Au moment de produire les cédules.
2. Combien d'autres.
3. Piège pour braconner les flacons.
4. Flasque.
5. Sexe féminin.
6. Faire demander.
7. Je ne bois pas plus.
8. Comme un époux.
9. Comme une terre desséchée.
10. Une mise en demeure de boire.
11. Hé, ici à boire, à boire par ici.
12. Regarde à qui tu t'adresses ; verses-en pour deux ; « bus » n'est pas de mise. Ici, jeu sur la morphologie latine qui aurait demandé « *duobus* ».
13. Déjà.

l'Inde. Ainsi philosophie Melinde[1]. Petite pluie abat
grand vent. Longues buvettes rompent le tonnerre.
Mais si ma couille pissait telle urine, la voudriez-vous
bien sucer? Je retiens après. Page baille[2], je t'insinue
ma nomination[3] en mon tour. Hume[4] Guillot, encore
y en a-t-il un pot. Je me porte pour appelant[5] de soif,
comme d'abus. Page relève mon appel en forme[6].
Cette rognure[7]. Je soulais[8] jadis boire tout : maintenant je n'y laisse rien. Ne nous hâtons pas, et amas-
sons bien tout. Voici tripes de jeu, et guodebillaux
d'envie de ce fauveau[9] à la raie noire. Ô pour Dieu
étrillons-le à profit de ménage[10]. Buvez ou je vous.
Non, non. Buvez je vous en prie. Les passereaux ne
mangent si non qu'on leur tape les queues[11]. Je ne
bois si non qu'on me flatte. *Lagona edateram*[12]. Il n'y
a rabouillère[13] en tout mon corps, où cetui vin ne
furette la soif. Cetui-ci me la fouette bien. Cetui-ci
me la bannira du tout[14]. Cornons ici à son de flacons[15]

---

1. Ville de la côte orientale de l'Afrique.
2. Donne.
3. S'assurer officiellement de ses droits, ici sur la tournée suivante.
4. Bois, avale.
5. Celui qui appelle à comparaître en justice.
6. En bonne et due forme.
7. Ce reste.
8. J'avais l'habitude de.
9. Cheval à la robe fauve.
10. Nettoyons-le en raclant énergiquement.
11. À moins qu'on leur tape la queue.
12. Compagnon, à boire ! (en basque).
13. Terrier de lapin.
14. Complètement.
15. Faisons retentir au son du flacon…

et bouteilles, que quiconque aura perdu la soif, n'ait à la chercher céans [1]. Longs clystères [2] de buverie l'ont fait vider hors le logis. Le grand Dieu fit les planètes : et nous faisons les plats nets. J'ay la parole de Dieu en bouche : *Sitio* [3]. La pierre dite ἄβεστος [4] n'est plus inextinguible que la soif de ma paternité. L'appétit vient en mangeant, disait Hangest [5] au Mans. La soif s'en va en buvant. Remède contre la soif ? Il est contraire à celui qui est contre morsure de chien ; courez toujours après le chien, jamais ne vous mordra, buvez toujours avant la soif, et jamais ne vous adviendra. Je vous y prends je vous réveille. Sommelier éternel garde-nous du somme [6]. Argus [7] avait cent yeux pour voir, cent mains faut à un sommelier comme avait Briarée, pour infatigablement verser. Mouillons hay [8] il fait beau sécher. Du blanc, verse tout, verse, de par le diable, verse deçà, tout plein, la langue me pèle. Lans [9], trinque, à toi copain, de hayt, de hayt [10], là, là, là, c'est morfaler [11] cela. *O lachryma Christi* [12] : c'est de la Devinière [13], c'est vin Pineau. Ô

---

1. Ici.
2. Lavements.
3. J'ai soif (une des ultimes paroles du Christ).
4. *Abestos*, amiante incombustible.
5. Évêque du Mans.
6. De nous endormir.
7. Monstre recouvert d'yeux, dont Ovide nous relate l'histoire dans ses *Métamorphoses*.
8. Allez !
9. Ami.
10. De bonne humeur.
11. Avaler gloutonnement.
12. Larme du Christ.
13. Ce vin provient de la Devinière.

le gentil vin blanc, et par mon âme ce n'est que vin de taffetas[1]. Hen hen, il est à une oreille[2], bien drapé, et de bonne laine. Mon compagnon courage. Pour ce jeu nous ne volerons[3] pas, car j'ai fait une levée. *Ex hoc in hoc*[4]. Il n'y a point d'enchantement. Chacun de vous l'a vu. J'y suis maître passé. À brum à brum, je suis prêtre Macé. Ô les buveurs, Ô les altérés. Page mon ami, emplis ici et couronne le vin[5] je te prie. À la cardinale. *Natura abhoret vacuum*[6]. Diriez-vous qu'une mouche y eut bu? À la mode de Bretagne. Net, net, à ce piot. Avalez, ce sont herbes[7].»

Chapitre 6

Comment Gargantua naquit en façon bien étrange

Eux tenant ces menus propos de buverie, Garga-melle commença se porter[8] mal du bas. Dont[9] Grandgousier se leva dessus l'herbe, et la réconfor-

---

1. Le pineau est un vin liquoreux, dont la douceur est donc comparable à celle du taffetas.
2. Allusion à l'anse du pot.
3. Terme de jeu désignant le moment où le joueur peut opé-rer simultanément toutes les levées.
4. De ceci en cela.
5. Verse du vin jusqu'en haut du verre.
6. La nature a horreur du vide.
7. Ce vin a des vertus médicinales.
8. Commença à se porter.
9. C'est pourquoi.

tait honnêtement, pensant que ce fut mal d'enfant, et
lui disant qu'elle s'était là herbée[1] sous la saulaie et
qu'en bref elle ferait pieds neufs : par ce lui[2] convenait prendre courage nouveau au nouvel avènement
de son poupon, et encore que[3] la douleur lui fut
quelque peu en fâcherie : toutefois qu'icelle serait
brève, et la joie qui tôt succéderait, lui tollirait[4] tout
cet ennui : en sorte que seulement ne lui en resterait
la souvenance[5]. « Courage de brebis[6] (disait-il) dépê-
chez-vous de cetui[7] et bientôt en faisons[8] un autre.

— Ha (dit-elle) tant vous parlez à votre aise vous
autres hommes. Bien de par Dieu je me parforcerai[9],
puisqu'il vous plait. Mais plût à Dieu que vous l'eussiez coupé.

— Quoi ? dit Grandgousier.

— Ha (dit-elle) que vous êtes bon homme, vous
l'entendez bien.

— Mon membre (dit-il) ? Sang de les cabres[10], si
bon vous semble faites apporter un couteau.

— Ha (dit-elle) jà Dieu ne plaise[11]. Dieu me le par-
donne, je ne le dis de bon cœur : et pour ma parole

---

1. Elle s'était mise au pré, avait profité de l'herbe.
2. Pour cette raison.
3. Bien que.
4. Ôterait.
5. Le souvenir.
6. Vous n'avez pas plus de courage qu'une brebis ; autrement
dit : vous n'êtes qu'une poltronne.
7. Dépéchez-vous pour celui-ci.
8. Faisons-en.
9. Je ferai tous les efforts nécessaires.
10. Chèvres.
11. Qu'à Dieu jamais ne plaise !

n'en faites ni plus ni moins. Mais j'aurai prou[1] d'affaires aujourd'hui, si Dieu ne m'aide, et tout par[2] votre membre, que[3] vous fussiez bien aise.

— Courage, courage (dit-il) ne vous souciez au reste, et laissez faire aux quatre bœufs de devant. Je m'en vais boire encore quelque veguade[4]. Si cependant vous survenait quelque mal, je me tiendrai près, huchant en paume[5] je me rendrai à vous.»

Peu de temps après elle commença à soupirer, lamenter et crier. Soudain vinrent à tas[6] sages-femmes de tous côtés. Et la tâtant par le bas, trouvèrent quelques pellauderies[7], assez de mauvais goût, et pensaient que ce fut l'enfant, mais c'était le fondement qui lui échappait, à la mollification[8] du droit intestin, lequel vous appelez le boyau cullier[9], par[10] trop avoir mangé des tripes comme avons déclaré ci-dessus.

Dont une horde[11] vieille de la compagnie, laquelle avait réputation d'être grande médecine[12] et là était venue de Brizepaille d'auprès Saint Genou devant soixante ans[13], lui fit un restrictif[14] si horrible, que

1. Beaucoup.
2. À cause de.
3. Pour que.
4. Coup.
5. Si vous m'appelez au creux de vos mains.
6. En foule.
7. Lambeaux de peau.
8. Amollissement, relâchement.
9. Du cul.
10. Pour.
11. Dégoûtante.
12. Médecin.
13. Il y a plus de soixante ans.
14. Préparation astringente.

tous ses larrys[1] tant furent oppilez[2] et resserrés, qu'à grande peine avec les dents, vous les eussiez élargis, qui[3] est chose bien horrible à penser. Mêmement que[4] le diable à la messe de saint Martin écrivant le caquet de deux gualoises[5], à belles dents allongea son parchemin.

Par cet inconvénient furent au-dessus relâchés les cotyledons[6] de la matrice, par lesquels sursauta l'enfant, et entra en la veine creuse, et gravant[7] par le diaphragme jusqu'au-dessus des épaules (où ladite veine se part[8] en deux) prit son chemin à gauche, et sortit par l'oreille senestre[9].

Soudain qu'il fut né, ne cria comme les autres enfants, «mies, mies». Mais à haute voix s'écriait, «à boire, à boire, à boire», comme invitant tout le monde à boire, si bien qu'il fut ouï de tout le pays de Beusse et de Bibarais.

Je me doute que ne croyez assurément cette étrange nativité. Si ne le croyez, je ne m'en soucie, mais un homme de bien, un homme de bon sens croit toujours ce qu'on lui dit, et qu'il trouve par écrit.

Est-ce contre notre loi, notre foi, contre raison, contre la sainte écriture? De ma part je ne trouve

---

1. Sphincters.
2. Contractés.
3. Ce qui.
4. De même que.
5. Commères.
6. Lobes placentaires.
7. Montant.
8. Divise.
9. Gauche.

rien écrit es [1] bibles saintes, qui soit contre cela. Mais si le vouloir de Dieu tel eût été diriez-vous qu'il ne l'eût pu faire? Ha pour grâce, n'emburelucoquez [2] jamais vos esprits de ces vaines pensées. Car je vous dis, qu'à Dieu rien n'est impossible. Et s'il voulait les femmes auraient dorénavant ainsi leurs enfants par l'oreille.

Bacchus ne fut-il engendré par la cuisse de Jupiter?

Roquetaillade naquit-il pas du talon de sa mère?

Croquemouche de la pantoufle de sa nourrice?

Minerve, naquit-elle pas du cerveau par l'oreille de Jupiter?

Adonis par l'écorce d'un arbre de myrrhe?

Castor et Pollux de la coque d'un œuf pondu et esclos [3] par Léda?

Mais vous seriez bien davantage ébahis et étonnés, si je vous exposais présentement tout le chapitre de Pline, auquel parle [4] des enfantements étranges, et contre nature. Et toutefois je ne suis point menteur tant assuré comme il a été. Lisez le septième de sa naturelle histoire, *capi. iii.* [5] et ne m'en tabustez [6] plus l'entendement.

---

1. Dans les.
2. N'emberlificotez.
3. Couvé.
4. L'auteur parle.
5. Chapitre 3.
6. Tarabuster, rebattre.

Chapitre 7

Comment le nom fut imposé à Gargantua : et comment il humait le piot [1]

Le bon homme Grandgousier buvant, et se rigolant [2] avec les autres entendit le cri horrible que son fils avait fait entrant en lumière de ce monde, quand il bramait demandant, «à boire, à boire, à boire», dont il dit, « que grand tu as », *supple* [3] le gosier. Ce qu'oyant les assistants, dirent que vraiment il devait avoir par ce [4] le nom Gargantua, puisque telle avait été la première parole de son père à sa naissance, à l'imitation et exemple des anciens Hébreux. À quoi fut condescendu [5] par icelui, et plut très bien à sa mère. Et pour l'apaiser, lui donnèrent à boire à tire-larigot, et fut porté sur les fonts, et là baptisé, comme est la coutume des bons chrétiens.

Et lui furent ordonnées dix et sept mille neuf cent treize vaches de Pontille, et de Bréhémont, pour l'allaiter ordinairement, car de trouver nourrice suffisante n'était possible en tout le pays, considéré la grande quantité de lait requis pour icelui alimenter.

---

1. Vin.
2. S'amusant.
3. Suppléez, sous-entendez.
4. En vertu de ceci.
5. Consenti.

Combien qu'aucuns[1] docteurs Scotistes[2] ayant affirmé que sa mère l'allaita : et qu'elle pouvait traire de ses mamelles quatorze cent deux pipes[3] neuf potées[4] de lait pour chacune fois. Ce que n'est vraisemblable. Et a été la proposition déclarée mamallement scandaleuse, des pitoyables oreilles offensive[5] : et sentant de loin hérésie.

En cet état passa jusqu'à un an et dix mois : auquel temps par le conseil des médecins on commença le porter : et fut faite une belle charrette à bœufs par l'invention de Jehan Denyau, dedans icelle on le promenait par ci : par là : joyeusement et le faisait bon voir, car il portait bonne trogne, et avait presque dix et huit mentons : et ne criait que bien peu : mais il se conchiait à toutes heures : car il était merveilleusement phlegmatique[6] des fesses : tant de sa complexion[7] naturelle : que de la disposition accidentelle

---

1. Bien que certains.
2. Disciples de Duns Scot, philosophe et théologien scolastique du XIIIe siècle.
3. Une pipe contient environ 400 litres.
4. Équivalent de deux pintes.
5. Offensante pour les pieuses oreilles.
6. Ramolli. Toutefois, le terme relève aussi d'une construction médicale du tempérament de Gargantua, selon les modèles physiologiques hérités de l'Antiquité : en lui prédomine l'humeur appelée « phlegme », qui selon Ambroise Paré rend l'homme lourd, stupide, grossier, endormi et soumis aux affections intestinales telles que la colique.
7. Tempérament, c'est-à-dire l'équilibre issu du mélange entre les quatre humeurs qui constituent son sang : le sang proprement dit, le phlegme ou pituite, la cholère ou bile jaune, la mélancolie ou bile noire. La prédominance de telle ou telle de ces humeurs définit le caractère et les pathologies de chaque individu.

qui lui était advenue par trop humer[1] de purée Sep-
tembrale[2]. Et n'en humait goutte sans cause.

Car s'il advenait qu'il fut dépité, courroucé, fâché,
ou marri, s'il trépignait, s'il pleurait, s'il criait, lui
apportant à boire, l'on le remettait en nature, et soudain demeurait coi[3] et joyeux.

Une de ses gouvernantes m'a dit, jurant sa foi que
de ce faire il était tant coutumier, qu'au seul son des
pintes et flacons, il entrait en extase, comme s'il goû-
tait les joies de paradis. En sorte qu'elle considérant
cette complexion divine, pour le réjouir au matin faisaient devant lui sonner des verres avec un couteau,
ou des flacons avec leur toupon, ou des pintes, avec
leur couvercle. Auquel son il s'égayait, il tressaillait,
et lui-même se bressait[4] en dodelinant de la tête,
monicordisant[5] des doigts, et barytonant du cul.

Chapitre 8

Comment on vêtit Gargantua

Lui étant en cet âge, son père ordonna qu'on lui fit
habillement à sa livrée[6] : laquelle était blanc et bleu.
De fait on y besogna et furent faits, taillés, et cousus
à la mode qui pour lors courait.

---

1. Pour avoir trop humé.
2. De purée de septembre, de vin.
3. Tranquille.
4. Berçait.
5. Jouant d'un instrument à une corde.
6. Vêtement aux couleurs des armes d'un roi.

Par les anciens pantarches [1], qui sont en la Chambre des comptes à Montsoreau, je trouve qu'il fut vêtu en la façon qui s'ensuit.

Pour sa chemise, furent levées neuf cents aunes [2] de toile de Châtellerault, et deux cents pour les coussons en sorte de [3] carreaux, lesquels on mit sous les aisselles. Et n'était point froncée, car la fronçure [4] des chemises n'a été inventée, sinon depuis que les lingères, lorsque la pointe de leur aiguille était rompue, ont commencé besogner du cul.

Pour son pourpoint [5] furent levées huit cent treize aunes de satin blanc, et pour les aiguillettes [6] quinze cent neuf peaux et demie de chiens. Lors commença le monde attacher les chausses [7] au pourpoint, et non le pourpoint aux chausses, car c'est chose contre nature, comme amplement a déclaré Okham sur les exponibles de M. Hautechaussade.

Pour ses chausses furent levées onze cent cinq aunes, et un tiers d'estamet [8] blanc, et furent déchiquetées en forme de colonnes striées, et crénelées par le derrière, afin de n'échauffer les reins. Et floquait par dedans la déchiqueture de damas bleu, tant que besoin était. Et notez qu'il avait très belles

---

1. Registres des archives.
2. Mesure équivalant à 1,18 m de longueur.
3. Goussets en forme de.
4. Plis.
5. Justaucorps recouvrant le torse jusqu'à la ceinture.
6. Lacets de cuir destinés à attacher les vêtements.
7. Culotte tenant lieu de nos actuels pantalons.
8. Étoffe laineuse.

griefves[1], et bien proportionnées au reste de sa stature.

Pour la braguette : furent levées seize aunes un quartier d'icelui-même drap, et fut la forme d'icelle comme d'un arc-boutant, bien attachée joyeusement à deux belles boucles d'or, que prenaient deux crochets d'émail, en un chacun desquels était enchâssée une grosse émeraude de la grosseur d'une pomme d'orange. Car (ainsi que dit Orpheus *libro de lapidibus*, et Pline *libro ultimo*[2]) elle a vertu érective et confortative[3] du membre naturel. L'exiture[4] de la braguette était à la longueur d'une canne[5], déchiquetée comme les chausses, avec le damas bleu flottant comme devant. Mais voyant la belle broderie de cannetille[6], et les plaisants entrelacs[7] d'orfèvrerie garnis de fins diamants, fins rubis, fines turquoises, fines émeraudes, et unions[8] persiques, vous l'eussiez comparée à une belle corne d'abondance, telle que voyez aux antiquailles[9], et telle que donna Rhéa aux deux nymphes Adrasta, et Ida, nourrices de Jupiter. Toujours galante[10], succulente, resudante[11], toujours

---

1. Jambes.
2. Orphée dans son *Traité des pierres*, et Pline au dernier livre de son *Histoire naturelle*.
3. Le pouvoir de dresser et de supporter.
4. L'ouverture.
5. Mesure représentant 1,80 m.
6. À fil doré ou argenté.
7. Entrelacements.
8. Perles.
9. Sur les monuments antiques.
10. Gaillarde, virile.
11. Juteuse.

verdoyante, toujours fleurissante, toujours fructi-
fiante, pleine d'humeurs [1], pleine de fleurs, pleine de
fruits, pleine de tous délices. J'avoue Dieu s'il ne la
faisait bon voir. Mais je vous en exposerai bien davantage au livre que j'ai fait *De la dignité des braguettes*.
D'un cas vous avertis, que si elle était bien longue et
bien ample, si elle était bien garnie au dedans et bien
avitaillée, en rien ne ressemblant les hypocritiques
braguettes [2] d'un tas de muguets [3], qui ne sont pleines
que de vent, au grand intérêt du sexe féminin.

Pour ses souliers furent levées quatre cent six
aunes de velours bleu cramoisi, et furent déchiquetées mignonnement par lignes parallèles jointes en
cylindres uniformes. Pour la carrelure [4] d'iceux furent
employées onze cents peaux de vache brune, taillée
à queues de merlu.

Pour son saie [5] furent levées dix et huit cents aunes
de velours bleu teint en grenat, brodé à l'entour de
belles vignettes et par le milieu de pintes d'argent de
canetille, enchevêtrées de verges d'or avec force
perles, par ce dénotant qu'il serait un bon fessepinte [6]
en son temps.

Sa ceinture fut de trois cents aunes et demie de
serge de soie, moitié blanche et moitié bleue, ou je
suis bien abusé.

---

1. Liquides corporels.
2. Aux hypocrites braguettes (c'est-à-dire trompeuses sur leur
qualité).
3. Galants.
4. Semelle.
5. Veste portée sur le pourpoint.
6. Celui qui punit les pintes en les vidant : le buveur.

Son épée ne fut Valencienne, ni son poignard Sarragossais, car son père haïssait tous ces Hidalgos Bourrachous marranisés [1] comme diables, mais il eut la belle épée de bois, et le poignard de cuir bouilli, peint et doré comme un chacun souhaiterait.

Sa bourse fut faite de la couille d'un Oriflant [2], que lui donna Her Pracontal proconsul de Libye.

Pour sa robe furent levées neuf mille six cents aunes moins deux tiers de velours bleu comme dessus, tout profilé d'or en figure diagonale, dont par juste perspective issait une couleur innommée [3], telle que voyez au cou des tourterelles, qui réjouissait merveilleusement les yeux des spectateurs.

Pour son bonnet furent levées trois cent deux aunes un quart de velours blanc, et fut la forme d'icelui large et ronde à la capacité du chef [4]. Car son père disait que ces bonnets à la Marrabeise [5] faits comme une croûte de pâté, porteraient quelque jour mal encontre [6] à leurs tondus.

Pour son plumart [7] portait une belle grande plume bleue prise d'un Onocrotal du pays de Hircanie la sauvage [8], bien mignonnement pendante sur l'oreille droite.

---

1. Hidalgos pochards et hypocritement convertis au christianisme, comme on soupçonnait les marranes de l'être.
2. Éléphant.
3. Ressortait une couleur indéfinissable.
4. De la tête.
5. À la mode des Maures.
6. Malheur.
7. Plumet, panache.
8. D'un pélican d'Asie centrale.

Pour son image avait en une platine d'or pesant soixante et huit marcs [1], une figure d'émail compétent [2] : en laquelle était portrait un corps humain ayant deux têtes, l'une virée vers l'autre, quatre bras, quatre pieds, et deux culs tels que dit Platon *in Simposio* [3], avoir été l'humaine nature à son commencement mystique. Et au tour était écrit en lettres ioniques

ΑΓΑΠΗ ΟΥ ΖΗΤΕΙ

ΤΑ ΕΑΥΤΗΣ [4].

Pour porter au cou, eut une chaîne d'or pesante vingt et cinq mille soixante et trois marcs d'or [5], faite en forme de grosses bacces [6], entre lesquelles étaient en œuvre gros jaspes verts, engravés et taillés en Dragons tous environnés de rais [7] et étincelles, comme les portait jadis le roi Necepsos. Et descendait jusqu'à la bouque [8] du haut ventre. Dont toute sa vie en eut l'émolument [9] tel que savent les médecins Grecs.

Pour ses gants furent mises en œuvre seize peaux de lutin, et trois de loup-garou pour la brodure

---

1. Plaque de 16 kg environ.
2. Adapté.
3. Platon était célèbre à la Renaissance pour avoir vulgarisé dans son *Banquet* le mythe de l'Androgyne.
4. « La Charité (l'amour du prochain) ne recherche pas son propre avantage » (I *Cor.* XIII, 5).
5. Environ 6 000 kg.
6. Graines.
7. Rayons.
8. Jusqu'à l'extrémité du sternum.
9. Le bénéfice, le salaire.

d'iceux. Et de telle matière lui furent faits par l'ordonnance des Cabalistes[1] de Saint-Louand.

Pour ses anneaux (lesquels voulut son père qu'il portât pour renouveler le signe antique de noblesse) il eut au doigt index de sa main gauche une escarboucle grosse comme un œuf d'autruche, enchâssée en or de seraph[2] bien mignonnement. Au doigt médical[3] d'icelle, eut un anneau fait des quatre métaux ensemble[4] : en la plus merveilleuse façon, que jamais fut vue, sans que l'acier froissât l'or, sans que l'argent foulât le cuivre. Le tout fut fait par le capitaine Chappuys et Alcofribas son bon facteur[5]. Au doigt médical de la dextre[6] eut un anneau fait en forme spirale, auquel étaient enchâssés un balai en perfection, un diamant en pointe, et une émeraude de Physon[7], de prix inestimable. Car Hans Caruel grand lapidaire du roi de Melinde les estimait à la valeur de soixante neuf millions huit cent nonante et quatre mille dix et huit moutons à la grande laine[8] : autant l'estimèrent les Fourques[9] d'Augsbourg.

---

1. Experts dans l'art d'interpréter le texte ésotérique de la Kabbale.
2. Monnaie orientale.
3. L'annulaire.
4. Cuivre, acier, argent et or.
5. Alcofribas, le narrateur, réapparaît ici comme artisan.
6. De la main droite.
7. Fleuve du paradis terrestre où abondent les matières précieuses.
8. Pièces d'or frappées d'un *Agnus Dei*, Agneau de Dieu, symbolisant le Christ : ici ces parfaits «moutons à la grande laine».
9. Fugger, célèbre famille de banquiers.

Chapitre 9

Les couleurs et livrée de Gargantua

Les couleurs de Gargantua furent blanc et bleu :
comme ci-dessus avez pu lire. Et par icelles voulait
son père qu'on entendît que ce lui était une joie
céleste. Car le blanc lui signifiait joie, plaisir, délices,
et réjouissance, et le bleu, choses célestes.

J'entends bien que lisant ces mots, vous moquez du
vieux buveur, et réputez[1] l'exposition des couleurs
par trop indague, et abhorrente[2] : et dites que blanc
signifie foi : et bleu, fermeté. Mais sans vous mouvoir[3],
courroucer, échauffer, ni altérer (car le temps est
dangereux) répondez-moi si bon vous semble.
D'autre contrainte n'userai envers vous, ni autres
quels qu'ils soient. Seulement vous dirai un mot de la
bouteille.

Qui vous meut ? Qui vous point[4] ? Qui vous dit ?
Que blanc signifie foi : et bleu fermeté ? Un (dites-
vous) livre trepelu qui se vend par les bisouars et por-
teballes[5] au titre : *Le blason des couleurs*. Qui l'a fait ?
Quiconque il soit, en ce a été prudent, qu'il n'y a point
mis son nom. Mais au reste, je ne sais quoi premier

---

1. Tenez pour, considérez.
2. Folle et insensée.
3. Émouvoir.
4. Qui vous titille, quelle mouche vous pique ?
5. Un livre sans valeur que les colporteurs vendent sous le titre.

en lui je doive admirer, ou son outrecuidance, ou sa bêtise.

Son outrecuidance, qui sans raison, sans cause, et sans apparence, a osé prescrire de son autorité privée quelles choses seraient dénotées par les couleurs : ce qu'est l'usance des tyrans qui veulent leur arbitre[1] tenir lieu de raison : non des sages et savants qui par raisons manifestes contentent les lecteurs.

Sa bêtise : qui a existimé[2] que sans autres démonstrations et arguments valables le monde règlerait ses devises par ses impositions badaudes[3].

De fait (comme dit le proverbe, à cul de foirard toujours abonde merde) il a trouvé quelque reste de niais du temps des hauts bonnets[4] : lesquels ont eu foi à ses écrits. Et selon iceux ont taillé leurs apophtegmes[5] et dits : en ont enchevêtré leurs mulets : vêtu leurs pages, écartelé leurs chausses, brodé leurs gants : frangé leurs lits : peint leurs enseignes : composé chansons : et (qui pis est) fait impostures et lâches tours clandestinement entre les pudiques matrones.

En pareilles ténèbres sont compris ces glorieux de cour[6], et transporteurs de noms : lesquels voulant en leurs devises signifier espoir, font portraire une sphère[7] : des pennes[8] d'oiseaux, pour peines : de

---

1. Leur jugement personnel et arbitraire.
2. Supputé.
3. Selon ses stupides attributions de sens aux couleurs.
4. Du temps jadis.
5. Sentences.
6. Ces courtisans avides de gloire.
7. À prononcer «espère».
8. Plumes.

l'Ancolie[1], pour mélancolie : la Lune bicorne, pour
vivre en croissant : un banc rompu, pour banque-
route[2] : non et un alcret[3], pour *non durhabit* : un lit
sans ciel, pour un licencié. Qui sont homonymies tant
ineptes, tant fades, tant rustiques et barbares, que l'on
devrait attacher une queue de renard, au collet[4], et
faire un masque d'une bouse de vache à un chacun
d'iceux, qui en voudrait dorénavant user en France
après la restitution des bonnes lettres[5].

Par mêmes raisons (si raisons les dois nommer, et
non rêveries) ferais-je peindre un penier[6] : dénotant
qu'on me fait peiner. Et un pot à moutarde, que c'est
mon cœur à qui moult tarde[7]. Et un pot à pisser, c'est
un official[8]. Et le fond de mes chausses, c'est un vaisseau de pets, et ma braguette, c'est le greffe[9] des
arrêts. Et un étron de chien, c'est un tronc de céans[10],
où gît l'amour de m'amie.

Bien autrement faisaient au temps jadis les sages
d'Égypte, quand ils écrivaient par lettres, qu'ils appe-

---

1. Fleur, qui pousse jusque dans les Alpes.
2. Faillite.
3. Une cuirasse : l'équivoque entre « *non dur habit* », « il ne l'a
pas dure », et « *non durabit* », il ne durera pas.
4. Au cou.
5. C'est-à-dire après le début de la Renaissance, marqué par
l'Humanisme, le rétablissement de toutes les disciplines, et la
restitution aux lettres de leur lumière et de leur dignité. Voir la
lettre de Gargantua à Pantagruel son fils (à laquelle nous repre-
nons ces termes), *Pantagruel*, chap. 8.
6. Panier.
7. Qui languit beaucoup.
8. À la fois « pot de chambre » et « officier ».
9. Bureau d'enregistrement des actes judiciaires.
10. Là aussi, la prononciation doit être adaptée pour rétablir
l'homophonie.

laient hiéroglyphiques. Lesquelles nul n'entendait qui n'entendît : et un chacun entendait qui entendît la vertu, propriété, et nature des choses par icelles figurées. Desquelles Orus Apollon a en Grec composé deux livres, et Polyphile au songe d'amours en a davantage exposé. En France vous en avez quelque transon[1] en la devise de monsieur l'Amiral : laquelle premier porta Octavien Auguste[2].

Mais plus outre ne fera voile mon esquif entre ces gouffres et gués mal plaisants. Je retourne faire escale au port dont suis issu. Bien ai-je espoir d'en écrire quelque jour plus amplement : et montrer tant par raisons philosophiques, que par autorités[3] reçues et approuvées de toute ancienneté, quelles et quantes[4] couleurs sont en nature : et quoi par une chacune peut être désigné[5], si Dieu me sauve le moule du bonnet[6], c'est le pot au vin, comme disait ma mère-grand.

---

1. Tronçon, fragment.
2. Mention faite vraisemblablement à Philippe Chabot, ami du roi François Ier, qui avait repris la devise *«Festina lente»*, «Hâte-toi lentement», symbolisée par une ancre et un dauphin.
3. En se fondant sur le témoignage des plus illustres auteurs faisant «autorité».
4. De quelle sorte et en quel nombre.
5. Et ce que chacune d'entre elles désigne.
6. C'est-à-dire la tête, autrement dit le pot à vin, comme le disait ma grand-mère.

Chapitre 10

De ce qu'est signifié par les couleurs blanc et bleu

Le blanc donc signifie joie, soulas [1], et liesse : et non à tort le signifie, mais à bon droit et juste titre. Ce que pourrez vérifier si arrière mises vos affections [2] voulez entendre ce que présentement vous exposerai.

Aristote dit que supposant deux choses contraires en leur espèce : comme bien et mal : vertu et vice : froid et chaud : blanc et noir : volupté et douleur : joie et deuil, et ainsi d'autres si vous les couplez en telle façon, qu'un contraire d'une espèce convienne raisonnablement à l'un contraire d'une autre, il est conséquent, que l'autre contraire compète avec l'autre résidu [3]. Exemple : Vertu et Vice sont contraires en une espèce, aussi sont Bien et Mal. Si l'un des contraires de la première espèce convient à l'un de la seconde comme vertu et bien : car il est su : que vertu est bonne, ainsi feront les deux résidus, qui sont mal et vice, car vice est mauvais.

Cette règle logique entendue, prenez ces deux contraires, joie et tristesse : puis ces deux, blanc et noir. Car ils sont contraires physiquement [4]. Si ainsi

1. Plaisir.
2. Une fois vos désirs mis au second plan.
3. Corresponde à l'autre qui reste.
4. Compte tenu de leurs propriétés physiques.

donc est que noir signifie deuil, à bon droit blanc signifiera joie.

Et n'est cette signifiance[1] par imposition humaine instituée, mais reçue par consentement de tout le monde, que les philosophes nomment *ius gentium*[2], droit universel valable par toutes contrées.

Comme assez savez, que tous peuples, toutes nations (j'excepte les antiques Syracusains et quelques Argiens : qui avaient l'âme de travers) toutes langues voulant extérieurement démontrer leur tristesse portent habit de noir : et tout deuil est fait par noir. Lequel consentement universel n'est fait que nature n'en donne quelque argument et raison : laquelle un chacun peut soudain par soi comprendre sans autrement être instruit de personne, laquelle nous appelons droit naturel.

Par le blanc à même induction de nature[3] tout le monde a entendu joie, liesse, soulas, plaisir, et délectation.

Au temps passé les Thraces et Crétois signaient les jours bien fortunés et joyeux, de pierres blanches : les tristes et défortunés, de noires.

La nuit n'est-elle funeste, triste, et mélancolique ? Elle est noire et obscure par privation. La clarté n'éjouit-elle toute nature ? Elle est blanche plus que chose qui soit. À quoi prouver je vous pourrais renvoyer au livre de Laurens Valle contre Bartole[4], mais

---

1. Signification.
2. Droit des nations.
3. Selon la même impulsion naturelle.
4. L'humaniste italien Lorenzo Valla avait dénoncé la comparaison usitée par le jurisconsulte Bartole entre la lumière et la couleur dorée.

le témoignage évangélique vous contentera. *Math. xvii.*
est dit qu'à la transfiguration de notre seigneur : *ues-
timenta eius facta sunt alba sicut lux*, ses vêtements
furent faits blancs comme la lumière. Par laquelle
blancheur lumineuse donnait entendre à ses trois
apôtres l'idée et figure des joies éternelles. Car par
la clarté sont tous humains éjouis. Comme vous avez
le dit d'une vieille qui n'avait dent en gueule, encore
disait-elle « *Bona lux*[1] ». Et Tobie, *cap. v.* quand il eut
perdu la vue, lors que Raphaël[2] le salua, répondit
« Quelle joie pourrais-je avoir qui point ne vois la
lumière du ciel ? ». En telle couleur témoignèrent les
Anges la joie de tout l'univers à la résurrection du
sauveur, *Joan. xx.* et à son ascension, *Act. i.*[3] De semblable parure vit saint Jean évangéliste *Apocal. iiii. et.
vii.*[4] les fidèles vêtus en la céleste et béatifiée Jérusalem.

Lisez les histoires antiques tant grecques que
romaines, vous trouverez que la ville d'Albe (premier
patron[5] de Rome) fut et construite et appelée à l'invention[6] d'une truie blanche.

Vous trouverez que si à aucun[7] après avoir eu des
ennemis victoire, était décrété qu'il entrât à Rome en
état triomphant, il y entrait sur un char tiré par che-

1. Bon jour.
2. Ange envoyé par Dieu.
3. *Évangile selon saint Jean*, XX, et *Actes des Apôtres*, I.
4. *Apocalypse de Jean*, IV et VII.
5. Modèle de la fondation ultérieure de Rome (« *Alba* » signifie
« la blanche »).
6. Au lieu trouvé par une truie blanche.
7. Quelqu'un.

vaux blancs. Autant celui qui y entrait en ovation. Car par signe ni couleur ne pouvaient plus certainement exprimer la joie de leur venue, que par la blancheur.

Vous trouverez que Périclès duc[1] des Athéniens voulut celle part[2] de ses gendarmes auxquels par sort étaient advenues les fèves blanches, passer toute la journée en joie, soulas, et repos : cependant que ceux de l'autre part batailleraient. Mille autres exemples et lieux[3] à ce propos vous pourrais-je exposer, mais ce n'est ici le lieu.

Moyennant laquelle intelligence pouvez résoudre un problème, lequel Alexandre Aphrodise[4] a réputé insoluble. Pourquoi le lion, qui de son seul cri et rugissement épouvante tous animaux, seulement craint et révère le coq blanc ? Car (ainsi que dit Proclus *lib. de sacrificio et magia*[5]) c'est parce que la présence de la vertu du soleil, qui est l'organe et promptuaire[6] de toute lumière terrestre et sidérale[7], plus est symbolisante et compétente[8] au coq blanc : tant pour icelle couleur que pour sa propriété et ordre spécifique, qu'au lion. Plus dit, qu'en forme léonine[9] ont été diables souvent vus, lesquels à la présence d'un coq blanc soudainement sont disparus.

---

1. Chef, général.
2. Que le lot de ses soldats (…) fût de passer…
3. Lieux communs donnés à titre de preuve dans l'argumentation.
4. Commentateur d'Aristote.
5. Dans son traité *Sur le sacrifice et la magie*.
6. L'instrument et le contenant.
7. Astrale.
8. Adaptée.
9. Sous une apparence de lion.

C'est la cause pourquoi *Galli*[1] (ce sont les Français ainsi appelés parce que blancs sont naturellement comme lait, que les Grecs nomment *gala*) volontiers portent plumes blanches sur leurs bonnets. Car par nature, ils sont joyeux, candides[2], gracieux et bien aimés : et pour leur symbole et enseigne ont la fleur plus que nulle autre blanche, c'est le lys.

Si demandez comment par couleur blanche nature nous induit[3] entendre joie et liesse : je vous réponds, que l'analogie et conformité est telle. Car comme le blanc extérieurement désagrège et éparpille la vue, dissolvant manifestement les esprits visifs[4], selon l'opinion d'Aristote en ses *Problèmes*, et des perspectifs[5], et le voyez par expérience : quand vous passez les monts couverts de neige : en sorte que vous plaignez de ne pouvoir bien regarder, ainsi que Xénophon écrit être advenu à ses gens : et comme Galien expose amplement *lib. x. de usu partium*[6] : tout ainsi le cœur par joie excellente est intérieurement éparpillé et pâtit manifeste résolution[7] des esprits vitaux. Laquelle tant peut être accrue : que[8] le cœur demeurerait spolié de son entretien, et par conséquent serait la vie éteinte, par cette périchairie[9], comme dit

---

1. Les Gaulois.
2. « *Candidus* » signifie également « d'un blanc éclatant ».
3. Pousse à.
4. Fluides subtils émanant des yeux et permettant d'assurer, dans la physiologie antique, la vision.
5. Et selon les spécialistes de l'optique.
6. Au livre X de son *Utilité des parties du corps humain*.
7. Une dissolution manifeste.
8. Tant… que… : construction consécutive.
9. Excès de joie (« *périchareia* » en grec).

Galien *lib. XII. Metho.*, *li. V. de locis affectis* et *li. II. de Simptomaton causis*[1]. Et comme être au temps passé advenu témoignent Marc Tulle *li. I. quaestio. Tuscul.*[2], Verrius, Aristote, Tite-Live, après la bataille de Cannes, Pline *lib. VII. c. xxxii. et liii.*[3]. A. Gellius *li. III. xv.*[4] et autres, à Diagoras Rhodien, Chilon, Sophocle, Denys, tyran de Sicile, Philippide, Philémon, Polycrate, Philistion, M. Juventius, et autres qui moururent de joie. Et comme dit Avicenne *in. II. canone*, et *lib. de uiribus cordis*[5], du safran, lequel tant éjouit le cœur qu'il le dépouille de vie si on en prend en dose excessive, par résolution et dilatation superflue. Ici[6] voyez Alex. Aphrodisien *lib. primo problematum c. xix*. Et pour cause. Mais quoi j'entre plus avant en cette matière, que n'établissais au commencement, ici donc calerai mes voiles remettant le reste au livre en ce consommé du tout. Et dirai en un mot que le bleu signifie certainement le ciel et choses célestes, par mêmes symboles que le blanc signifiait joie et plaisir.

---

1. Galien au livre XII de sa *Méthode médicale*, au livre V des *Affections*, et au livre II du traité sur *Les Causes des symptômes*.

2. Cicéron au livre I de ses *Tusculanes*.

3. Pline aux chapitres 32 et 53 du livre VII de son *Histoire naturelle*.

4. Aulu-Gelle, au livre III des *Nuits attiques*, chap. 15.

5. Au livre II du traité *Sur la règle* et de celui *Sur les propriétés du cœur*.

6. Sur ce point, consultez Alexandre d'Aphrodise au livre I des *Problèmes*, chap. 19.

Chapitre 11

De l'adolescence
de Gargantua

Gargantua depuis les trois jusqu'à cinq ans fut nourri et institué en toute discipline convenable[1] par le commandement de son père, et celui temps passa comme les petits enfants du pays, c'est à savoir à boire, manger, et dormir : à manger, dormir, et boire : à dormir, boire, et manger.

Toujours se vautrait par les fanges, se mascarait[2] le nez, se chauffourait[3] le visage. Éculait ses souliers, baillait souvent aux mouches, et courait volontiers après les papillons, desquels son père tenait l'empire. Il pissait sur ses souliers, il chiait en sa chemise, il se mouchait à ses manches, il morvait dedans sa soupe. Et patrouillait par tout lieu, et buvait en sa pantoufle, et se frottait ordinairement[4] le ventre d'un panier. Ses dents aiguisait d'un sabot, ses mains lavait de potage, se peignait d'un gobelet. S'asseyait entre deux selles[5] le cul à terre. Se couvrait d'un sac mouillé. Buvait en mangeant sa soupe. Mangeait sa fouace[6] sans pain. Mordait en riant. Riait en mordant. Souvent crachait

---

1. En toute science qu'il convenait d'étudier.
2. Mâchurer (barbouiller de suie) ; salir.
3. Barbouiller.
4. Il avait l'habitude de se frotter.
5. Chaises.
6. Brioche.

au bassin, pétait de graisse, pissait contre le soleil. Se cachait en l'eau pour la pluie. Battait à froid[1]. Songeait creux. Faisait le sucré. Écorchait le renard. Disait le patenôtre[2] du singe. Retournait à ses moutons. Tournait[3] les truies au foin. Battait le chien devant[4] le lion. Mettait la charrette devant les bœufs. Se grattait où ne lui démangeait point. Tirait les vers du nez. Trop embrassait, et peu étreignait. Mangeait son pain blanc le premier. Ferrait[5] les cigales. Se chatouillait pour se faire rire. Ruait très bien[6] en cuisine. Faisait gerbe de feurre[7] aux dieux. Faisait chanter *magnificat* à matines[8], et le trouvait bien à propos. Mangeait choux et chiait pourrée[9]. Connaissait mouches en lait[10]. Faisait perdre les pieds aux mouches. Ratissait[11] le papier. Chaffourait le parchemin. Gagnait au pied. Tirait au chevrotin[12]. Comptait sans son hôte. Battait les buissons, sans prendre les oisillons. Croyait que nues fussent pailles d'airain[13], et que vessies fussent lanternes. Tirait d'un sac deux moutures. Faisait de l'âne pour

---

1. N'agissait pas au bon moment (ne battait pas le fer quand il était chaud).

2. Le *Pater noster*, prière christique du *Notre Père*.

3. Conduisait.

4. À la place du.

5. Attrapait.

6. Faisait très grande chère.

7. Fourrage.

8. Office du matin, alors que ce chant est lié aux vêpres, office du soir.

9. Poireaux.

10. Arrivait à voir une mouche sur du lait.

11. Racler, opération ordinairement réservée pour les parchemins.

12. Outre en peau.

13. Poêles en airain.

avoir du bren[1]. De son poing faisait un maillet. Prenait les grues du premier saut. Voulait que maille à maille on fît les haubergeons[2]. De cheval donné toujours regardait en la gueule. Sautait du coq à l'âne. Mettait entre deux vertes une mûre. Faisait de la terre le fossé. Gardait la lune des loups. Si les nues tombaient espérait prendre les alouettes. Faisait de nécessité vertu. Faisait de tel pain soupe[3]. Se souciait aussi peu des rasés comme des tondus. Tous les matins écorchait le renard. Les petits chiens de son père mangeaient en son écuelle. Lui de même mangeait avec eux : il leur mordait les oreilles. Ils lui graphinaient[4] le nez. Il leur soufflait au cul. Ils lui léchaient les badigoinces[5].

Et sabez quey hillots, que mau de pipe vous byre[6], ce petit paillard toujours tâtonnait ses gouvernantes sens dessus dessous, sens devant derrière, hardi bourricot : et déjà commençait exercer sa braguette. Laquelle un chacun jour[7] ses gouvernantes ornaient de beaux bouquets, de beaux rubans, de belles fleurs, de beaux floquars[8] : et passaient leur temps à la faire revenir entre leurs mains, comme un magdaleon d'entraict[9]. Puis s'esclaffaient de rire quand elle levait les oreilles, comme si le jeu leur eût plu.

---

1. Son.
2. Hauberts, chemises en mailles protégeant le soldat.
3. Morceau de pain trempé dans le bouillon.
4. Égratignaient le nez.
5. Babines.
6. En gascon : « Et savez-vous quoi, les gars : que le mal du tonneau vous tourne la tête. »
7. Quotidiennement.
8. Pompons.
9. Petit bâtonnet d'onguent destiné à faire des emplâtres.

L'une la nommait «ma petite dille», l'autre «ma pine [1]», l'autre «ma branche de corail», l'autre «mon bondon [2], mon bouchon, mon vilbrequin, mon poussoir [3], ma tarière [4], ma pendeloque, mon rude ébat raide et bas, mon dressoir, ma petite andouille vermeille, ma petite couille bredouille».

— Elle est à moi disait l'une.

— C'est la mienne, disait l'autre.

— Moi, (disait l'autre) n'y aurai-je rien? Par ma foi je la couperai donc.

— Ha couper, (disait l'autre) vous lui feriez mal ma dame, coupez-vous la chose aux enfants, il serait monsieur sans queue.

Et pour s'ébattre comme les petits enfants du pays lui firent un beau virolet [5] des ailes d'un moulin à vent de Myrebalays.

Chapitre 12

Des chevaux factices de Gargantua

Puis afin que toute sa vie fût bon chevaucheur, l'on lui fit un beau grand cheval de bois lequel il faisait

---

1. Épingle.
2. Bonde (bouchon) du tonneau.
3. Piston.
4. Grande vrille pour percer le bois ou forer le sol.
5. Tourniquet, petit moulin actionné par le vent auquel jouent les enfants. Le virolet désigne aussi habituellement chez Rabelais le membre viril.

penader[1], sauter, voltiger, ruer et danser tout
ensemble, aller le pas, le trot, l'entrepas, le galop, les
ambles, l'aubin[2], le traquenard, le camelin et l'ona-
grier[3]. Et lui faisait changer de poil, comme font les
moines de courtibaux[4] selon les fêtes, de bai brun,
d'alezan, de gris pommelé, de poil de rat, de cerf, de
rouan, de vache, de zencle[5], de pecile[6], de pie, de
leuce[7].

Lui-même d'une grosse traine[8], fit un cheval pour
la chasse, un autre d'un fût de pressoir à tous les
jours, et d'un grand chêne une mule avec la housse
pour la chambre. Encore en eut-il dix ou douze à
relais, et sept pour la poste. Et tous mettait coucher
auprès de soi.

Un jour le seigneur de Painensac visita son père,
en gros train et apparat, auquel jour l'étaient semblablement venus voir le duc de Francrepas et le
comte de Mouillevent. Par ma foi le logis fut un peu
étroit pour tant de gens, et singulièrement les
étables : donc le maître d'hôtel et fourrier[9] dudit
seigneur de Painensac pour savoir si ailleurs en la
maison étaient étables vaques[10] : s'adressèrent à

----

1. Gambader.
2. Mélange de trot et de galop.
3. Le pas propre au chameau et à l'onagre (âne sauvage).
4. Dalmatique.
5. Couvert de taches en forme de faucille.
6. Aux taches de couleurs bigarrées.
7. Blanc.
8. Poutre.
9. Fonction consistant à précéder les personnages officiels en
visite pour s'assurer de toute l'intendance et des conditions de
réception.
10. Vides.

Gargantua jeune garçonnet, lui demandant secrètement où étaient les étables des grands chevaux, pensant que volontiers les enfants décèlent tout.

Lors il les mena par les grands degrés [1] du château passant par la seconde salle en une grande galerie, par laquelle entrèrent en une grosse tour, et eux montant par d'autres degrés, dit le fourrier au maître d'hôtel, « cet enfant nous abuse, car les étables ne sont jamais au haut de la maison.

— C'est (dit le maître d'hôtel) mal entendu à vous. Car je sais des lieux à Lyon, à la Baumette, à Chinon et ailleurs, où les étables sont au plus haut du logis, ainsi peut être que derrière y a issue au montoir. Mais je le demanderai plus assurément. » Lors demanda à Gargantua. « Mon petit mignon, où nous menez-vous ?

— À l'étable (dit-il) de mes grands chevaux. Nous y sommes tantôt, montons seulement ces échelons. »

Puis les passant par une autre grande salle, les mena en sa chambre, et retirant la porte. « Voici (dit-il) les étables que demandez, voilà mon Genet, voilà mon Guildin, mon Lavedan [2], mon Traquenard », et les chargeant d'un gros levier, « je vous donne (dit-il) ce Frison, je l'ai eu de Francfort. Mais il sera vôtre, il est bon petit chevalet, et de grand peine : avec un tiercelet d'autour [3], demi-douzaine d'Espagnols, et deux lévriers, vous voilà roi des perdrix et lièvres pour tout cet hiver.

---

1. Escaliers.
2. Chevaux provenant d'Espagne, d'Angleterre, de Gascogne.
3. Oiseau de proie utilisé pour la chasse, ici l'autour mâle.

— Par saint Jean (dirent-ils) nous en sommes bien, à cette heure avons-nous le moine.

— Je le vous nie, dit-il. Il ne fut trois jours à céans. »

Devinez ici duquel des deux ils avaient plus matière, ou de soi cacher pour leur honte, ou de rire, pour le passe-temps ?

Eux en ce pas descendant tous confus, il demanda.

« Voulez-vous une aubelière ?

— Qu'est-ce ? disent-ils.

— Ce sont (répondit-il) cinq étrons pour vous faire une muselière.

— Pour ce jourd'hui (dit le maître d'hôtel) si nous sommes rôtis, jà[1] au feu ne brûlerons, car nous sommes lardés à point, en mon avis. Ô petit mignon, tu nous as baillés foin en corne : je te verrai quelque jour pape.

— Je l'entends (dit-il) ainsi. Mais lors vous serez papillon et ce gentil papeguay[2], sera un papelard tout fait.

— Voire, voire, dit le fourrier.

— Mais (dit Gargantua) devinez combien y a de points d'aiguille, en la chemise de ma mère ?

— Seize, dit le fourrier.

— Vous (dit Gargantua) ne dites l'évangile[3]. Car il y en a sens devant et sens derrière et les comptâtes trop mal.

---

1. Jamais.
2. Perroquet.
3. Vous ne dites pas la vérité.

— Quand ? (dit le fourrier).

— Alors (dit Gargantua) qu'on fit de votre nez une dille [1], pour tirer un muid de merde : et de votre gorge un entonnoir, pour la mettre en autre vaisseau : car les fonds étaient éventés.

— Cordieu (dit le maître d'hôtel) nous avons trouvé un causeur. Monsieur le jaseur Dieu vous garde de mal, tant vous avez la bouche fraîche. »

Ainsi descendant à grand hâte sous l'arceau des degrés, laissèrent tomber le gros levier, qu'il leur avait chargé : dont dit Gargantua. « Que diantre vous êtes mauvais chevaucheurs : votre courtaut vous faut au besoin [2]. S'il vous fallait aller d'ici à Cahusac, qu'aimeriez-vous mieux, ou chevaucher un oison, ou mener une truie en laisse ?

— J'aimerais mieux boire », dit le fourrier.

Et ce disant entrèrent en la salle basse, où était toute la brigade [3] : et racontant cette nouvelle histoire, les firent rire comme un tas de mouches.

---

1. Fausset d'un tonneau.
2. Votre petit cheval vous lâche quand vous en avez besoin.
3. Troupe.

Chapitre 13

Comment Grandgousier connut l'esprit merveilleux de Gargantua à l'invention d'un torchecul

Sur la fin de la quinte[1] année Grandgousier retournant de la défaite des Canarriens visita son fils Gargantua. Là fut réjoui, comme un tel père pouvait être voyant un sien tel enfant. Et le baisant et accolant l'interrogeait de petits propos puérils en diverses sortes. Et but d'autant avec lui et ses gouvernantes : auxquelles par grand soin demandait entre autres cas, si elles l'avaient tenu blanc et net ? À ce Gargantua fit réponse, qu'il y avait donné tel ordre, qu'en tout le pays n'était garçon plus net que lui. « Comment cela ? dit Grandgousier.

— J'ai (répondit Gargantua) par longue et curieuse[2] expérience inventé un moyen de me torcher le cul, le plus seigneurial, le plus excellent, le plus expédient[3] que jamais fut vu.

— Quel ? dit Grandgousier.

— Comme vous le raconterai (dit Gargantua) présentement. Je me torchai une fois d'un cachelet[4] de

---

1. Cinquième.
2. Méticuleuse.
3. Utile, opportun.
4. Déformation probable de « cache-nez », ici pour cacher le « laid » visage de celle qui le porte.

velours d'une demoiselle : et le trouvai bon : car la mollice[1] de sa soie me causait au fondement une volupté bien grande.

« Une autre fois d'un chaperon[2] d'icelles et fut de même.

« Une autre fois d'un cache-col, une autre fois des oreillettes de satin cramoisi : mais la dorure d'un tas de sphères de merde qui y étaient m'écorchèrent tout le derrière, que le feu saint Antoine[3] arde le boyau cullier de l'orfèvre qui les fit : et de la demoiselle, qui les portait.

« Ce mal passa me torchant d'un bonnet de page bien emplumé à la Suisse.

« Puis fientant derrière un buisson, trouvai un chat de Mars[4], d'icelui me torchai, mais ses griffes m'exulcérèrent tout le périnée.

« De ce me guéris au lendemain me torchant des gants de ma mère bien parfumés de maujoin[5].

« Puis me torchai de sauge, de fenouil, d'aneth, de marjolaine, de roses, de feuilles de courges, de choux, de bettes, de pampre, de guimauves, de verbasce[6] (qui est écarlate de cul), de laitues, et de feuilles d'épinards. Le tout me fit grand bien à ma jambe : de mercuriale, de persicaire, d'orties, de consoude : mais

---

1. Douceur.
2. Coiffe de velours.
3. Menace fréquente ; saint Antoine était représenté avec des flammes.
4. Né en mars, un tel chat est belliqueux, comme le dieu Mars son patron.
5. Mal-joint, périphrase gaillarde renvoyant au sexe féminin.
6. Bouillon blanc.

j'en eus la caque sangue [1] de Lombard. Dont fus guéri me torchant de ma braguette.

« Puis me torchai aux linceuls [2], à la couverture, aux rideaux, d'un coussin, d'un tapis, d'un vert [3], d'une mappe [4], d'une serviette, d'un mouche-nez, d'un peignoir. En tout je trouvai de plaisir plus que n'ont les rogneux [5] quand on les étrille.

— Voire mais (dit Grandgousier) lequel torchecul trouvas-tu meilleur ?

— J'y étais (dit Gargantua), et bientôt en saurez le *tu autem* [6]. Je me torchai de foin, de paille, de bauduffe [7], de bourre, de laine, de papier. Mais

Toujours laisse aux couillons émorche [8]
qui son hord [9] cul de papier torche.

— Quoi ? dit Grandgousier, mon petit couillon, as-tu pris au pot ? Vu que tu rimes déjà ?

— Oui dea (répondit Gargantua) mon roi je rime tant et plus : et en rimant souvent m'enrime. Écoutez que dit notre retrait [10] aux fienteurs,

---

1. Diarrhée sanguinolente.
2. Draps.
3. Tapis de jeu de couleur verte.
4. Torchon.
5. Galeux.
6. « Toi aussi », segment débutant la phrase conclusive de la lecture de l'Évangile.
7. Étoupe.
8. Une amorce.
9. Sale.
10. Lieu d'aisances.

Chiart
Foirart
Pétart
Brenous [1]
Ton lard
Chappart
S'épart [2]
Sur nous.
Hordous
Merdous
Égous
Le feu de saint Antoine te arde :
Si tous
Tes trous
Éclos
Tu ne torches avant ton départ.

« En voulez-vous davantage ?
— Oui dea, répondit Grandgousier.
— Adonc, dit Gargantua.

« Rondeau,

« En chiant l'autre hier sentis
La gabelle [3] qu'à mon cul dois,
L'odeur fut autre que cuidois [4] :
J'en fus du tout empuanti.

---

1. Merdeux.
2. S'éparpille.
3. Impôt, tribut.
4. Je pensais.

« Ô si quelqu'un eût consenti
M'amener une qu'attendais.
  En chiant.
Car je lui eusse assimenti [1]
Son trou d'urine, à mon lourdois.
Ce pendant eût avec ses doigts
Mon trou de merde garanti.
  En chiant.

« Or dites maintenant que je n'y sais rien. Par la
mer dé [2] je ne les ai faits mie. Mais les oyant réciter
à dame grand que voyez ici les ai retenus en la gibecière de ma mémoire.

— Retournons (dit Grandgousier) à notre propos.

— Quel ? (dit Gargantua). Chier ?

— Non, dit Grandgousier. Mais torcher le cul.

— Mais ? (dit Gargantua) voulez-vous payer un
bussar de vin Breton, si je vous fais quinaut [3] en ce
propos ?

— Oui vraiment, dit Grandgousier.

— Il n'est, dit Gargantua, point besoin torcher
cul, sinon qu'il y ait ordure. Ordure n'y peut être,
si on n'a chié : chier donc nous faut devant que le cul
torcher [4].

---

1. Arrangé.
2. Le juron « Par la mère de Dieu » est ici détourné dans une
voie scatologique.
3. Si je vous laisse désarmé.
4. Avant de torcher le cul.

— Ô (dit Grandgousier) que tu as bon sens petit garçonnet. Ces premiers jours je te ferai passer docteur en gaie science par Dieu, car tu as de raison plus que d'âge.

«Or poursuis ce propos torcheculatif je t'en prie. Et par ma barbe pour un bussar tu auras soixante pipes. J'entends de ce bon vin breton, lequel point ne croît en Bretagne, mais en ce bon pays de Verron.

— Je me torchai après (dit Gargantua) d'un couvre-chef, d'un oreiller, d'une pantoufle, d'une gibecière, d'un panier. Mais ô le malplaisant torchecul. Puis d'un chapeau. Et notez que des chapeaux les uns sont ras, les autres à poil, les autres veloutés, les autres taffetassés, les autres satinisés.

«Le meilleur de tous est celui de poil. Car il fait très bonne abstersion[1] de la matière fécale.

«Puis me torchai d'une poule, d'un coq, d'un poulet, de la peau d'un veau, d'un lièvre, d'un pigeon, d'un cormoran, d'un sac d'avocat, d'une barbute[2], d'une coiffe, d'un leurre.

«Mais concluant je dis et maintiens, qu'il n'y a tel torchecul que d'un oison bien duveté, pourvu qu'on lui tienne la tête entre les jambes. Et m'en croyez sur mon honneur. Car vous sentez au trou du cul une volupté mirifique, tant par la douceur d'icelui duvet, que par la chaleur tempérée de l'oison, laquelle facilement est communiquée au boyau culier et autres intestins, jusqu'à venir à la région du cœur et du cer-

---

1. Nettoyage.
2. Capuchon masquant le visage.

veau. Et ne pensez que la béatitude des Héros et semi-dieux qui sont par les Champs Élysées soit en leur Asphodèle ou Ambroisie, ou Nectar, comme disent ces vieilles ici. Elle est (selon mon opinion) en ce qu'ils se torchent le cul d'un oison. Et telle est l'opinion de maître Jean d'Écosse [1]. »

Chapitre 14

Comment Gargantua fut institué par un sophiste en lettres latines

Ces propos entendus le bonhomme Grandgousier fut ravi en admiration considérant le haut sens et merveilleux entendement de son fils Gargantua.

Et dit à ses gouvernantes, « Philippe roi de Macédoine connut le bon sens de son fils Alexandre, à manier dextrement un cheval. Car ledit cheval était si terrible et effréné que nul osait monter dessus. Parce qu'à tous ses chevaucheurs il baillait la saccade : à l'un rompant le cou, à l'autre les jambes, à l'autre la cervelle, à l'autre les mandibules. Ce que considérant Alexandre en l'hippodrome (qui était le lieu où l'on promenait et voltigeait les chevaux) avisa que la fureur du cheval ne venait que de frayeur qu'il

---

1. Duns Scot, philosophe et théologien scolastique.

prenait à son ombre. Dont[1] montant dessus le fit courir encontre le Soleil, si que[2] l'ombre tombait par derrière, et par ce moyen rendit le cheval doux à son vouloir. À quoi connut son père le divin entendement qui en lui était et le fit très bien endoctriner par Aristote qui pour lors était estimé sur tous philosophes de Grèce.

« Mais je vous dis, qu'en ce seul propos que j'ai présentement devant vous tenu à mon fils Gargantua, je connais que son entendement participe de quelque divinité : tant je le vois aigu, subtil, profond, et serein. Et parviendra à degré souverain de sapience[3], s'il est bien institué[4]. Pourtant je veux le bailler[5] à quelque homme savant pour l'endoctriner selon sa capacité. Et n'y veux rien épargner. »

De fait l'on lui enseigna un grand docteur sophiste nommé maître Thubal Holoferne, qui lui apprit sa carte[6] si bien qu'il la disait par cœur au rebours et y fut cinq ans et trois mois, puis lui lut, *Donat*, le *Facet*, *Theodolete*, et Alanus *in parabolis* : et y fut treize ans six mois et deux semaines.

Mais notez que ce pendant il lui apprenait à écrire gothiquement[7] et écrivait[8] tous ses livres. Car l'art d'impression[9] n'était encore en usage.

---

1. C'est pourquoi.
2. Si bien que.
3. Sagesse.
4. Éduqué.
5. Confier.
6. Sa liste, son alphabet.
7. En caractères gothiques.
8. Recopiait.
9. L'imprimerie.

Et portait ordinairement un gros écritoire pesant plus de sept mille quintaux, duquel le gualimart [1] était aussi gros et grand que les gros piliers d'Ainay [2], et le cornet [3] y pendait à grosses chaînes de fer à la capacité d'un tonneau de marchandise.

Puis lui lut *De modis significandi* [4] avec les commens [5] de Hurtebize, de Faquin, de Tropditeux, de Gualehaul, de Jean le veau, de Billonio, Brelinguandus, et un tas d'autres, et y fut plus de dix-huit ans et onze mois. Et le sut si bien qu'au coupelaud [6] il le rendait par cœur à revers [7]. Et prouvait sur ses doigts à sa mère que *de modis significandi non erat scientia* [8].

Puis lui lut le *compost* [9], où il fut bien seize ans et deux mois, lorsque son dit précepteur mourut : et fut l'an mil quatre cent et vingt, de la vérole que lui vint.

Après en eut un autre vieux tousseux, nommé maître Jobelin Bridé, qui lui lut Hugutio, Hebrard, *Grecisme*, le *doctrinal*, les *pars* [10], le *quid est*, le *supplementum, Marmotret, de moribus in mensa seruandis* [11], Sénèque *De quatuor uirtutibus cardinalibus* [12], Passavan-

---

1. Étui contenant les plumes.
2. Saint-Martin d'Ainay, église de Lyon.
3. Pour contenir l'encre.
4. Ouvrage de grammaire théorique, comme celui de Donat.
5. Commentaires.
6. Sur le gril ; dans le feu de l'interrogation.
7. Il le récitait par cœur à l'envers.
8. Il n'y avait pas de science sur les modes de signification.
9. Calendrier.
10. Ouvrages portant encore sur la grammaire.
11. Manuel scolaire sur la manière de se tenir à table.
12. Des quatre vertus cardinales ; ici, Sénèque n'est qu'un pseudonyme.

tus cum commento[1]. Et *Dormi secure*[2] pour les fêtes.
Et quelques autres de semblable farine, à la lecture
desquels il devint aussi sage qu'onques puis ne four-
nâmes[3] nous.

Chapitre 15

Comment Gargantua fut mis sous autres pédagogues

À tant son père aperçut que vraiment il étudiait
très bien et y mettait tout son temps, toutefois qu'en
rien ne profitait. Et qui pis est, en devenait fou, niais,
tout rêveux et rassoté[4].

De quoi se complaignant à Don Philippe des Marais
vice-roi de Papeligosse, entendit que mieux lui vau-
drait rien n'apprendre que tels livres sous tels précepteurs apprendre. Car leur savoir n'était que
bêterie, et leur sapience n'était que moufles, abâtar-
dissant les bons et nobles esprits, et corrompant
toute fleur de jeunesse. « Qu'ainsi soit prenez[5] (dit-il)
quelqu'un de ces jeunes gens du temps présent, qui
ait seulement étudié deux ans, en cas qu'il n'ait
meilleur jugement, meilleures paroles, meilleur propos

---

1. Titre fantaisiste, comme le *Quid est.*
2. Recueil de sermons.
3. N'enfournâmes-nous.
4. Deux synonymes : ayant perdu toute lumière d'intelligence.
5. Soit, prenez.

que votre fils, et meilleur entretien et honnêteté
entre le monde, réputez-moi[1] à jamais un taillebacon[2]
de la Brene. » Ce qu'à Grandgousier plut très bien et
commanda qu'ainsi fût fait.

Au soir en soupant, ledit des Marais introduit un
sien jeune page de Villegongis nommé Eudémon tant
bien têtonné[3], tant bien tiré[4], tant bien épousseté,
tant honnête en son maintien, que trop mieux ressemblait quelque petit angelot qu'un homme. Puis dit
à Grandgousier :

« Voyez-vous ce jeune enfant ? Il n'a encore douze
ans, voyons si bon vous semble quelle différence y a
entre le savoir de vos rêveurs matéologiens[5] du
temps jadis, et les jeunes gens de maintenant. » L'essai plut à Grandgousier, et commanda que le page
proposât[6].

Alors Eudémon demandant congé de ce faire audit
vice-roi son maître, le bonnet au poing, la face
ouverte, la bouche vermeille, les yeux assurés, et le
regard assis sur Gargantua, avec modestie juvénile se
tint sur ses pieds, et commença le louer et magnifier,
premièrement de sa vertu et bonnes mœurs, secondement de son savoir, tiercement de sa noblesse,
quartement de sa beauté corporelle. Et pour le quint[7]
doucement l'exhortait à révérer son père en toute

---

1. Tenez-moi pour un…
2. Charcutier.
3. Coiffé.
4. Tiré à quatre épingles, si bien habillé.
5. Vains parleurs.
6. Exposât.
7. En cinquième lieu.

observance, lequel tant s'étudiait[1] à bien le faire ins-
truire, enfin le priait qu'il le voulût retenir pour le
moindre[2] de ses serviteurs. Car autre don pour le
présent ne requérait des cieux sinon qu'il lui fût fait
grâce de lui complaire en quelque service agréable.

Le tout fut par icelui proféré avec gestes tant
propres[3], prononciation tant distincte, voix tant élo-
quente, et langage tant orné et bien latin, que mieux
ressemblait un Gracchus, un Cicéron ou un Émile[4] du
temps passé, qu'un jouvenceau de ce siècle.

Mais toute la contenance de Gargantua fut, qu'il se
prit à pleurer comme une vache, et se cachait le visage
de son bonnet, et ne fut possible de tirer de lui une
parole, non plus qu'un pet d'un âne mort.

Dont son père fut tant courroucé, qu'il voulut
occire[5] Maître Jobelin. Mais ledit des Marais l'en garda
par belle remontrance qu'il lui fit : en manière que fut
son ire[6] modérée. Puis commanda qu'il fût payé de
ses gages, et qu'on le fît bien chopiner sophistique-
ment[7], ce fait[8] qu'il allât à tous les diables. « Au moins
(disait-il) pour le jourd'hui ne coûtera-t-il guères à son
hôte, si d'aventure il mourait ainsi soûl comme un
Anglais ? »

---

1. S'efforçait.
2. En tant que serviteur le moins important.
3. Adaptés.
4. Tribun réformateur, orateur et avocat illustre, général macé-
donien (Paul-Émile).
5. Tuer.
6. Sa colère.
7. Qu'on le fît boire à la manière des sophistes, c'est-à-dire
beaucoup, ou de manière sophistiquée.
8. Et cela fait.

Maître Jobelin parti de la maison, consulta Grandgousier avec le vice-roi quel précepteur l'on lui pourrait bailler, et fut avisé entre eux que à cet office serait
mis Ponocrates [1] pédagogue d'Eudémon, et que tous
ensemble iraient à Paris, pour connaître quelle était
l'étude des jouvenceaux de France pour icelui temps.

Chapitre 16

Comment Gargantua
fut envoyé à Paris,
et l'énorme jument
qui le porta, et comment
elle défit les mouches bovines
de la Beauce

En cette même saison Fayoles quart [2] roi de Numidie envoya du pays d'Afrique à Grandgousier une
jument la plus énorme et la plus grande que fut
onques vue, et la plus monstrueuse. Comme assez
savez, qu'Afrique apporte toujours quelque chose de
nouveau.

Car elle était grande comme six Oriflans [3], et avait
les pieds fendus en doigts, comme le cheval de Jules

---

1. Étymologiquement : le pouvoir (*krateia*) par l'effort (*ponos*).
2. Fayole IV.
3. Éléphants.

César, les oreilles ainsi pendantes, comme les chèvres de Languedoc, et une petite corne au cul. Au reste avait poil d'alezan tostade [1], entreillisé [2] de grises pommelettes [3]. Mais surtout avait la queue horrible. Car elle était peu plus peu moins [4] grosse comme la Pile Saint Mars auprès de Langeais : et ainsi carrée, avec les brancards [5] ni plus ni moins ennicrochés, que sont les épis au blé.

Si de ce vous émerveillez : émerveillez-vous davantage de la queue des béliers de Scythie : qui pesait plus de trente livres, et des moutons de Syrie, auxquels faut (si Thenaud dit vrai) affûter une charrette au cul, pour la porter tant elle est longue et pesante. Vous ne l'avez pas telle vous autres paillards de plat pays. Et fut amenée par mer en trois caraques et un brigantin [6] jusqu'au port d'Olonne en Talmondais.

Lorsque Grandgousier la vit, « Voici (dit-il) bien le cas pour porter mon fils à Paris. Or ça de par Dieu, tout ira bien. Il sera grand clerc [7] au temps à venir. Si n'étaient messieurs les bêtes, nous vivrions comme clercs. »

Au lendemain après boire (comme entendez) prirent chemin, Gargantua, son précepteur Ponocrates et ses gens, ensemble eux Eudémon le jeune page. Et parce que c'était en temps serein et bien attrempé,

---

1. Brûlé.
2. Entrelacé.
3. Pommelures.
4. À peu près.
5. Touffes de poils.
6. Vaisseaux, grands et petits.
7. Membre du clergé et, par extension, lettré, érudit.

son père lui fit faire des bottes fauves. Babin[1] les nomme brodequins.

Ainsi joyeusement passèrent leur grand chemin : et toujours grande chère : jusqu'au-dessus d'Orléans.

Auquel lieu était une ample forêt de la longueur de trente et cinq lieues et de largeur dix et sept ou environ. Icelle était horriblement[2] fertile et copieuse en mouches bovines et frelons, de sorte que c'était une vraie briganderie pour les pauvres juments, ânes, et chevaux. Mais la jument de Gargantua vengea honnêtement tous les outrages en icelle perpétrés sur les bêtes de son espèce, par un tour, duquel ne se doutaient mie.

Car soudain qu'ils furent entrés en ladite forêt : et que les frelons lui eurent livré l'assaut, elle dégaina sa queue : et si bien s'escarmouchant, les émoucha, qu'elle en abattit tout le bois, à tort, à travers, deçà, delà, par ci, par là, de long, de large, dessus dessous, abattait bois comme un faucheur fait d'herbes. En sorte que depuis n'y eut ni bois ni frelons. Mais fut tout le pays réduit en campagne.

Quoi voyant Gargantua, y prit plaisir bien grand, sans autrement s'en vanter. Et dit à ses gens : «Je trouve beau ce[3].» Dont fut depuis appelé ce pays la Beauce. Mais tout leur déjeuner fut par bâiller[4]. En mémoire de quoi encore de présent les

---

1. Cordonnier de la région de Chinon.
2. Merveilleusement.
3. Ceci.
4. Ne consista qu'en bâillements.

gentilshommes de Beauce déjeunent de bâiller et s'en
trouvent fort bien et n'en crachent que mieux.

Finalement arrivèrent à Paris. Auquel lieu se rafraîchit deux ou trois jours, faisant chère lye[1] avec ses
gens, et s'enquêtant[2] quels gens savants étaient pour
lors en la ville : et quel vin on y buvait.

Chapitre 17

Comment Gargantua paya
sa bienvenue aux Parisiens,
et comment il prit
les grosses cloches
de l'église Notre-Dame

Quelques jours après qu'ils se furent rafraîchis il
visita la ville : et fut vu de tout le monde en grande
admiration. Car le peuple de Paris est tant sot, tant
badaud, et tant inepte de nature : qu'un bateleur, un
porteur de rogatons[3], un mulet avec ses cymbales, un
vielleux[4] au milieu d'un carrefour assemblera plus de
gens, que ne ferait un bon prêcheur évangélique.

Et tant molestement[5] le poursuivirent : qu'il fut

---

1. Bonne chère.
2. S'enquérant.
3. Un porteur de reliques.
4. Joueur de vielle.
5. Importunément.

contraint se reposer sur les tours de l'église Notre-Dame. Auquel lieu étant, et voyant tant de gens, à l'entour de soi : dit clairement :

« Je crois que ces maroufles veulent que je leur paye ici ma bienvenue et mon *proficiat*[1]. C'est raison. Je leur vais donner le vin. Mais ce ne sera que par ris[2]. »

Lors en souriant détacha sa belle braguette, et tirant sa mentule[3] en l'air les compissa si aigrement, qu'il en noya deux cent soixante mille, quatre cent dix et huit. Sans les femmes et petits enfants.

Quelque nombre d'iceux évada ce pissefort à légèreté des pieds. Et quand furent au plus haut de l'université, suant, toussant, crachant, et hors d'haleine, commencèrent à renier et jurer les uns en colère, les autres par ris. « Carymary, Carymara. Par sainte mamie, nous son baignés par ris », dont fut depuis la ville nommée Paris laquelle auparavant on appelait Lutèce. Comme dit Strabo *lib. IIII.*[4] « C'est à dire en Grec, Blanchette », pour les blanches cuisses des dames dudit lieu.

Et par autant qu'à cette nouvelle imposition du nom tous les assistants jurèrent chacun les saints de sa paroisse : les Parisiens, qui sont faits de toutes gens et toutes pièces, sont par nature et bons jureurs et bons juristes, et quelque peu outrecuidés[5]. Dont

---

1. Don fait aux autorités religieuses.
2. Par dérision, pour rire.
3. Son sexe.
4. Le renvoi est aussi imprécis qu'inexact.
5. Présomptueux.

estime Joaninus de Barranco, *libro, de copiositate reverentiarum*, que sont dits Parrhesiens en Grecisme[1], c'est à dire fiers en parler.

Ce fait considéra les grosses cloches qui étaient auxdites tours : et les fit sonner bien harmonieusement. Ce que faisant lui vint en pensée qu'elles serviraient bien de campanes[2] au cou de sa jument, laquelle il voulait renvoyer à son père toute chargée de fromages de Brie et de harengs frais. De fait les emporta en son logis.

Cependant vint un commandeur jambonnier de saint Antoine pour faire sa quête suille[3] : lequel pour se faire entendre de loin, et faire trembler le lard au charnier, les voulut emporter furtivement. Mais par honnêteté les laissa, non parce qu'elles étaient trop chaudes, mais parce qu'elles étaient quelque peu trop pesantes à la portée. Cil[4] ne fut pas celui de Bourg. Car il est trop de mes amis.

Toute la ville fut émue en sédition comme vous savez qu'à ce ils sont tant faciles[5], que les nations étranges s'ébahissent de la patience des Rois de France, lesquels autrement par bonne justice ne les réfrènent : vu les inconvénients qui en sortent de jour en jour. Plût à Dieu, que je susse l'officine en laquelle sont forgés ces schismes et monopoles, pour les mettre en évidence aux confréries de ma paroisse.

----

1. « Francs-parleurs » en grec.
2. Clochettes.
3. De cochon.
4. Celui-ci.
5. Ils sont si enclins à la sédition.

Croyez que le lieu auquel convint[1] le peuple tout fol-
fré et habaliné[2], fut Nesle où lors était, maintenant
n'est plus, l'oracle de Lutèce. Là fut proposé le cas,
et remontré l'inconvénient des cloches transportées.

Après avoir bien ergoté *pro et contra*[3] fut conclu en
Baralipton[4], que l'on enverrait le plus vieux et suffisant de la faculté vers Gargantua pour lui remontrer
l'horrible inconvénient de la perte d'icelles cloches.
Et nonobstant la remontrance d'aucuns de l'université, qui alléguaient que cette charge mieux compé-
tait[5] à un orateur, qu'à un Sophiste, fut à cette affaire
élu notre Maître Janotus de Bragmardo.

Chapitre 18

Comment Janotus
de Bragmardo fut envoyé
pour recouvrer de Gargantua
les grosses cloches

Maître Janotus tondu à la Césarine[6], vêtu de son
lyripipion[7] à l'antique, et bien antidoté l'estomac de

---

1. Se rassembla.
2. Tout renversé et bouleversé.
3. En pesant le pour et le contre.
4. Selon le 9ᵉ mode syllogistique.
5. Convenait.
6. À la mode de César.
7. Capuchon des théologiens.

cotignac de four, et eau bénite de cave, se transporta
au logis de Gargantua, touchant devant soi trois
Vèdeaux[1] à rouge museau, et traînant après cinq ou
six maîtres inertes bien crottés à profit de ménage[2].

À l'entrée les rencontra Ponocrates : et eut frayeur
en soi les voyant ainsi déguisés, et pensait que fussent
quelques masques hors du sens[3]. Puis s'enquêta à
quelqu'un desdits maîtres inertes de la bande, que
quérait cette momerie ? Il lui fut répondu, qu'ils
demandaient les cloches leur être rendues.

Soudain ce propos entendu Ponocrates courut dire
les nouvelles à Gargantua : afin qu'il fût prêt de la
réponse, et délibérât sur le champ ce qu'était[4] de
faire. Gargantua admonesté[5] du cas appela à part
Ponocrates son précepteur, Philotomie son maître
d'hôtel, Gymnaste son écuyer, et Eudémon, et sommairement conféra avec eux sur ce qu'était tant à
faire qu'à répondre.

Tous furent d'avis qu'on les menât au retrait[6] du
gobelet et là on les fit boire rustrement, et afin que
ce tousseux n'entrât en vaine gloire pour à sa requête
avoir rendu les cloches, l'on mandât ce pendant qu'il[7]
chopinerait quérir le Prévôt de la ville, le Recteur de
la faculté, le vicaire de l'église : auxquels devant que[8]

---

1. Jeu de mots sur « bedeau » (« l'huissier ») et sur « Vèdel »
(« le veau »).
2. Recouvert d'une grande quantité de crotte.
3. De gens ayant perdu la tête.
4. Sur ce qu'il convenait de faire.
5. Prévenu.
6. Lieu d'aisances.
7. Pendant qu'il.
8. Avant que.

le sophiste eût proposé sa commission, l'on délivre-
rait les cloches. Après ce iceux présents[1] l'on ouïrait
sa belle harangue. Ce que fut fait, et les susdits arrivés, le sophiste fut en pleine salle introduit, et commença ainsi que s'ensuit en toussant.

Chapitre 19

La harangue de maître Janotus de Bragmardo faite à Gargantua pour recouvrer les cloches

« Ehen, hen, hen. Mna *dies*[2] Monsieur, Mna *dies*. Et
uobis[3] messieurs. Ce ne serait que bon que nous ren-
dissiez nos cloches. Car elles nous font bien besoin.
Hen, hen, hasch. Nous en avions bien autrefois refusé
de bon argent de ceux de Londres en Cahors, si[4]
avions-nous de ceux de Bordeaux en Brie, qui les
voulaient acheter pour la substantifique qualité de
la complexion élémentaire, qui est intronifiquée en
la terrestérité de leur nature quidditative[5] pour
extranéiser les halots et les turbines[6] sur nos

---

1. En leur présence.
2. Jour (ici, le « bonjour » est donc tronqué).
3. À vous.
4. Aussi.
5. Intrinsèque.
6. Pour rendre étrangers à nos vignes les halos et les tour-
billons.

vignes, vraiment non pas nôtres, mais d'ici auprès.
Car si nous perdons le piot nous perdons tout et
sens et loi. Si vous nous les rendez à ma requête,
j'y gagnerai six pans de saucisses, et une bonne
paire de chausses, qui me feront grand bien à
mes jambes, ou ils ne me tiendront pas promesse.
Ho par Dieu *domine* [1], une paire de chausses est bon.
Et *uir sapiens non abhorrebit eam* [2]. Ha, ha. Il n'a pas
paire de chausses qui veut. Je le sais bien quant est
de moi. Avisez *domine*, il y a dix-huit jours que je
suis à matagraboliser cette belle harangue. *Reddite
quæ sunt Cesaris Cesari, et que sunt dei deo. Ibi iacet
lepus* [3].

« Par ma foi *domine*, si vous voulez souper avec
moi, *in camera* par le corps Dieu *charitatis*, *nos facie-
mus bonum cherubin* [4]. *Ego occidi unum porcum, et ego
habet bon uino* [5]. Mais de bon vin on ne peut faire mauvais latin.

« Or sur de *parte dei, date nobis clochas nostras* [6].
Tenez je vous donne de par la faculté un sermon *de
Utino que utinam* [7] vous nous bailliez nos cloches.

---

1. Seigneur.
2. L'homme sage ne les déteste pas.
3. Rendez à César ce qui est à César, et à Dieu ce qui est à Dieu
(*Luc,* XX, 25). C'est là que gît le lièvre.
4. Dans la chambre (…) de charité, nous ferons bon chérubin
(bonne chère ubin).
5. Moi j'ai tué un porc, et moi j'en ai un bon pour le vin (malgré la construction, le contexte invite à traduire « j'ai du bon
vin »).
6. En vous mettant du côté de Dieu, donnez-nous nos cloches.
7. Plût au Ciel que.

Vultis etiam pardonos ? Per diem uos habebitis, et nihil poyabitis [1].

« Ô monsieur *domine, clochidonnaminor nobis. Dea est bonum urbis* [2]. Tout le monde s'en sert. Si votre jument s'en trouve bien : aussi fait notre faculté, *quæ comparata est iumentis insipientibus : et similis facta est eis, psalmo nescio quo* [3], si l'avais-je bien quotté en mon paperat [4], *et est unum bonum Achilles* [5], Hen, hen, ehen, hasch.

« Ça je vous prouve que me les devez bailler. *Ego sic argumentor.*

« *Omnis clocha clochabilis in clocherio clochando clochans clochatiuo clochare facit clochabiliter clochantes. Parisius habet clochas. Ergo gluc* [6]. Ha, ha, ha. C'est parlé cela. Il est *in tertio prime* en *Darii* [7] ou ailleurs. Par mon âme, j'ai vu le temps que je faisais diables d'arguer. Mais de présent je ne fais plus que rêver. Et ne me faut plus dorénavant, que bon vin, bon lit, le dos au feu, le ventre à table, et écuelle bien profonde.

« Hay *domine* : je vous prie *in nomine patris et filii et spiritus sancti Amen* [8]. Que vous rendez nos cloches :

---

1. Voulez-vous des pardons (indulgences) ? Vous les aurez aujourd'hui (équivoque avec « par Dieu », selon le latin abâtardi des théologiens sorbonnicoles), et ne les paierez rien.
2. Seigneur, clochidonnaminez-nous (donnez-nous une petite cloche), vraiment c'est pour le bien de la cité.
3. Qui est comparée aux juments ignorantes, et qui fut faite à leur image, dans je ne sais plus quel psaume.
4. Noté sur mon bout de papier.
5. Il y a un seul bon Achille.
6. Tel est mon argument : Toute cloche clochable lorsqu'elle cloche dans le clocher, fait clocher en clochant par sa nature clochative ceux qui clochent clochablement. Conclusion : gluc.
7. Dans la troisième section de la première partie, chez Darius.
8. Au nom du Père, du Fils et du Saint-Esprit, Amen.

et Dieu vous garde de mal, et notre Dame de santé, *qui uiuit et regnat per omnia secula seculorum, Amen* [1], Hen hasch ehasch grenhenhasch.

« *Verum enim uero quando quidem dubio procul Edepol quoniam ita certe meus deus fidus* [2], une ville sans cloche est comme un aveugle sans bâton, un âne sans croupière, et une vache sans cymbale. Jusqu'à ce que nous les ayez rendues nous ne cesserons de crier après vous, comme un aveugle qui a perdu son bâton, de brailler, comme un âne sans croupière, et de bramer, comme une vache sans cymbale.

« Un quidam latinisateur demeurant près l'Hôtel Dieu, dit une fois, alléguant l'autorité d'un Taponnus, je faux [3] : c'était Pontanus poète séculier, qu'il désirait qu'elles fussent de plume, et la bataille fût d'une queue de renard : pour ce qu'elles lui engendraient la chronique aux tripes du cerveau, quand il composait ses vers carminiformes [4]. Mais nac petitin petetac tique, torche, lorne, il fut déclaré hérétique. Nous les faisons, comme de cire [5]. Et plus n'en dit le déposant. *Valete et plaudite. Calepinus recensui* [6]. »

---

1. Qui vit et règne pour les siècles des siècles, Amen. (Comme la précédente, formule liturgique du rite catholique.)
2. Vraiment en effet, en vérité, du moins attendu que, sans doute, par Pollux, puisque avec tant de certitude, mon Dieu sur qui je peux compter.
3. Je me trompe.
4. En forme de chants.
5. C'est-à-dire facilement tant ils sont malléables, mais aussi tant ils brûlent bien.
6. Salut, applaudissez. Moi, Calepin, j'ai fait la recension de cet ouvrage (il est bon à tirer).

Chapitre 20

Comment le sophiste emporta son drap, et comment il eut procès contre les autres maîtres

Le sophiste n'eut si tôt achevé que Ponocrates et Eudémon s'esclaffèrent de rire tant profondément, qu'en cuidèrent rendre l'âme à Dieu, ni plus, ni moins que Crassus voyant un âne couillard qui mangeait des chardons : et comme Philémon voyant un âne qui mangeait les figues qu'on avait apprêtées pour le dîner, mourut de force de rire. Ensemble eux[1], commença rire maître Janotus, à qui mieux, mieux, tant que les larmes leur venaient aux yeux : par la véhémente concussion[2] de la substance du cerveau : à laquelle furent exprimées ces humidités lacrymales, et transcoulées jouxte[3] les nerfs optiques. En quoi par eux était Démocrite Héraclitisant, et Héraclite Démocritisant représenté[4].

Ces ris du tout sedés[5], consulta Gargantua avec ses gens sur ce qu'était de faire. Là fut Ponocrates d'avis, qu'on fît reboire ce bel orateur. Et vu qu'il leur avait

---

1. Avec eux.
2. Secousse.
3. Près de.
4. Démocrite est traditionnellement représenté en train de rire de l'humaine condition, tandis qu'Héraclite en pleure.
5. Calmés.

donné de passe-temps, et plus fait rire que n'eût [1] Songecreux, qu'on lui baillât les dix pans de saucisse mentionnés en la joyeuse harangue, avec une paire de chausses, trois cents de gros bois de moule [2], vingt et cinq muids de vin, un lit à triple couche de plume anserine [3], et une écuelle bien capable et profonde, lesquelles disait être à sa vieillesse nécessaires.

Le tout fut fait ainsi qu'avait été délibéré. Excepté que Gargantua doutant qu'on ne trouvât à l'heure chausses commodes pour ses jambes : doutant aussi de quelle façon mieux duiraient [4] audit orateur, ou à la martingale qui est un pont-levis de cul pour plus aisément fienter, ou à la marinière, pour mieux soulager les rognons, ou à la suisse pour tenir chaude la bedondaine, ou à queue de merlus, de peur d'échauffer les reins : lui fit livrer sept aunes de drap noir et trois de blanchet [5] pour la doublure. Le bois fut porté par les gagnedeniers, les maîtres ès arts portèrent les saucisses et écuelles. Maître Janot voulut porter le drap.

Un desdits maîtres nommé maître Jousse Bandouille lui remontrait que ce n'était honnête ni décent [6] son état, et qu'il le baillât à quelqu'un d'entre eux.

« Ha (dit Janotus) Baudet baudet, tu ne conclus

---

1. Que ne l'eût fait.
2. Bois pour le feu, de calibre moyen.
3. D'oie.
4. Seraient adaptées.
5. Tissu laineux de couleur blanche.
6. Convenable à.

point *in modo et figura*[1]. Voilà de quoi servent les suppositions, et *parua logicalia. Panus pro quo supponit*[2] ?

— Confuse (dit Bandouille) et distributive.

— Je ne te demande pas (dit Janotus) Baudet, *quo modo supponit, mais pro quo*[3], c'est Baudet *pro tibiis meis*[4]. Et pour ce le porterai-je *egomet, sicut suppositum portat adpositum*[5]. » Ainsi l'emporta en tapinois[6], comme fit Patelin son drap.

Le bon[7] fut quand le tousseux glorieusement en plein acte[8] tenu chez les Mathurins requit ses chausses et saucisses. Car péremptoirement lui furent déniées, par autant qu'il les avait eues de Gargantua selon les informations sur ce faites. Il leur remontra que ce avait été *de gratis*[9] et de sa libéralité par laquelle ils n'étaient mie absous de leurs promesses.

Ce nonobstant[10] lui fut répondu qu'il se contentât de raison, et qu'autre bribe n'en aurait.

« Raison ? (dit Janotus). Nous n'en usons point céans. Traîtres malheureux vous ne valez rien. La terre ne porte gens plus méchants que vous êtes. Je le sais bien : ne clochez pas devant les boiteux. J'ai exercé la méchanceté avec vous. Par la rate

---

1. En mode et figure, schéma dialectique des logiciens scolastiques.
2. Et les *Petits traités de logique.* Ce pan de tissu, à quoi se rapporte-t-il ?
3. De quelle manière il se rapporte, mais à quoi.
4. À mes tibias.
5. Moi-même, comme la substance porte l'accident.
6. De manière furtive.
7. Le plus drôle.
8. Déclaration publique.
9. Gracieusement.
10. Néanmoins.

Dieu[1], j'avertirai le Roi des énormes abus qui sont forgés céans, et par vos mains et menées. Et que je sois ladre s'il ne vous fait tous vifs brûler comme bougres, traîtres, hérétiques, et séducteurs, ennemis de Dieu et de vertu. »

À ces mots prirent articles contre lui. Lui de l'autre côté les fit ajourner. Somme, le procès fut retenu par la Cour, et y est encore. Les magistres[2] sur ce point firent vœu de ne soi décrotter, maître Janot avec ses adhérents fit vœu de ne se moucher, jusqu'à ce qu'en fût dit par arrêt définitif.

Par ces vœux sont jusqu'à présent demeurés et crotteux et morveux, car la Cour n'a encore bien grabelé toutes les pièces. L'arrêt sera donné aux prochaines calendes grecques. C'est à dire : jamais. Comme vous savez qu'ils font plus que nature, et contre leurs articles propres. Les articles de Paris chantent que Dieu seul peut faire choses infinies. Nature, rien ne fait immortel : car elle met fin et période[3] à toutes choses par elle produites. Car *omnia orta cadunt*[4] etc.

Mais ces avaleurs de frimas[5] font les procès devant eux pendants, et infinis, et immortels. Ce que faisant ont donné lieu, et vérifié le dit de Chilon Lacédémonien consacré en Delphes, disant misère être

---

1. La rate de Dieu.
2. Maîtres.
3. Fin d'un processus de développement.
4. Tout ce qui s'est élevé doit retomber.
5. Lève-tôt (lorsque l'air est encore brumeux).

compagne de procès : et gens plaidoyants [1] misérables.
Car plutôt ont fin de leur vie, que de leur droit
prétendu [2].

Chapitre 21

L'étude de Gargantua, selon la discipline de ses précepteurs sophistes

Les premiers jours ainsi passés, et les cloches
remises en leur lieu : les citoyens de Paris par reconnaissance de cette honnêteté s'offrirent d'entretenir
et nourrir sa jument tant qu'il lui plairait. Ce que Gargantua prit bien à gré. Et l'envoyèrent vivre en la forêt
de Biere [3]. Je crois qu'elle n'y soit [4] plus maintenant.

Ce fait voulut de tout son sens [5] étudier à la
discrétion [6] de Ponocrates. Mais icelui pour le commencement ordonna, qu'il ferait à sa manière accou-
tumée : afin d'entendre par quel moyen en si long
temps ses antiques précepteurs l'avaient rendu tant
fat [7], niais, et ignorant.

---

1. Plaideurs.
2. Car ils meurent avant que la justice à laquelle ils prétendent
leur ait été rendue.
3. Fontainebleau.
4. Est.
5. Il mit toute sa volonté à.
6. Selon la libre appréciation de Ponocrates.
7. Sot.

Il dispensait donc son temps en telle façon, qu'ordinairement il s'éveillait entre huit et neuf heures, fût
jour ou non, ainsi l'avaient ordonné ses régents
antiques, alléguant ce que dit David : *Vanum est uobis
ante lucem surgere.*

Puis se gambayait[1], penadait, et paillardait[2] parmi le
lit quelque temps, pour mieux ébaudir[3] ses esprits
animaux[4] et s'habillait selon la saison, mais volontiers
portait-il une grande et longue robe de grosse frise[5]
fourrée de renard : après se peignait du peigne d'Al-
main, c'était des quatre doigts et le pouce. Car ses
précepteurs disaient, que soi autrement peigner,
laver, et nettoyer, était perdre temps en ce monde.

Puis fientait, pissait, rendait sa gorge, rotait, pétait,
bâillait, crachait, toussait, sanglotait, éternuait, et se
morvait en archidiacre, et déjeunait pour abattre la
rosée[6] et mauvais air : belles tripes frites, belles car-
bonades[7], beaux jambons, belles cabirotades[8], et
force soupes de prime[9].

---

1. Promenait.
2. Sautait et se vautrait.
3. Mettre en allégresse.
4. Les esprits sont la part du sang « la plus légère et ténue »,
« une substance subtile, aérée, transparente et luisante »
(Ambroise Paré) qui permet que « la vertu des facultés principales
qui gouverne notre corps » soit distribuée à l'intérieur de l'orga-
nisme ; les esprits animaux, élaborés dans le système sanguin du
cerveau, sont chargés de porter par la voie du système nerveux
les sentiments et les mouvements aux différents organes.
5. Laine grossière.
6. L'échauffement produit par le vin justifie cette métaphore
solaire.
7. Grillades.
8. Rôtis de veau.
9. Que l'on mange à primes, office religieux du matin.

Ponocrates lui remontrait, que tant soudain ne devait repaître au partir du lit, sans avoir premièrement fait quelque exercice. Gargantua répondit. « Quoi ? N'ai-je fait suffisant exercice ? Je me suis vautré six ou sept tours parmi le lit, devant que [1] me lever. N'est-ce assez ? Le pape Alexandre ainsi faisait par le conseil de son médecin juif : et vécut jusqu'à la mort, en dépit des envieux : mes premiers maîtres m'y ont accoutumé, disant que le déjeuner faisait bonne mémoire, pourtant y buvaient les premiers. Je m'en trouve fort bien, et n'en dîne que mieux.

« Et me disait maître Tubal (qui fut premier de sa licence à Paris) que ce n'est tout l'avantage de courir bientôt, mais bien de partir de bonne heure : aussi n'est ce la santé totale de notre humanité, boire à tas, à tas, à tas, comme canes : mais oui bien de boire matin.

« *Unde uersus* [2].
« Lever matin, n'est point bonheur,
Boire matin est le meilleur. »

Après avoir bien à point déjeuné, allait à l'église, et lui portait-on dedans un grand panier un gros bréviaire empantouflé, pesant tant en graisse qu'en fermoirs et parchemin peu plus peu moins [3] onze quintaux six livres. Là oyait vingt et six ou trente messes, ce pendant [4] venait son diseur d'heures [5] en

---

1. Avant de.
2. D'où le proverbe.
3. Voir n. 4 p. 87.
4. Pendant ce temps.
5. Prières consignées dans les livres d'heures.

place, empaletoqué comme une duppe[1], et très bien
antidoté son haleine à force sirop vignolat[2]. Avec icellui marmonnait toutes ces kyrielles : et tant les éplu-
chait, qu'il n'en tombait un seul grain en terre.

Au partir de l'église, on lui amenait sur une traîne
à bœufs[3] un farats[4] de patenôtres de Saint-Claude[5],
aussi grosses chacune qu'est le moule d'un bonnet et
se promenant par les cloîtres, galeries ou jardin en
disait plus que seize ermites.

Puis étudiait quelque méchante demi-heure, les
yeux assis dessus son livre, mais (comme dit le
Comique[6]) son âme était en la cuisine.

Pissant donc plein urinal[7] s'asseyait à table. Et parce
qu'il était naturellement phlegmatique[8], commençait
son repas par quelques douzaines de jambons, de
langues de bœuf fumées, de boutargues, d'andouilles,
et tels autres avant-coureurs de vin.

Ce pendant quatre de ses gens lui jetaient en la
bouche l'un après l'autre continûment moutarde à
pleines palerées[9] puis buvait un horrifique trait de vin
blanc, pour lui soulager les rognons. Après mangeait

---

1. Huppe.
2. Et son haleine très bien antidotée par une grande quantité
du sirop des vignes.
3. Charrette.
4. Tas.
5. On y travaillait le bois, notamment pour faire des chapelets.
6. Térence, *Eunuque*, v. 816.
7. Urinoir.
8. Voir n. 6 p. 48.
9. Pelletées.

selon la saison viandes à son appétit, et lors cessait de manger quand le ventre lui tirait.

À boire n'avait point, fin, ni canon [1]. Car il disait que les metes [2] et bornes de boire étaient quand la personne buvant, le liège de ses pantoufles enflait d'un demi-pied.

Chapitre 22

Les jeux de Gargantua

Puis tout lourdement grignotant d'un transon de grâces [3], se lavait les mains de vin frais, se curait les dents avec un pied de porc, et devisait joyeusement avec ses gens : puis le vert [4] étendu l'on éployait force cartes, force dés, et renfort de tabliers. Là jouait,

Au flux
À la prime
À la vole
À la pille
À la triomphe
À la Picardie
Au cent
À l'épinet
À la malheureuse

----

1. Règle.
2. Limites.
3. Une tranche des prières.
4. Le tapis de jeu de couleur verte.

Au fourbi
À passe dix
À trente et un.
À pair et séquence
À trois cents
Au malheureux
À la condemnade
À la carte virade
Au mécontent
Au lansquenet
Au cocu
À qui a si [1] parle
À pille, nade, joque, fore
À mariage
Au gai
À l'opinion
À qui fait l'un fait l'autre
À la séquence
Aux luettes
Au tarau
À coquimbert qui gagne perd
Au beliné
Au tourment
À la ronfle
Au glic
Aux honneurs
À la mourre
Aux échecs
Au renard

---

1. Alors.

Aux marelles
Aux vaches
À la blanche
À la chance
À trois dés
Aux tables
À la niquenoque
Au lourche
À la rainette
Au barignin
Au trictrac
À toutes tables
Aux tables rabattues
Au reniguebieud
Au forcé
Aux dames
À la babou
À *primus secundus*
Au pied du coteau
Aux clefs
Au franc du carreau
À pair ou non
À croix ou pile
Aux martres
Aux pingres
À la bille
Au savetier
Au hibou
Au dorelot du lièvre
À la tirelitantaine
À cochonnet va devant
Aux pies

À la corne
Au bœuf violé
À la chevêche
À je te pince sans rire
À picoter
À déferrer l'âne
À la iautru
Au bourri bourri zou
À je m'assieds
À la barbe d'oribus
À la bousquine
À tire la broche
À la boute foire
À compère prêtez-moi votre sac
À la couille de bélier
À boute hors
Aux figues de Marseille
À la mousque
À l'archer tru
À écorcher le renard
À la ramasse
Au croc madame
À vendre l'avoine
À souffler le charbon
Aux réponsailles
Au juge vif, et juge mort
À tirer les fers du four
Au faux vilain
Aux cailleteaux
Au bossu aulican
À saint trouvé
À pince morille

Au poirier
À pimpompet
Au triori
Au cercle
À la truie
À ventre contre ventre
Aux combes
À la vergette
Au palet
Au j'en suis
À fouquet
Aux quilles
Au rapeau
À la boule plate
Au vireton
Au piquarome
À rochemerde
À angenart
À la courte boule
À la grièche
À la recoquillette
Au cassepot
À montalent
À la pirouette
Aux jonchées
Au court bâton
Au pirevollet
À cline musette
Au piquet
À la blanque
Au furon
À la seguette

Au châtelet
À la rangée
À la foussette
Au ronflard
À la trompe
Au moine
Au ténébri
À l'ébahi
À la soule
À la navette
À fessard
Au balai
À saint Côme je te viens adorer
À écharbot le brun
À je vous prends sans vert
À bien et beau s'en va Carême
Au chêne fourchu
Au cheval fondu
À la queue au loup
À pet en gueule
À Guillemin baille-moi ma lance
À la brandelle
Au tréseau
Au bouleau
À la mouche
À la migne migne bœuf
Au propos
À neuf mains
Au chapifou
Aux ponts chus
À colin bridé
À la grolle

Au coquantin
À Colin maillard
À mirelimofle
À mouchard
Au crapaud
À la crosse
Au piston
Au bilboquet
Aux reines
Aux métiers
À tête à tête béchevel
Au pinot
À male mort
Aux croquignoles
À laver la coiffe ma dame
Au beluteau
À semer l'avoine
À briffaut
Au moulinet
À *defendo*
À la virevouste
À la bascule
Au laboureur
À la chevêche
Aux écoublettes enragées
À la bête morte
À monte monte l'échelette
Au pourceau mori
À cul salé
Au pigonnet
Au tiers
À la bourrée

Au saut du buisson
À croiser
À la cutte cache
À la maille bourse en cul
Au nid de la bondrée
Au passavant
À la figue
Aux pétarades
À pillemoutarde
À cambos
À la rechute
Au picandeau
À croquetête
À la grolle
À la grue
À taillecoup
Aux nasardes
Aux alouettes
Aux chiquenaudes.

Après avoir bien joué, sessé[1], passé et bluté[2] temps, convenait boire quelque peu, c'étaient onze peguads[3] pour homme, et soudain après banqueter c'était sur un beau banc, ou en beau plein lit s'étendre et dormir deux ou trois heures sans mal penser, ni mal dire.

Lui éveillé secouait un peu les oreilles : ce pendant était apporté vin frais, là buvait mieux que jamais.

---

1. Sassé, passé au crible.
2. Tamisé.
3. Mesure de vin en gascon, équivalent de 64 pintes, soit environ 60 litres : chaque homme a donc ici 660 litres à boire.

Ponocrates lui remontrait, que c'était mauvaise diète, ainsi boire après dormir. « C'est (répondit Gargantua) la vraie vie des Pères. Car de ma nature je dors salé : et le dormir m'a valu autant de jambon. »

Puis commençait étudier quelque peu, et patenôtres en avant, pour lesquels mieux en forme expédier, montait sur une vieille mule, laquelle avait servi neuf rois, ainsi marmottant de la bouche et dodelinant de la tête, allait voir prendre quelque connil[1] aux filets.

Au retour se transportait en la cuisine pour savoir quel roust[2] était en broche.

Et soupait très bien par ma conscience, et volontiers conviait quelques buveurs de ses voisins, avec lesquels buvant d'autant, contaient des vieux jusqu'aux nouveaux[3].

Entre autres avait pour domestiques les seigneurs du Fou, de Gourville, de Grignault et de Marigny.

Après souper venaient en place les beaux évangiles de bois, c'est à dire force tabliers[4], ou le beau flux[5], un, deux, trois : ou à toutes restes pour abréger, ou bien allaient voir les garces d'entour, et petits banquets parmi collations et arrière-collations. Puis dormait sans débrider, jusqu'au lendemain huit heures.

---

1. Lapin.
2. Rôti.
3. Racontaient des histoires, anciennes comme nouvelles.
4. Pour jouer au trictrac.
5. Premier des jeux mentionnés dans la liste ci-dessus.

Chapitre 23

Comment Gargantua fut institué par Ponocrates en telle discipline, qu'il ne perdait heure du jour

Quand Ponocrates connut la vicieuse[1] manière de vivre de Gargantua, délibéra autrement l'instituer en lettres, mais pour les premiers jours le toléra : considérant que nature n'endure mutations soudaines, sans grande violence.

Pour donc mieux son œuvre commencer, supplia un savant médecin de celui temps, nommé maître Théodore[2] : à ce qu'il considérât si possible était remettre Gargantua en meilleure voie. Lequel le purgea canoniquement[3] avec Ellébore d'Anticyre, et par ce médicament lui nettoya toute l'altération et perverse habitude du cerveau. Par ce moyen aussi Ponocrates lui fit oublier tout ce qu'il avait appris sous ses antiques précepteurs, comme faisait Timothée à ses disciples qui avaient été instruits sous autres musiciens.

Pour mieux ce faire, l'introduisait aux compagnies des gens savants, qui là étaient, à l'émulation desquels

---

1. Mauvaise.
2. Don de Dieu, en grec.
3. Dans le respect de la règle.

lui crût l'esprit et le désir d'étudier autrement et se
faire valoir.

Après en tel train d'étude le mit qu'il ne perdait
heure quelconque du jour : ains[1] tout son temps
consommait en lettres et honnête savoir.

S'éveillait donc Gargantua environ[2] quatre heures
du matin. Ce pendant qu'on le frottait, lui était lue
quelque pagine de la divine écriture[3] hautement et
clairement avec prononciation compétente[4] à la
matière, et à ce était commis un jeune page natif de
Basché, nommé Anagnostes[5]. Selon le propos et argument de cette leçon[6], souventefois[7] s'adonnait à révérer, adorer, prier, et supplier le bon Dieu : duquel la
lecture montrait la majesté et jugements merveilleux.

Puis allait aux lieux secrets faire excrétion des
digestions naturelles. Là son précepteur répétait ce
qui avait été lu : lui exposant les points plus obscurs
et difficiles.

Eux retournant considéraient l'état du ciel, si tel
était comme l'avaient noté au soir précédent : et
quels signes entrait le soleil[8], aussi la lune pour icelle
journée.

Ce fait était habillé, peigné, têtonné[9], accoutré, et

---

1. Mais.
2. Aux alentours de.
3. Page de la Bible.
4. Adaptée.
5. Le lecteur, en grec.
6. Lecture.
7. Souvent.
8. Dans la conjonction de quels astres (rapportés aux signes du
Zodiaque) entrait le soleil.
9. Coiffé.

parfumé, durant lequel temps on lui répétait les leçons du jour d'avant. Lui-même les disait par cœur : et y fondait quelques cas pratiques et concernant l'état humain lesquels ils étendaient aucunes fois jusqu deux ou trois heures, mais ordinairement cessaient lorsqu'il était du tout[1] habillé.

Puis par trois bonnes heures lui était faite lecture.

Ce fait issaient hors[2], toujours conférant des propos de la lecture : et se déportaient en Braque[3] ou aux prés, et jouaient à la balle, à la paume, à la pile trigone[4], galantement s'exerçant les corps comme ils avaient les âmes auparavant exercé.

Tout leur jeu n'était qu'en liberté : car ils laissaient la partie quant leur plaisait, et cessaient ordinairement lorsque suaient parmi le corps, ou étaient autrement las. Adonc[5] étaient très bien essuyés, et frottés, changeaient de chemise : et doucement se promenant allaient voir si le dîner était prêt. Là attendant récitaient clairement et éloquemment quelques sentences retenues de la leçon.

Ce pendant monsieur l'appétit venait et par bonne opportunité s'asseyaient à table.

Au commencement du repas était lue quelque histoire plaisante des anciennes prouesses : jusqu'à ce qu'il eût pris son vin. Lors (si bon semblait) on continuait la lecture : ou commençaient à deviser

---

1. Complètement.
2. Sortaient dehors.
3. Jeu de paume situé dans le quartier Latin.
4. Triangle.
5. Alors.

joyeusement ensemble, parlant pour les premiers
mois de la vertu, propriété, efficace[1], et nature, de
tout ce qui leur était servi à table. Du pain, du vin, de
l'eau, du sel, des viandes, poissons, fruits, herbes,
racines, et de l'apprêt[2] d'icelles. Ce que faisant apprit
en peu de temps tous les passages à ce compétant[3]
en Pline, Athénée, Dioscorides, Jullius Pollux, Galien,
Porphyre, Opien, Polybe, Héliodore, Aristote, Ælien,
et autres. Iceux propos tenus faisaient souvent pour
plus être assurés, apporter les livres susdits à table.
Et si bien et entièrement retint en sa mémoire les
choses dites, que pour lors[4] n'était médecin, qui en
sût à la moitié tant comme il faisait.

Après devisaient des leçons lues au matin, et par-
achevant leur repas par quelque confection de coto-
niat[5], se curait les dents avec un trou[6] de lentisque,
se lavait les mains et les yeux de belle eau fraîche : et
rendaient grâce à Dieu par quelques beaux cantiques
faits à la louange de la munificence et bénignité divine.
Ce fait on apportait des cartes, non pour jouer, mais
pour y apprendre mille petites gentillesses, et inventions nouvelles. Lesquelles toutes issaient d'arithmétique[7].

En ce moyen entra en affection d'icelle science
numérale, et tous les jours après dîner et souper y

---

1. Pouvoir, efficacité.
2. La manière de les accommoder.
3. S'y rapportant.
4. Qu'à cette époque.
5. Confiture de coing, dont la propriété est digestive.
6. Un tronc de cet arbre méditerranéen.
7. Ressortissaient à l'arithmétique.

passait temps aussi plaisamment, qu'il soulait[1] en dés ou aux cartes. À tant sut d'icelle et théorique et pratique, si bien que Tunstal Anglais, qui en avait amplement écrit, confessa que vraiment en comparaison de lui il n'y entendait que le haut allemand.

Et non seulement d'icelle, mais des autres sciences mathématiques, comme géométrie, astronomie, et musique. Car attendant la concoction[2] et digestion de son pât[3], ils faisaient mille joyeux instruments et figures géométriques, et de même pratiquaient les canons astronomiques. Après s'ébaudissaient à chanter musicalement à quatre et cinq parties, ou sur un thème à plaisir de gorge.

Au regard des instruments de musique, il apprit jouer du luth, de l'épinette, de la harpe, de la flûte d'Allemand et à neuf trous, de la viole, et de la saquebout[4].

Cette heure ainsi employée, la digestion parachevée, se purgeait des excréments naturels : puis se remettait à son étude principale par trois heures ou davantage : tant à répéter la lecture matutinale[5], qu'à poursuivre le livre entrepris qu'aussi à écrire et bien traire[6] et former les antiques et romaines lettres.

Ce fait issaient hors leur hôtel avec eux un jeune

---

1. Qu'il avait l'habitude naguère d'en passer.
2. Cuisson interne à laquelle la digestion était rapportée métaphoriquement.
3. Repas.
4. Ancêtre du trombone.
5. Du matin.
6. Tracer.

gentilhomme de Touraine nommé l'écuyer Gymnaste, lequel lui montrait l'art de chevalerie.

Changeant donc de vêtements montait sur un coursier, sur un roussin, sur un genet, sur un cheval barbe, cheval léger : et lui donnait cent quarières[1], le faisait voltiger en l'air, franchir le fossé, sauter le palys[2], court tourner en un cercle, tant à dextre comme à senestre[3].

Là rompait non lac lance. Car c'est la plus grande rêverie[4] du monde, dire, « j'ay rompu dix lances en tournoi, ou en bataille » : un charpentier le ferait bien. Mais louable gloire est d'une lance avoir rompu dix de ses ennemis.

De sa lance donc acérée, verte, et raide, rompait un huis, enfonçait un harnois, acculait un arbre, enclavait un anneau, enlevait une selle d'armes, un haubert, un gantelet.

Le tout faisait armé de pied en cap. Au regard de fanfarer[5] et faire les petits popismes[6] sur un cheval nul ne le fit mieux que lui. Le voltigeur de Ferrare n'était qu'un singe en comparaison. Singulièrement était appris à sauter hâtivement d'un cheval sur l'autre sans prendre terre. Et nommait-on ces chevaux désultoires[7], et de chacun côté la lance au poing, monter

---

1. Cent tours de manège à effectuer.
2. Barrière.
3. Tant à droite qu'à gauche.
4. Sottise.
5. Faire des fanfares, parader.
6. Tours de voltige.
7. De voltige, chevaux de sauts.

sans étrivières, et sans bride, guider le cheval à son plaisir. Car telles choses servent à discipline militaire.

Un autre jour s'exerçait à la hache. Laquelle tant bien coulait, tant vertement de tous pics[1] resserrait, tant souplement avalait en taille ronde[2], qu'il fut passé chevalier d'armes en campagne, et en tous essais.

Puis branlait la pique, saquait[3] de l'épée à deux mains, de l'épée bâtarde, de l'espagnole, de la dague, et du poignard, armé, non armé[4], au bouclier, à la cape, à la rondelle[5].

Courait le cerf, le chevreuil, l'ours, le daim, le sanglier, le lièvre, la perdrix, le faisan, l'outarde. Jouait à la grosse balle, et la faisait bondir en l'air autant du pied, que du poing.

Luttait : courait : sautait : non à trois pas un saut, non à cloche-pied, non au saut d'allemand. « Car (disait Gymnaste) tels sauts sont inutiles, et de nul bien en guerre. » Mais d'un saut perçait un fossé : volait sur une haie, montait six pas encontre une muraille et rampait en cette façon à une fenêtre de la hauteur d'une lance.

Nageait en profonde eau, à l'endroit, à l'envers, de côté : de tout le corps : des seuls pieds, une main en l'air, en laquelle tenant un livre transpassait[6] toute la rivière de Seine sans icellui mouiller et tirant par les

---

1. Coups.
2. Coups portés avec la taille en figure circulaire.
3. Secouait.
4. Pourvu ou non d'une armure.
5. Petit bouclier rond.
6. Traversait.

dents son manteau, comme faisait Jules César, puis d'une main entrait par grande force en bateau, d'icelui se jetait derechef[1] en l'eau la tête première, sondait le profond, creusait les rochers, plongeait aux abîmes et gouffres. Puis icelui bateau tournait, gouvernait : menait hâtivement, lentement, à fil d'eau, contre cours, le retenait en pleine écluse, d'une main le guidait, de l'autre s'escrimait avec un grand aviron, tendait la voile : montait au mat par les traits[2] : courait sur les brancards[3], ajustait la boussole, contreventait les boulines[4], bandait le gouvernail.

Issant[5] de l'eau raidement montait encontre la montagne, et dévalait aussi franchement, gravait aux arbres comme un chat, sautait de l'un en l'autre comme un écureuil : abattait les gros rameaux comme un autre Milo[6] : avec deux poignards acérés et deux poinçons éprouvés, montait au haut d'une maison comme un rat, descendait puis du haut en bas en telle composition[7] des membres, que de la chute n'était aucunement grevé[8].

Jetait le dard, la barre, la pierre : la javeline : l'épieu : la hallebarde, enfonçait l'arc, bandait aux reins les fortes arbalètes de passe[9], visait de l'arquebuse à l'œil,

---

1. À nouveau.
2. Cordages.
3. Vergues.
4. Tendait les cordages à contre-vent.
5. Sortant.
6. Milon de Crotone, athlète de l'Antiquité mort en tentant de fendre un tronc en deux.
7. Agencement.
8. Blessé.
9. Arbalètes géantes utilisées contre l'ennemi assiégé.

affûtait le canon, tirait à la butte, au papeguay[1], du bas en mont, d'amont en val, devant, de côté, en arrière, comme les Parthes[2].

On lui attachait un câble en quelque haute tour pendant en terre : par icellui avec deux mains montait, puis dévalait si raidement, et si assurément, que plus ne pourriez parmi un pré bien égalé[3].

On lui mettait une grosse perche appuyée à deux arbres à icelle se pendait par les mains, et d'icelle allait et venait sans des pieds à rien toucher, qu'à grande course on ne l'eût pu aconcevoir[4].

Et pour s'exercer le thorax et poumon criait comme tous les diables. Je l'ouï une fois appelant Eudémon depuis la porte saint Victor jusqu'à Montmartre. Stentor n'eut onques telle voix à la bataille de Troie.

Et pour gualentir[5] les nerfs, on lui avait fait deux grosses saumones de plomb chacune du poids de huit mille sept cents quintaux lesquelles il nommait haltères. Icelles prenait de terre en chacune main et les élevait en l'air au dessus de la tête, et les tenait ainsi sans soi remuer trois quarts d'heure et davantage, qui[6] était une force inimitable.

Jouait aux barres avec les plus forts. Et quand le point advenait, se tenait sur ses pieds tant raidement

---

1. Voir n. 2 p. 72.
2. Légendaires pour savoir tirer à l'arc en tournant le dos à leur cible.
3. Dans un pré bien aplani.
4. Attraper.
5. Fortifier.
6. Ce qui.

qu'il s'abandonnait aux plus aventureux en cas qu'ils le fissent mouvoir de sa place. Comme jadis faisait Milo.

À l'imitation duquel aussi tenait une pomme de grenade en sa main, et la donnait à qui lui pourrait ôter.

Le temps ainsi employé, lui frotté, nettoyé, et rafraîchi d'habillements [1], tout doucement retournait et passant par quelques prés, ou autres lieux herbus, visitaient les arbres et plantes, les conférant avec les livres des anciens qui en ont écrit comme Théophraste, Dioscorides, Marinus, Pline, Nicandre, Macer, et Galien, et en emportaient leurs pleines mains au logis, desquelles avait la charge un jeune page nommé Rhizotome [2], ensemble [3] des marrochons [4], des pioches, serfouettes, bêches, tranches, et autres instruments requis à bien arboriser [5].

Eux arrivés au logis ce pendant qu'on apprêtait le souper répétaient quelques passages de ce qu'avait été lu et s'asseyaient à table.

Notez ici que son dîner était sobre et frugal, car tant seulement mangeait pour refréner les abois [6] de l'estomac, mais le souper était copieux et large. Car tant en prenait que lui était de besoin à soi entretenir et nourrir. Ce que est la vraie diète prescrite par l'art de bonne et sûre médecine, quoiqu'un tas de

---

1. Ayant revêtu des habits propres.
2. Celui qui coupe les racines, en grec.
3. Avec.
4. Binettes.
5. Herboriser.
6. Aboiements.

badauds médecins herselés [1] en l'officine des sophistes conseillent le contraire.

Durant icelui repas était continuée la leçon du dîner : tant que bon semblait : le reste était consommé en bons propos tous lettrés et utiles.

Après grâces rendues s'adonnaient à chanter musicalement : à jouer d'instruments harmonieux : ou de ces petits passe-temps qu'on fait aux cartes : aux dés : et gobelets : et là demeuraient faisant grande chère et s'ébaudissant aucunesfois [2] jusqu'à l'heure de dormir, quelque fois allaient visiter les compagnies des gens lettrés : ou de gens que eussent vu pays étranges.

En pleine nuit devant que soi retirer [3] allaient au lieu de leur logis le plus découvert voir la face du ciel : et là notaient les comètes si aucunes étaient : les figures : situations : aspects : oppositions : et conjonctions des astres.

Puis avec son précepteur récapitulait brièvement à la mode des Pythagoriques tout ce qu'il avait lu : vu, su : fait : et entendu au décours [4] de toute la journée.

Si [5] priaient Dieu le créateur en l'adorant, et ratifiant [6] leur foi envers lui : et le glorifiant de sa bonté immense : et lui rendant grâce de tout le temps passé, se recommandaient à sa divine clémence pour tout l'avenir. Ce fait entraient en leur repos.

---

1. Malmenés, poussés à bout.
2. Parfois.
3. Avant de se retirer.
4. Au long.
5. Alors.
6. Confirmant par leurs actes.

Chapitre 24

Comment Gargantua
employait le temps
quand l'air était pluvieux

S'il advenait que l'air fût pluvieux et intempéré[1], tout le temps d'avant dîner était employé comme de coutume, excepté qu'il faisait allumer un beau et clair feu, pour corriger l'intempérie[2] de l'air. Mais après dîner en lieu des exercitations : ils demeuraient en la maison et par manière d'apotherapic[3] s'ébattaient à botteler du foin, à fendre et scier du bois et à battre les gerbes en la grange. Puis étudiaient en l'art de peinture : et sculpture : ou révoquaient en usage[4] l'antique jeu des tables, ainsi qu'en a écrit Léonicus, et comme y joue notre bon ami Lascaris[5].

En y jouant recollaient[6] les passages des auteurs anciens auxquels est faite mention ou prise quelque métaphore sur icelui jeu. Semblablement ou allaient voir comment on tirait les métaux ou comment on fondait l'artillerie : ou allaient voir les lapidaires[7], orfèvres et tailleurs de pierreries, ou les alchimistes

---

1. Troublé.
2. Le déséquilibre élémentaire du climat, soudain trop humide : le feu s'impose comme élément contraire.
3. Apothérapie, exercice reconstituant pour le corps.
4. Rappelaient en usage.
5. Humaniste professeur de grec.
6. Rassemblaient.
7. Gemmologistes.

et monnayeurs, ou les hautelissiers, les tissotiers[1], les veloutiers[2], les horlogers, miralliers[3], imprimeurs, organistes[4], teinturiers, et autres telles sortes d'ouvriers, et par tout donnant le vin, apprenaient, et considéraient l'industrie et invention des métiers.

Allaient ouïr les leçons publiques, les actes solennels, les répétitions, les déclamations, les plaidoyers des gentils avocats, les contions[5] des prêcheurs évangéliques.

Passait par les salles et lieux ordonnés[6] pour l'escrime, et là contre les maîtres essayait de tous bâtons, et leur montrait par évidence, qu'autant voire plus en savait qu'iceux.

Et au lieu d'arboriser, visitaient les boutiques des drogueurs, herbiers[7] et apothicaires, et soigneusement considéraient les fruits, racines, feuilles, gommes, semences, axunges pérégrines[8], ensemble aussi comment on les adultérait[9].

Allait voir les bateleurs, trejectaires[10] et theriacleurs[11], et considérait leurs gestes, leurs ruses, leurs soubresauts, et beau parler : singulièrement de ceux

---

1. Tisserands.
2. Marchands de velours.
3. Miroitiers.
4. Facteurs d'orgues.
5. Discours, et plus spécifiquement ici «sermons» des prédicateurs.
6. Organisés.
7. Herboristes.
8. Onguents exotiques.
9. Transformait.
10. Jongleurs, joueurs de passe-passe.
11. Vendeurs de produits miracles.

de Chauny en Picardie, car ils sont de nature grands jaseurs et beaux bailleurs de balivernes en matière de singes verts.

Eux retournés pour souper, mangeaient plus sobrement qu'aux autres jours, et viandes plus dessiccatives et exténuantes[1] : afin que l'intempérie humide de l'air, communiqué au corps par nécessaire confinité[2], fût par ce moyen corrigée et ne leur fût incommode par ne soi être exercités[3] : comme avaient de coutume.

Ainsi fut gouverné Gargantua et continuait ce procès[4] de jour en jour, profitant comme entendez que peut faire un jeune homme selon son âge de bon sens, en tel exercice, ainsi continué. Lequel combien que[5] semblât pour le commencement difficile, en la continuation tant doux fut, léger, et délectable, que mieux ressemblait[6] un passe-temps de roi, que l'étude d'un écolier.

Toutefois : Ponocrates pour le séjourner[7] de cette véhémente intention[8] des esprits, avisait une fois le mois quelque jour bien clair et serein, auquel bougeaient au matin de la ville, et allaient ou à Gentilly, ou à Boulogne, ou à Montrouge, ou au pont Charenton, ou à Vanves, ou à Saint-Cloud. Et là passaient

---

1. Asséchantes et amaigrissantes.
2. Proximité.
3. Pour ne pas avoir fait d'exercice.
4. Ce processus.
5. Bien qu'il.
6. Ressemblait à.
7. Reposer.
8. Concentration.

toute la journée à faire la plus grande chère dont ils se pouvaient aviser : raillant : gaudissant[1] : buvant d'autant : jouant : chantant : dansant : se vautrant : en quelque beau pré : dénichant des passereaux, prenant des cailles : pêchant aux grenouilles : et écrevisses.

Mais encore qu'icelle journée fût passée sans livres et lectures : point elle n'était passée sans profit. Car en beau pré ils recollaient[2] par cœur quelques plaisants vers : de l'agriculture de Virgile : d'Hésiode : du Rustique de Politien : décrivaient[3] quelques plaisants épigrammes en latin : puis les mettaient par rondeaux et ballades en langue française.

En banquetant du vin aisgué[4] séparaient l'eau : comme l'enseigne Caton *de re rust.*[5] et Pline : avec un gobelet de lierre : lavaient le vin en plein bassin d'eau : puis le retiraient avec un embout[6] : faisaient aller l'eau d'un verre en autre : bâtissaient plusieurs petits engins automates : c'est à dire : soi mouvant eux-mêmes.

---

1. Se réjouissant.
2. Récitaient.
3. Rédigeaient.
4. Coupé avec de l'eau.
5. Caton dans le *De re rustica.*
6. Entonnoir.

Chapitre 25

Comment fut mû entre les fouaciers [1] de Lerné, et ceux du pays de Gargantua le grand débat, dont furent faites grosses guerres

En cetui temps qui fut la saison de vendanges au commencement d'automne, les bergers de la contrée étaient à garder les vignes, et empêcher que les étourneaux ne mangeassent les raisins.

Auquel temps les fouaciers de Lerné passaient le grand quarroi [2] menant dix ou douze charges de fouaces à la ville.

Lesdits bergers les requirent courtoisement leur en bailler [3] pour leur argent, au prix du marché.

Car notez que c'est viande céleste, manger à déjeuner raisins avec fouace fraîche, mêmement des pineaux, des fiers, des muscadeaux, de la bicane, et des foirards pour ceux qui sont constipés du ventre. Car ils les font aller long comme un vouge [4] : et souvent cuidant [5] péter ils se conchient, dont sont nommés les cuideurs des vendanges.

---

1. Fabricant de fouace, pain brioché.
2. Carrefour.
3. Donner.
4. Épieu.
5. Pensant.

À leur requête ne furent aucunement inclinés[1] les fouaciers, mais (qui pis est) les outragèrent grandement les appelant Trop diteux, Breschedens, Plaisants rousseaux[2], Galliers, Chienlits, Averlans, Limessourdes, Fainéants, Friandeaux, Bustarins, Talvassiers, Riennevaux, Rustres, Challans, Hapelopins, Traineguainnes, gentils Floquets, Copieux, Landores, Malotrus, Dendins, Baugears, Tezés, Gaubregeux, Goguelus, Claquedents, Boyers d'étrons, Bergers de merde : et autres telles épithètes diffamatoires, ajoutant que point à eux n'appartenait manger de ces belles fouaces : mais qu'ils se devaient contenter de gros pain, ballé[3], et de tourte.

Auquel outrage un d'entr'eux nommé Frogier, bien honnête homme de sa personne, et notable bachelier répondit doucement. « Depuis quand avez-vous pris cornes, qu'êtes tant rogues[4] devenus ? Dea vous nous en souliez volontiers bailler, et maintenant y refusez ? Ce n'est fait de bons voisins, et ainsi ne vous faisons nous, quand venez ici acheter notre beau froment duquel vous faites vos gâteaux et fouaces : encore par le marché, vous eussions-nous donné de nos raisins : mais par la mer dé vous en pourriez repentir, et aurez quelque jour affaire de nous, lors nous ferons envers vous à la pareille[5], et vous en souvienne. »

Adonc Marquet grand bâtonnier[6] de la confrérie

---

1. Fléchis.
2. Rouquins.
3. Pain de son.
4. Arrogant.
5. Nous vous rendrons la monnaie de la pièce.
6. Avocat élu par une confrérie pour la représenter.

des fouaciers lui dit. «Vraiment tu es bien acrêté[1] à
ce matin : tu mangeas hier soir trop de mil. Viens çà,
viens çà, je te donnerai de ma fouace.» Lors Forgier
en toute simplesse approcha tirant un onzain[2] de son
baudrier, pensant que Marquet lui dût dépocher de
ses fouaces[3], mais il lui bailla de son fouet à travers
les jambes si rudement que les nœuds y apparais-
saient : puis voulut gagner à la fuite : mais Forgier
s'écria au meurtre : et à la force tant qu'il put,
ensemble lui jeta un gros tribart[4] qu'il portait sous
son aisselle, et l'atteignit par la jointure coronale de
la tête, sur l'artère crotaphique[5], du côté dextre : en
telle sorte que Marquet tomba de sa jument : mieux
semblait homme mort que vif.

Ce pendant les métayers, qui là auprès challaient[6]
les noix, accoururent avec leurs grandes gaules[7] et
frappèrent sur ces fouaciers comme sur seigle vert.
Les autres bergers et bergères, oyant le cri de Forgier, y vinrent avec leurs fondes[8] et brassiers[9], et les
suivirent à grands coups de pierres tant menus qu'il
semblait que ce fût grêle. Finalement les aconçurent[10],
et ôtèrent de leurs fouaces environ quatre ou cinq
douzaines, toutefois ils les payèrent au prix accou-

---

1. Une crête de coq t'a poussé.
2. Pièce de monnaie.
3. Pensant que Marquet devait lui sortir des fouaces de son sac.
4. Gourdin.
5. Temporale.
6. Écalaient, ouvraient.
7. Bâtons.
8. Frondes.
9. Autre type de fronde.
10. Attrapèrent.

tumé, et leur donnèrent un cent de quecas [1], et trois
panerées de francs aubiers [2]. Puis les fouaciers aidè-
rent à monter Marquet, qui était vilainement blessé,
et retournèrent à Lerné sans poursuivre le chemin de
Pareille menaçant fort et ferme les bouviers, bergers,
et métayers de Seuillé et Cinais.

Ce fait et bergers et bergères firent chère lye [3] avec
ces fouaces et beaux raisins, et se rigolèrent
ensemble au son de la belle bouzine [4] : se moquant
de ces beaux fouaciers glorieux, qui avaient trouvé
male encontre [5], par faute de s'être signés de la bonne
main au matin. Et avec gros raisins chenins étuvèrent [6]
les jambes de Forgier mignonnement, si bien qu'il fut
tantôt [7] guéri.

---

1. De noix.
2. Raisins blancs.
3. Voir n. 1 p. 89.
4. Cornemuse.
5. Malchance.
6. Baignèrent.
7. Bientôt.

Chapitre 26

Comment les habitants
de Lerné par le commandement
de Picrochole leur roi
assaillirent au dépourvu
les bergers de Gargantua

Les Fouaciers retournés à Lerné soudain devant boire ni manger, se transportèrent au Capitoly[1], et là devant leur roi nommé Picrochole[2], tiers de ce nom, proposèrent leur complainte, montrant leurs paniers rompus, leurs bonnets foupis[3], leurs robes déchirées, leurs fouaces détroussées, et singulièrement Marquet blessé énormément, disant le tout avoir été fait par les bergers et métayers de Grandgousier, près le grand carroi[4] par delà Seuillé.

Lequel incontinent entra en courroux furieux, et sans plus outre s'interroger quoi ni comment, fit crier par son pays ban et arrière-ban[5], et qu'un chacun sur peine de la hart convînt[6] en armes en la grand place, devant le château, à heure de midi.

---

1. Capitole burlesque.
2. Bile amère, en grec : cette bile est la colère, qui oriente le tempérament — selon les canons médicaux d'Hippocrate et de Galien, sur lesquels Ambroise Paré s'est fondé — vers la félonie, la convoitise, le désir de gloire.
3. Froissés.
4. Carrefour.
5. Fit proclamer un appel public à la défense.
6. Sous peine d'être pendu vînt au rassemblement.

Pour mieux confirmer son entreprise, envoya sonner le tambourin à l'entour de la ville, lui-même ce pendant qu'on apprêtait son dîner, alla faire affûter son artillerie, déployer son enseigne et oriflant[1], et charger force munitions, tant de harnais d'armes que de gueules[2].

En dînant bailla les commissions et fut par son édit constitué[3] le seigneur Trepelu sur l'avant-garde, en laquelle furent comptés seize mille quatorze haquebutiers[4], trente cinq mille et onze aventuriers.

À l'artillerie fut commis le grand écuyer Touquedillon, en laquelle furent comptées neuf cent quatorze grosses pièces de bronze, en canons, doubles canons, basilics, serpentines, couleuvrines, bombardes, faucons, passevolans, spiroles, et autres pièces. L'arrière-garde fut baillée au duc Raquedenare. En la bataille se tinrent le roi et les princes de son royaume.

Ainsi sommairement accoutré devant que se mettre en voie[5], envoyèrent trois cents chevau-légers sous la conduite du capitaine Engoulevent, pour découvrir le pays, et savoir si embûche aucune était par la contrée. Mais après avoir diligemment recherché trouvèrent tout le pays à l'environ en paix et silence, sans assemblée quelconque.

Ce qu'entendant Picrochole commanda qu'un chacun marchât sous son enseigne hâtivement.

---

1. Oriflamme.
2. Tant de provision d'armes que de vivres.
3. Établir.
4. Arquebusiers.
5. En route.

Adonc sans ordre et mesure [1] prirent les champs les uns parmi les autres, gâtant et dissipant tout par où ils passaient, sans épargner ni pauvre ni riche, ni lieu sacré, ni profane, emmenaient bœufs, vaches, taureaux, veaux, génisses, brebis, moutons, chèvres et boucs : poules, chapons, poulets, oisons, jars : oies, porcs : truies, gorets : abattant les noix, vendangeant les vignes, emportant les ceps, croulant [2] tous les fruits des arbres. C'était un désordre incomparable de ce qu'ils faisaient.

Et ne trouvèrent personne qui leur résistât, mais un chacun se mettait à leur merci, les suppliant être traités plus humainement, en considération de ce qu'ils avaient de tous temps été bons et aimables voisins, et que jamais envers eux ne commirent excès ni outrage, pour ainsi soudainement être par iceux mal vexés [3], et que Dieu les en punirait de bref [4]. Auxquelles remontrances, rien plus ne répondaient, sinon qu'ils leur voulaient apprendre à manger de la fouace.

----

1. Le déséquilibre de sa complexion, qui sous-tend son caractère, est extériorisé ici dans le comportement de son armée. Le bouleversement du microcosme finit par atteindre le macrocosme.
2. Faisant s'écrouler.
3. Pour être aussi soudainement malmenés par eux.
4. Sans tarder.

Chapitre 27

Comment un moine de Seuillé sauva le clos de l'abbaye du sac des ennemis

Tant firent et tracassèrent pillant et larronnant[1], qu'ils arrivèrent à Seuillé : et détroussèrent hommes et femmes, et prirent ce qu'ils purent, rien ne leur fut ni trop chaud ni trop pesant. Combien que[2] la peste y fût par la plus grande part des maisons, ils entraient partout, ravissaient tout ce qui était dedans, et jamais nul n'en prit danger. Qui[3] est cas assez merveilleux. Car les curés : vicaires, prêcheurs, médecins, chirurgiens et apothicaires : qui allaient visiter : panser : guérir : prêcher et admonester les malades, étaient tous morts de l'infection, et ces diables pilleurs et meurtriers onques n'y prirent mal. Dont[4] vient cela messieurs ? Pensez-y je vous prie.

Le bourg ainsi pillé, se transportèrent en l'abbaye avec horrible tumulte : mais la trouvèrent bien resserrée et fermée : dont l'armée principale marcha outre vers le gué de Vède : excepté sept enseignes de gens de pied et deux cents lances qui là restèrent et rompirent les murailles du clos afin de gâter toute la vendange.

---

1. Volant.
2. Bien que.
3. Ce qui.
4. D'où.

Les pauvres diables de moines ne savaient auquel de leurs saints se vouer, à toutes aventures [1] firent sonner *ad capitulum capitulantes* [2] : là fut décrété qu'ils feraient une belle procession, renforcée de beaux préchans [3] et litanies *contra hostium insidias* [4] : et beaux répons [5] *pro pace*.

En l'abbaye était pour lors un moine claustrier [6] nommé frère Jean des Entommeures [7], jeune galant : frisque [8] : de hayt [9] : bien à dextre [10], hardi : aventureux, délibéré [11] : haut, maigre, bien fendu de gueule, bien avantagé en nez, beau dépêcheur d'heures [12], beau débrideur de messes, beau décrotteur de vigiles, pour tout dire sommairement, vrai moine si onques en fût depuis que le monde moinant moina de moinerie. Au reste : clerc jusqu'aux dents en matière de bréviaire.

Icelui entendant le bruit que faisaient les ennemis par le clos de leur vigne, sortit hors pour voir ce qu'ils faisaient. Et avisant qu'ils vendangeaient leur clos

---

1. À tout hasard.
2. Au chapitre les capitulants. Salle de réunion principale des moines.
3. Psaumes chantés.
4. Contre les embuscades des ennemis.
5. Chants liturgiques où alternent le chœur et le soliste.
6. Cloîtré, ne quittant pas le cloître et donc, par métonymie, l'abbaye.
7. Entamures (blessure, coupure) : le nom renvoie ici à sa manière d'entamer, c'est-à-dire de tailler, lorsqu'il rue en cuisine comme à la bataille.
8. Pimpant.
9. Joyeux.
10. Adroit.
11. Décidé, qui ne tergiverse pas.
12. Sachant bien expédier les prières.

auquel était leur boite [1] de tout l'an fondée, retourne au cœur de l'église où étaient les autres moines tous étonnés comme fondeurs de cloches, lesquels voyant chanter, ini, nim, pe, ne, ne, ne, ne, ne, ne, tum, ne, num, num, ini, i, mi, i, mi, co, o, ne, no, o, o, ne, no, ne, no, no, no, rum, ne, num, num. « C'est, dit-il, bien chien chanté. Vertu Dieu : que ne chantez-vous ? Adieu paniers, vendanges sont faites ? Je me donne au Diable, s'ils ne sont en notre clos, et tant bien coupent et ceps et raisins, qu'il n'y aura par le corps Dieu de quatre années qu'halleboter [2] dedans. Ventre saint Jacques que boirons-nous ce pendant, nous autres pauvres diables ? Seigneur Dieu *da mihi potum* [3]. »

Lors dit le prieur claustral [4]. « Que fera cet ivrogne ici ? Qu'on me le mène en prison, troubler ainsi le service divin ?

— Mais : (dit le moine) le service du vin faisons tant qu'il ne soit troublé [5], car vous-même monsieur le prieur, aimez boire du meilleur, si fait tout homme de bien. Jamais homme noble ne hait le bon vin, c'est un apophtegme [6] monacal. Mais ces répons que chantez ici ne sont par Dieu point de saison.

« Pourquoi sont nos heures en temps de moissons et vendanges courtes, en l'avent et tout hiver longues ?

---

1. Boisson.
2. Grappiller.
3. Donne-moi à boire.
4. Attaché au cloître.
5. Nous faisons le service du vin de sorte qu'il ne soit pas troublé (le service, comme le vin).
6. Maxime.

« Feu de bonne mémoire frère Macé Pelosse, vrai zélateur (ou je me donne au Diable) de notre religion me dit, il m'en souvient, que la raison était, afin qu'en cette saison nous fassions bien serrer et faire le vin, et qu'en hiver nous le humions.

« Écoutez messieurs vous autres : qui aimez le vin, le corps Dieu si me suivez[1] : car hardiment que saint Antoine me arde si ceux tâtent du piot qui n'auront secouru la vigne. Ventre Dieu, les biens de l'église ? Ha non non. Diable, saint Thomas l'Anglais[2] voulut bien pour iceux mourir, si je mourais ne serais-je saint de même ? Je n'y mourrai jà pourtant, car c'est moi qui le fais aux autres[3]. »

Ce disant mit bas son grand habit et se saisit du bâton de la Croix, qui était de cœur de cormier long comme une lance, rond à plein poing et quelque peu semé de fleurs de lys toutes presque effacées. Ainsi sortit en beau sayon[4], mit son froc[5] en écharpe. Et de son bâton de la Croix donna si brusquement sur les ennemis qui sans ordre ni enseigne, ni trompette, ni tambourin, parmi le clos vendangeaient. Car les porte-guidons[6] et porte-enseignes avaient mis leurs guidons et enseignes l'orée des murs, les tambourineurs avaient défoncé leurs tambourins d'un côté, pour les emplir de raisins, les trompettes étaient

---

1. Par le corps Dieu, suivez-moi maintenant.
2. Thomas Becket mourut assassiné alors qu'il s'opposait à la Couronne pour la défense des biens de l'Église.
3. Qui fais mourir les autres.
4. Blouse enfilée par-dessus les vêtements.
5. Habit monacal.
6. Drapeau de la cavalerie.

chargés de moussines [1] : chacun était dérayé [2]. Il choqua donc si raidement sur eux sans dire gare, qu'il les renversait comme porcs frappant à tort et à travers à vieille escrime.

Aux uns écrabouillait la cervelle, aux autres rompait bras et jambes, aux autres délochait les spondyles [3] du cou, aux autres démoulait les reins, avalait [4] le nez, pochait les yeux, fendait les mandibules, enfonçait les dents en la gueule, décroulait [5] les omoplates, sphacelait les greves [6], dégondait les ischies [7] : débesillait les faucilles [8].

Si quelqu'un se voulait cacher entre les ceps plus épais, à icelui froissait toute l'arête du dos : et l'éreintait [9] comme un chien.

Si aucun sauver se voulait en fuyant à icelui faisait voler la tête en pièces par la commissure lambdoïde [10].

Si quelqu'un gravissait en un arbre pensant y être en sûreté, icelui de son bâton empalait par le fondement.

Si quelqu'un de sa vieille connaissance lui criait. «Ha frère Jean mon ami, frère Jean je me rends.

— Il t'est (disait-il) bien force. Mais ensemble tu

1. Branches de vigne.
2. Avait quitté sa ligne, sa position.
3. Démettait les vertèbres.
4. Faisait tomber.
5. Effondrait.
6. Meurtrissait les jambes.
7. Déboîtait les hanches.
8. Mettait en morceaux les os.
9. Tous les emplois d'éreinter dans la suite du texte sont à prendre au sens premier de «casser les reins».
10. Suture des os du crâne, en forme de *lambda*.

rendras l'âme à tous les Diables. » Et soudain lui donnait dronos[1]. Et si personne tant fût épris de témérité qu'il lui voulût résister en face, là montrait-il la
force de ses muscles. Car il leur transperçait la poitrine par le médiastin et par le cœur : à d'autres donnant sur la faute[2] des côtes, leur subvertissait[3]
l'estomac, et mouraient soudainement, aux autres
tant fièrement frappait par le nombril, qu'il leur faisait sortir les tripes, aux autres parmi les couillons
perçait le boyau culier. Croyez que c'était le plus horrible spectacle qu'on vit onques.

Les uns criaient sainte Barbe.

Les autres saint Georges.

Les autres sainte Nitouche.

Les autres Notre Dame de Cunault, De Lorette.
De Bonnes Nouvelles. De la Lenou. De Rivière. Les
uns se vouaient à saint Jacques. Les autres au saint
Suaire de Chambéry, mais il brûla trois mois après si
bien qu'on n'en put sauver un seul brin.

Les autres à Cadouin.

Les autres à saint Jean d'Angély.

Les autres à saint Eutrope de Saintes, à saint
Mexme de Chinon, à saint Martin de Candes, à saint
Clouaud de Cinais : aux reliques de Javarsay : et mille
autres bons petits saints.

Les uns mouraient sans parler. Les autres parlaient

---

1. Des coups.
2. Là où les côtes manquent, c'est-à-dire se finissent (à l'extrémité).
3. Retournait.

sans mourir, les uns mouraient en parlant. Les autres parlant en mourant.

Les autres criaient à haute voix « Confession. Confession. *Confiteor. Miserere. In manus.*[1] »

Tant fut grand le cri des navrés[2] que le prieur de l'abbaye avec tous ses moines sortirent. Lesquels quand aperçurent ces pauvres gens ainsi rués parmi la vigne et blessés à mort, en confessèrent quelques uns. Mais ce pendant que les prêtres s'amusaient[3] à confesser : les petits moinetons coururent au lieu où était frère Jean, et lui demandèrent en quoi il voulait qu'ils lui aidassent ?

À quoi répondit, qu'ils égorgetassent ceux qui étaient portés par terre. Adonc laissant leurs grandes capes sur une treille au plus près, commencèrent égorgeter, et achever ceux qu'il avait déjà meurtris. Savez-vous de quels ferrements[4] ? À beaux gouvets qui sont petits demi-couteaux dont les petits enfants de notre pays cernent[5] les noix.

Puis à tout son bâton de croix, gagna la brèche qu'avaient faite les ennemis. Aucuns des moinetons emportèrent les enseignes et guidons en leurs chambres pour en faire des jarretières. Mais quand ceux qui s'étaient confessés voulurent sortir par icelle brèche, le moine les assommait de coups disant « ceux-ci sont confés[6] et repentant et ont gagné les

---

1. Je confesse. Prends pitié de nous. Dans tes mains (je me remets).
2. Blessés.
3. Perdaient leur temps.
4. Avec quels outils.
5. Sortir les noix de leur coque.
6. Confessés.

pardons : ils s'en vont en Paradis aussi droit comme une faucille, et comme est le chemin de Faye. » Ainsi par sa prouesse furent déconfits tous ceux de l'armée qui étaient entrés dedans le clos jusqu'au nombre de treize mille six cent vingt et deux, sans les femmes et petits enfants, cela s'entend toujours.

Jamais Maugis ermite ne se porta si vaillamment à tout son bourdon contre les Sarrasins desquels est écrit aux gestes des quatre fils Aymon[1], comme fit le moine à l'encontre des ennemis avec le bâton de la croix.

Chapitre 28

Comment Picrochole prit d'assaut la Roche-Clermault et le regret et difficulté que fit Grandgousier d'entreprendre guerre

Ce pendant que le moine s'escarmouchait comme avons dit contre ceux qui étaient entrés le clos, Picrochole à grande hâtiveté[2] passa le gué de Vède avec ses gens et assaillit la Roche-Clermault, auquel lieu ne lui fut faite résistance quelconque, et parce

1. Dans la geste des *Quatre Fils Aymon*, roman de chevalerie très populaire.
2. Hâte.

qu'il était jà nuit délibéra en icelle ville s'héberger soi et ses gens et rafraîchir de sa colère[1] pungitive.

Au matin prit d'assaut les boulevards[2] et château et le rempara[3] très bien : et le pourvut de munitions requises pensant là faire sa retraite si d'ailleurs était assailli. Car le lieu était fort et par art[4] et par nature, à cause de la situation, et assiette[5].

Or laissons-les là, et retournons à notre bon Gargantua qui est à Paris bien instant[6] à l'étude de bonnes lettres et exercitations athlétiques, et le vieux bonhomme Grandgousier son père, qui après souper se chauffe les couilles à un beau clair et grand feu et attendant griller des châtaignes, écrit au foyer[7] avec un bâton brûlé d'un bout, dont on écharbotte[8] le feu : faisant à sa femme et famille de beaux contes du temps jadis.

Un des bergers qui gardaient les vignes nommé Pillot : se transporta devers lui en icelle heure, et raconta entièrement les excès et pillages que faisait Picrochole Roi de Lerné en ses terres et domaines et comment il avait pillé, gâté, saccagé tout le pays, excepté le clos de Seuillé que frère Jean des

---

1. À prendre selon son double sens : aussi bien l'humeur colérique, qui le prédispose à être «audacieux, félon» et à «convoiter le bien d'autrui» (Ambroise Paré), que la fureur le mettant toujours hors de lui.
2. Remparts.
3. Fortifia contre l'ennemi.
4. Aménagement artificiel.
5. Position.
6. Appliqué.
7. Dans l'âtre du feu.
8. Éparpille le feu pour l'éteindre.

Entommeures avait sauvé à son honneur, et de présent était ledit roi en la Roche-Clermault : et là en grande instance se remparait, lui et ses gens.

« Holos, holos [1], dit Grandgousier, qu'est ceci bonnes gens ? Songe-je, ou si vrai est ce qu'on me dit ? Picrochole mon ami ancien, de tout temps, de toute race et alliance me vient-il assaillir ? Qui le meut [2] ? Qui le point [3] ? Qui le conduit ? Qui l'a ainsi conseillé ? Ho, ho, ho, ho, ho. Mon Dieu mon sauveur, aide-moi, inspire-moi, conseille-moi à ce qu'est de faire.

« Je proteste [4], je jure devant toi : ainsi me sois-tu favorable, si jamais à lui déplaisir ni à ses gens dommage, ni en ses terres je fis pillerie [5], mais bien au contraire je l'ai secouru de gens, d'argent, de faveur et de conseil, en tous cas qu'ai pu connaître son avantage [6]. Qu'il m'ait donc en ce point outragé, ce ne peut être que par l'esprit malin [7]. Bon Dieu tu connais mon courage, car à toi rien ne peut être celé [8]. Si par cas il était devenu furieux, et que pour lui réhabiliter son cerveau tu me l'eusses ici envoyé : donne-moi et pouvoir, et savoir le rendre [9] au joug de ton saint vouloir par bonne discipline.

« Ho, ho, ho, Mes bonnes gens mes amis, et mes

1. Hélas.
2. Qu'est-ce qui le pousse ?
3. L'aiguillonne.
4. Déclare solennellement en ta présence.
5. Pillage.
6. Toutes les fois où j'ai pu savoir où était son avantage.
7. Du diable.
8. Caché.
9. Nécessaires pour le rendre.

féaux[1] serviteurs, faudra-t-il que je vous empêche à m'y aider ? Las, ma vieillesse ne requérait dorénavant que repos, et toute ma vie n'ai rien tant procuré que paix. Mais il faut je le vois bien, que maintenant de harnais je charge mes pauvres épaules lasses et faibles, et en ma main tremblante je prenne la lance et la masse[2], pour secourir et garantir mes pauvres sujets. La raison le veut ainsi, car de leur labeur je suis entretenu, et de leur sueur je suis nourri moi, mes enfants et ma famille.

« Ce nonobstant, je n'entreprendrai guerre, que je n'aie essayé tous les arts et moyens de paix, là je me suis résolu. »

Adonc fit convoquer son conseil et proposa l'affaire tel comme il était. Et fut conclu qu'on enverrait quelque homme prudent devers Picrochole, savoir pourquoi ainsi soudainement était parti[3] de son repos, et envahi les terres, auxquelles n'avait droit quiquonque. Davantage qu'on envoyât quérir[4] Gargantua et ses gens, afin de maintenir le pays, et défendre à ce besoin. Le tout plut à Grandgousier et commanda qu'ainsi fût fait.

Dont sur l'heure envoya le Basque son laquais quérir à toute diligence Gargantua. Et lui écrivait comme s'ensuit.

---

1. Fidèles.
2. Arme offensive.
3. Sorti.
4. Demander.

Chapitre 29

La teneur des lettres [1]
que Grandgousier écrivait
à Gargantua

La ferveur de tes études requérait que de long temps ne te revocasse [2] de cetui philosophique repos, si la confiance de nos amis et anciens confédérés n'eût de présent frustré la sûreté de ma vieillesse. Mais puisque telle est cette fatale destinée, que par iceux sois inquiété : auxquels plus je me reposais [3], force m'est te rappeler au subside [4] des gens et biens qui te sont par droit naturel affiés [5].

Car ainsi comme [6] débiles sont les armes au dehors, si le conseil n'est en la maison : aussi vaine est l'étude et le conseil inutile : qui en temps opportun par vertu n'est exécuté et à son effet réduit [7].

Ma délibération n'est de provoquer ains [8] d'apaiser : d'assaillir, mais défendre : de conquêter, mais de garder mes féaux sujets et terres héréditaires. Auxquelles

---

1. Le pluriel est dû à l'emploi du latinisme *litteræ,* qui se traduit par un singulier : la lettre.
2. Rappelle.
3. Sur lesquels je me reposais le plus, en lesquels j'avais le plus confiance.
4. Au secours.
5. Confiés.
6. Aussi… aussi…
7. Mis en pratique, conduit à son effet.
8. Mais.

est hostilement entré Picrochole, sans cause ni occasion, et de jour en jour poursuit sa furieuse entreprise, avec excès non tolérables à personnes libres.

Je me suis en devoir mis pour modérer sa colère[1] tyrannique, lui offrant tout ce que je pensais lui pouvoir être en contentement, et par plusieurs fois ai envoyé aimablement devers lui pour entendre en quoi, par qui, et comment il se sentait outragé, mais de lui n'ai eu réponse que de volontaire défiance, et qu'en mes terres prétendait seulement droit de bienséance[2].

Dont j'ai connu que Dieu éternel l'a laissé au gouvernail de son franc arbitre[3] et propre sens, qui ne peut être que méchant si par grâce divine n'est continuellement guidé : et pour le contenir en office[4] et réduire à connaissance[5] me l'a ici envoyé à molestes[6] enseignes.

Pourtant mon fils bien aimé le plus tôt que faire pourras ces lettres vues[7] retourne à diligence[8] secourir non tant moi (ce que toutefois par pitié naturellement tu dois) que les tiens, lesquels par raison tu peux sauver et garder. L'exploit sera fait à moindre effusion de sang que sera possible. Et si possible est par engins[9] plus expédients, cautèles[10], et ruses de

---

1. Voir n. 1 p. 145.
2. Droit dicté par les désirs personnels.
3. Libre arbitre.
4. Dans les bornes de son devoir.
5. Reconduire vers la sagesse.
6. Importunes.
7. Après avoir vu cette lettre.
8. Vite.
9. Inventions.
10. Ruses dictées par la prudence.

guerre nous sauverons toutes les âmes : et les enverrons joyeux à leurs domiciles.

Très cher fils la paix de Christ notre rédempteur soit avec toi. Salue Ponocrates, Gymnaste, et Eudémon de par moi. Du vingtième de Septembre. Ton père Grandgousier.

Chapitre 30

Comment Ulrich Gallet fut envoyé devers [1] *Picrochole*

Les lettres dictées et signées, Grandgousier ordonna qu'Ulrich Gallet, maître de ses requêtes homme sage et discret, duquel en divers et contentieux affaires il avait éprouvé la vertu et bon avis : allât devers Picrochole, pour lui remontrer ce que par eux avait été décrété.

En cette heure partit le bon homme Gallet, et passé le gué demanda au meunier, de l'état de Picrochole : lequel lui fit réponse que ses gens ne lui avaient laissé ni coq ni géline [2] et qu'ils s'étaient enserrés en la Roche-Clermault et qu'il ne lui conseillait point de procéder outre [3] de peur du guet, car leur fureur était énorme. Ce que facilement il crut, et pour cette nuit hébergea avec le meunier.

---

1. Vers, à.
2. Poule.
3. Avancer plus loin.

Au lendemain matin, se transporta avec la trompette à la porte du château, et requit aux gardes, qu'ils le fissent parler au roi pour son profit[1].

Les paroles annoncées au roi ne consentit aucunement qu'on lui ouvrît la porte, mais se transporta sur le boulevard[2] et dit à l'ambassadeur : « Qui a-t-il de nouveau ? Que voulez-vous dire ? » Adonc l'ambassadeur proposa comme s'ensuit.

Chapitre 31

La harangue faite par Gallet à Picrochole

« Plus juste cause de douleur naître ne peut entre les humains, que si du lieu dont par droiture espéraient grâce et bénévolence[3], ils reçoivent ennui et dommage. Et non sans cause (combien que[4] sans raison) plusieurs venus en tel accident[5], ont cette indignité moins estimé tolérable, que leur vie propre, et en cas que[6] par force ni autre engin ne l'ont pu corriger, se sont eux-mêmes privés de cette lumière.

« Donc merveille n'est[7] si le roi Grandgousier mon

---

1. Dans son intérêt.
2. Rempart.
3. Bienveillance.
4. Bien que.
5. En cette situation.
6. Au cas où.
7. Il n'est pas étonnant que.

maître est à ta furieuse et hostile venue saisi de grand déplaisir et perturbé en son entendement, merveille serait si ne l'avaient ému les excès incomparables, qui en ses terres, et sujets ont été par toi, et tes gens commis, auxquels n'a été omis exemple aucun d'inhumanité. Ce que lui est tant grief de soi [1] par la cordiale affection, de laquelle toujours a chéri ses sujets qu'à mortel homme plus être ne saurait [2], toutefois sur l'estimation humaine [3] plus grief lui est, en tant que [4] par toi, et les tiens ont été ces griefs, et torts faits.

« Qui de toute mémoire et ancienneté aviez toi et tes pères une amitié avec lui, et tous ses ancêtres conçue, laquelle jusqu'à présent comme sacrée ensemble aviez inviolablement maintenue, gardée, et entretenue, si bien que non lui seulement, ni [5] les siens, mais les nations Barbares, Poitevins, Bretons, Manceaux, et ceux qui habitent outre les îles [6] de Canarre, et Isabella [7], ont estimé aussi facile démolir [8] le firmament, et les abîmes ériger au-dessus des nues, que désemparer [9] votre alliance : et tant l'ont redoutée en leurs entreprises que n'ont jamais osé provo-

---

1. Grave en soi, pénible.
2. Affection qui ne saurait être plus grande envers aucun autre mortel.
3. Toutefois à bien réfléchir en homme.
4. Lui est d'autant plus pénible qu'ils ont été commis par toi...
5. Ou.
6. Au-delà des îles.
7. Première cité fondée par Christophe Colomb lors de son débarquement sur les côtes de l'actuelle Haïti.
8. De démolir.
9. Démanteler, abandonner.

quer, irriter, ni endommager l'un, par crainte de l'autre.

« Plus y a. Cette sacrée amitié tant a empli ce ciel, que peu de gens sont aujourd'hui habitants par tout le continent et îles de l'Océan, qui n'aient ambitieusement aspiré être reçus en icelle à pactes par vous mêmes conditionnés[1] : autant estimant votre confédération[2] que leurs propres terres, et domaines. En sorte que de toute mémoire n'a été prince ni ligue tant efferée, ou superbe[3] qui ait osé courir sus, je ne dis point vos terres, mais celles de vos confédérés. Et si par conseil précipité, ont encontre eux[4] attenté quelque cas de nouveauté[5], le nom et titre de votre alliance entendu, ont soudain désisté[6] de leurs entreprises.

« Quelle furie donc t'émeut maintenant, toute alliance brisée, toute amitié conculquée[7], tout droit trépassé[8], envahir hostilement ses terres, sans en rien avoir été par lui ni les siens endommagé, irrité, ni provoqué ? Où est foi ? Où est loi ? Où est raison ? Où est humanité ? Où est crainte de Dieu ? Cuides-tu[9] ces outrages être recelés[10] aux esprits éternels, et au Dieu souverain, qui est juste rétributeur de nos

---

1. Selon un contrat dont vous eussiez fixé les conditions.
2. Une alliance avec vous.
3. Si farouche, ou orgueilleux.
4. À leur encontre.
5. Révolution.
6. Se sont désistés.
7. Piétinée.
8. Outrepassé.
9. Penses-tu.
10. Dissimulés.

entreprises ? Si le cuides, tu te trompes, car toutes choses viendront à son jugement. Sont-ce fatales destinées, ou influences des astres qui veulent mettre fin à tes aises et repos ? Ainsi ont toutes choses leur fin et période[1]. Et quand elles sont venues à leur point suppellatif[2], elles sont en bas ruinées, car elles ne peuvent longtemps en tel état demeurer. C'est la fin de ceux qui leurs fortunes et prospérités ne peuvent par raison et tempérance modérer.

« Mais si ainsi était pheé[3] et dût ores[4] ton heur[5] et repos prendre fin, fallait-il que ce fût en incommodant à mon Roi, celui par lequel tu étais établi ?

« Si ta maison devait ruiner, fallait-il qu'en sa ruine elle tombât sur les âtres[6] de celui qui l'avait ornée ? La chose est tant hors les metes de raison[7], tant abhorrente de sens commun[8], qu'à peine peut-elle être par humain entendement conçue, et jusqu'à ce demeurera non croyable entre les étrangers, que l'effet assuré et témoigné leur donne à entendre, que rien n'est ni saint, ni sacré à ceux qui se sont émancipés[9] de Dieu et raison, pour suivre leurs affections[10] perverses.

« Si quelque tort eût été par nous fait en tes sujets,

---

1. Point culminant du processus, avant son extinction.
2. Superlatif, le plus élevé.
3. Prédestiné.
4. Alors, à cette heure.
5. Bonheur.
6. Les foyers.
7. Les limites du raisonnable.
8. Tant éloignée du bon sens.
9. Éloignés.
10. Passions.

et domaines, si par nous eût été portée faveur à tes mal voulus, si en tes affaires ne t'eussions secouru, si par nous ton nom et honneur eût été blessé. Ou pour mieux dire : si l'esprit calomniateur[1] tentant à mal te tirer[2] eût par fallaces espèces[3], et fantasmes ludificatoires[4] mis en ton entendement qu'envers toi eussions fait chose non digne de notre ancienne amitié : tu devais premier enquérir de la vérité, puis nous en admonester[5]. Et nous eussions tant à ton gré satisfait, qu'eusse eu occasion de toi contenter. Mais (ô Dieu éternel) quelle est ton entreprise ?

« Voudrais-tu comme tyran perfide piller ainsi, et dissiper le royaume de mon maître ? L'as-tu éprouvé tant ignave[6], et stupide, qu'il ne voulût : ou tant destitué de gens, d'argent, de conseil, et d'art militaire, qu'il ne pût résister à tes iniques assauts ? Dépars d'ici présentement, et demain pour tout le jour sois retiré en tes terres, sans par le chemin faire aucun tumulte ni force[7]. Et paye mille besans d'or pour les dommages que as faits en ces terres. La moitié bailleras[8] demain, l'autre moitié payeras aux Ides de Mai[9] prochainement venant : nous délaissant ce pendant pour otages les Ducs de Tournemoule, de Basdefesses, et

1. Diabolique.
2. À te séduire, à t'écarter du droit chemin.
3. Apparences trompeuses.
4. Illusoires, producteurs d'illusions.
5. Avertir.
6. Lâche.
7. Coup de force.
8. Donneras.
9. Au 15 mai, selon le calendrier latin ici utilisé.

de Menuail, ensemble[1] le prince de Gratelles, et le vicomte de Morpiaille.»

Chapitre 32

Comment Grandgousier pour acheter paix fit rendre les fouaces

À tant se tut le bon homme Gallet, mais Picrochole à tous ses propos ne répond autre chose, sinon. «Venez les quérir : venez les quérir. Ils ont belle couille et molle. Ils vous broieront de la fouace.» Adonc retourne vers Grandgousier, lequel trouva à genoux tête nue, incliné en un petit coin de son cabinet, priant Dieu, qu'il vouzit[2] amollir la colère[3] de Picrochole, et le mettre au point de raison, sans y procéder par force. Quand vit le bon homme de retour il lui demanda. «Ha mon ami, mon ami, quelles nouvelles m'apportez-vous ?

— Il n'y a, dit Gallet, ordre, cet homme est du tout hors du sens[4] et délaissé de Dieu.

— Voire mais, dit Grandgousier, mon ami quelle cause prétend-il de cet excès ?

---

1. Avec.
2. Voulût.
3. Adoucir la colère, toujours prise en son double sens.
4. A totalement perdu la raison.

— Il ne m'a, dit Gallet, cause quelconque exposée. Sinon qu'il m'a dit en colère quelques mots de fouaces. Je ne sais si l'on aurait point fait outrage à ses fouaciers.

— Je le veux, dit Grandgousier, bien entendre devant qu'autre chose délibérer sur ce que serait de faire[1]. »

Alors manda savoir de cette affaire : et trouva pour vrai qu'on avait pris par force quelques fouaces de ses gens, et que Marquet avait reçu un coup de tribard sur la tête. Toutefois que le tout avait été bien payé, et que ledit Marquet avait premier blessé Forgier de son fouet par les jambes. Et sembla à tout son conseil qu'en toute force[2] il se devait défendre.

« Ce nonobstant, dit Grandgousier, puisqu'il n'est question que de quelques fouaces, j'essaierai le contenter, car il me déplaît par trop de lever guerre. »

Adonc s'enquêta combien on avait pris de fouaces, et entendant quatre ou cinq douzaines, commanda qu'on en fît cinq charretées en icelle nuit, et que l'une fût de fouaces faites à beau beurre, beau moyeux[3] d'œufs, beau safran, et belles épices pour être distribuées à Marquet, et que pour ses intérêts, il lui donnait sept cent mille et trois Philippus pour payer les barbiers[4] qui l'auraient pansé, et d'abondant lui donnait la métairie de la Pomardière à perpétuité

---

1. Avant toute autre délibération sur ce qu'il conviendrait de faire.
2. Par tous les moyens.
3. Jaunes.
4. Chargés alors d'exécuter les actes courants de chirurgie.

franche[1] pour lui et les siens. Pour le tout conduire
et passer fut envoyé Gallet. Lequel par le chemin, fit
cueillir près de la saulaie force grands rameaux de
canes[2] et roseaux et en fit armer autour leurs charrettes, et chacun des charretiers, lui-même en tint un
en sa main : par ce voulant donner à connaître qu'ils
ne demandaient que paix, et qu'ils venaient pour
l'acheter. Eux venus à la porte requirent parler à
Picrochole de par Grandgousier.

Picrochole ne voulut onques les laisser entrer, ni
aller à eux parler, et leurs manda[3] qu'il était empê-
ché, mais qu'ils dissent ce qu'ils voudraient au capitaine Touquedillon, lequel affûtait quelque pièce sur
les murailles. Adonc lui dit le bon homme. « Seigneur
pour vous retirer de tout ce débat et ôter toute
excuse que ne retournez[4] en notre première alliance,
nous vous rendons présentement les fouaces, dont
est la controverse. Cinq douzaines en prirent nos
gens : elles furent très bien payées, nous aimons tant
la paix que nous en rendons cinq charrettes : desquelles celle-ci sera pour Marquet qui plus se plaint.

« Davantage pour le contenter entièrement, voilà
sept cent mille et trois Philippus que je lui livre, et
pour l'intérêt qu'il pourrait prétendre, je lui cède la
métairie de la Pomardière, à perpétuité pour lui et les
siens possédable en franc alleu[5]. Voyez ici le contrat

---

1. Sans avoir à reverser de droits.
2. Joncs.
3. Fit dire.
4. Toute excuse qui vous servirait à ne pas retourner en notre
première alliance.
5. En propriété franche, exempte de tout reversement.

de la transaction. Et pour Dieu vivons dorénavant en paix, et vous retirez en vos terres joyeusement : cédant cette place ici, en laquelle n'avez droit quelconque, comme bien le confessez[1]. Et amis comme auparavant. »

Touquedillon raconta le tout à Picrochole, et de plus en plus envenima son courage lui disant : « Ces rustres ont belle peur. Par Dieu Grandgousier se conchie, le pauvre buveur, ce n'est son art aller en guerre, mais oui bien vider les flacons.

« Je suis d'opinion que retenons ces fouaces et l'argent, et au reste nous hâtons de remparer ici et poursuivre notre fortune[2]. Mais pensent-ils bien avoir affaire à une dupe, de vous paître[3] de ces fouaces : voilà que c'est, le bon traitement et la grande familiarité que leur avez par ci devant tenue, vous ont rendu envers eux comtemptible[4]. Oignez vilain, il vous poindra[5]. Poignez vilain, il vous oindra.

— Çà, çà, çà, dit Picrochole, saint Jacques ils en auront. Faites ainsi qu'avez dit.

— D'une chose, dit Touquedillon, vous veux-je avertir. Nous sommes ici assez mal avituaillés[6] : et pourvus maigrement des harnais de gueule.

« Si Grandgousier nous mettait siège, dès à présent m'en irais faire arracher les dents toutes, seulement que trois me restassent, autant à vos gens comme à

---

1. L'avouez.
2. Notre destinée.
3. De vous faire avaler ces fouaces.
4. Méprisable.
5. Bénissez le vilain, il s'en prendra à vous.
6. Ravitaillés.

moi, avec icelles nous n'avancerons que trop à manger nos munitions.

— Nous, dit Picrochole, n'aurons que trop mangeailles. Sommes-nous ici pour manger ou pour batailler ?

— Pour batailler vraiment, dit Touquedillon. Mais de la panse vient la danse. Et où faim règne : force exule[1].

— Tant jaser[2], dit Picrochole. Saisissez ce qu'ils ont amené. »

Adonc prirent argent et fouaces et bœufs et charrettes, et les renvoyèrent sans mot dire, si non que plus n'approchassent de si près pour la cause qu'on leur dirait demain. Ainsi sans rien faire retournèrent devers Grandgousier, et lui contèrent le tout : ajoutant qu'il n'était aucun espoir, de les tirer à paix, sinon à[3] vive et forte guerre.

Chapitre 33

Comment certains gouverneurs de Picrochole par conseil précipité[4] le mirent au dernier péril

Les fouaces détroussées comparurent devant Picrochole, les duc de Menuail, comte Spadassin, et

---

1. S'exile.
2. Assez parlé.
3. Par.
4. Inconsidéré.

capitaine Merdaille, et lui dirent. «Sire aujourd'hui nous vous rendons le plus heureux, plus chevalereux prince qui onques fût depuis la mort d'Alexandre Macedo [1].

— Couvrez couvrez-vous, dit Picrochole.

— Grand merci (dirent-ils) Sire, nous sommes à notre devoir.

«Le moyen est tel, vous laisserez ici quelque capitaine en garnison avec petite bande de gens, pour garder la place, laquelle nous semble assez forte tant par nature, que par les remparts faits à votre invention. Votre armée partirez [2] en deux, comme trop mieux l'entendez.

«L'une partie ira ruer sur ce Grandgousier, et ses gens. Par icelle sera de prime abordée [3] facilement déconfit. Là recouvrerez argent à tas.

«Car le vilain en a du comptant, vilain, disons-nous. Par ce qu'un noble prince n'a jamais un sou. Thésauriser, est fait de vilain.

«L'autre partie ce pendant tirera vers Aunis, Saintonge, Angoumois, et Gascogne : ensemble Périgord, Médoc, et Elanes [4].

«Sans résistance prendront villes, châteaux, et forteresses. À Bayonne, à Saint-Jean-de-Luz, et Fontarabie saisirez toutes les naufs [5], et côtoyant vers Galice, et Portugal, pillerez tous les lieux maritimes, jusqu'à

1. Alexandre de Macédoine.
2. Diviserez.
3. Dès le premier assaut.
4. Les Landes.
5. Navires.

Lisbonne, où aurez renfort de tout équipage requis à un conquérant.

« Par le corbieu Espagne se rendra, car ce ne sont que madrés[1].

« Vous passerez par l'étroit[2] de Sibyle[3], et là érigerez deux colonnes plus magnifiques que celles d'Hercule, à perpétuelle mémoire de votre nom. Et sera nommé cetui détroit la mer Picrocholine.

« Passée la mer Picrocholine, voici Barberousse[4] qui se rend votre esclave.

— Je (dit Picrochole) le prendrai à merci[5].

— Voire (dirent-ils) pourvu qu'il se fasse baptiser.

« Et oppugnerez[6] les royaumes de Tunis, de Hippes, Argiere, Bone, Corone[7], hardiment toute Barbarie.

« Passant outre retiendrez en votre main Majorque, Minorque, Sardaigne, Corsique[8], et autres îles de la mer ligustique[9] et baléare.

« Côtoyant à gauche, dominerez toute la Gaule narbonique, Provence, et Allobroges, Gênes, Florence, Luques, et à Dieu sois Rome[10]. Le pauvre monsieur du Pape meurt déjà de peur.

---

1. Rustres paysans.
2. Le détroit.
3. Séville : plus connu comme le détroit de Gibraltar.
4. Corsaire fameux qui venait de fonder Alger.
5. J'aurai pitié de lui.
6. Prendrez d'assaut.
7. Bizerte, Alger, Bône, Cyrène.
8. Corse.
9. Du golfe de Gênes.
10. À Dieu sois-tu, Rome (Adieu, Rome).

— Par ma foi, dit Picrochole, je ne lui baiserai jà [1] sa pantoufle.

— Prince Italie voilà Naples, Calabre, Appoulle [2] et Sicile toutes à sac, et Malte avec.

« Je voudrais bien que les plaisants chevaliers jadis Rhodiens vous résistassent, pour voir de leur urine.

— J'irais (dit Picrochole) volontiers à Lorette [3].

— Rien rien, dirent-ils, ce sera au retour.

« De là prendrons Candie [4], Chypre, Rhodes, et les îles Cyclades, et donnerons sur la Morée. Nous la tenons. Saint Treignan Dieu garde Jérusalem, car le Soubdan [5] n'est pas comparable à votre puissance.

— Je (dit-il) ferai donc bâtir le temple de Salomon.

— Non, dirent-ils, encore, attendez un peu : ne soyez jamais tant soudain [6] à vos entreprises.

« Savez-vous que disait Octavien Auguste ? *Festina lente* [7].

« Il vous convient premièrement avoir l'Asie mineure, Carie, Lycie, Pamphilie, Cilicie, Lydie, Phrygie, Mysie, Bithynie, Carrasie, Satalie, Samagarie, Câtamena, Luga, Savasta [8] : jusqu'à Euphrate.

— Verrons-nous, dit Picrochole, Babylone, et le mont Sinaï ?

---

1. Jamais.
2. Les Pouilles.
3. Lieu de pèlerinage marial en Italie.
4. La Crète.
5. Sultan.
6. Rapide.
7. Voir n. 2 p. 59.
8. Attalia, Kastamoun, Luga, Sebaste.

— Il n'est, dirent-ils, jà besoin pour cette heure. N'est-ce pas assez tracassé dea[1] avoir transfrété[2] la mer Hircane[3], chevauché les deux Arménies, et les trois Arabies?

— Par ma foi, dit-il, nous sommes affolés. Ha pauvres gens.

— Quoi? dirent-ils.

— Que boirons-nous par ces déserts? Car Julien Auguste et tout son oust[4] y moururent de soif, comme l'on dit.

— Nous (dirent-ils) avons jà donné ordre à tout. Par la mer syriaque vous avez neuf mille quatorze grandes naufs chargées des meilleurs vins du monde, elles arrivèrent à Jaffa. Là se sont trouvés vingt et deux cent mille chameaux, et seize cents éléphants, lesquels aurez pris à une chasse environ Ségelmesse, lorsqu'entrâtes en Libye : et d'abondant eûtes toute la caravane de la Mecque. Ne vous fournirent-ils de vin à suffisance?

— Voire mais, dit-il, nous ne bûmes point frais.

— Par la vertu, dirent-ils, non pas d'un petit poisson, un preux, un conquérant, un prétendant et aspirant à l'empire univers, ne peut toujours avoir ses aises.

« Dieu soit loué qu'êtes venus vous et vos gens saufs et entiers jusqu'au fleuve du Tigre.

---

1. Vraiment.
2. Traversé.
3. Caspienne.
4. Ses troupes.

— Mais dit-il, que fait ce pendant la part de notre armée qui déconfit ce vilain humeux Grandgousier ?

— Ils ne chôment pas (dirent-ils) nous les rencontrerons tantôt. Ils vous ont pris Bretagne, Normandie, Flandres, Hainaut, Brabant, Artois, Hollande, Zélande, ils ont passé le Rhin par sur le ventre des Suisses et Lansquenets[1], et part d'entre eux ont dompté Luxembourg : Lorraine, la Champagne, Savoie jusqu'à Lyon, auquel lieu ont trouvé vos garnisons retournant des conquêtes navales de la mer Méditerranée.

« Et se sont rassemblés en Bohème, après avoir mis à sac Souabe, Wurtemberg, Bavière, Autriche, Moravie et Stirie.

« Puis ont donné fièrement ensemble sous le Lubeck, Norvège, Swedenrich, Dace, Gotthie, Engroneland, les Estrelins[2], jusqu'à la Mer Glaciale.

« Ce fait conquêtèrent les îles Orcades, et subjuguèrent Écosse, Angleterre, et Irlande.

« De là naviguant par la mer sabuleuse[3], et par les Sarmates, ont vaincu et dominé Prussie, Pologne, Lituanie, Russie, Valachie ; la Transylvanie et Hongrie, Bulgarie, Turquie, et sont à Constantinople.

— Allons-nous, dit Picrochole, rendre à eux le plus tôt, car je veux être aussi empereur de Trébizonde.

---

1. Mercenaires allemands.
2. Suède, Danemark, Gothie, Groenland, et les villes regroupées dans la Ligue hanséatique.
3. Sablonneuse.

« Ne tuerons-nous pas tous ces chiens Turcs et Mahométistes ?

— Que diable, dirent-ils, ferons-nous donc ?

« Et donnerez leurs biens et terres, à ceux qui vous auront servi honnêtement.

— La raison (dit-il) le veut, c'est équité.

« Je vous donne la Caramanie, Syrie et toute Palestine.

— Ha, dirent-ils, Sire, c'est du bien de vous : grand merci. Dieu vous fasse bien toujours prospérer. »

Là présent était un vieux gentilhomme éprouvé en divers hasards, et vrai routier de guerre, nommé Échephron[1], lequel oyant ces propos dit.

« J'ai grand peur que toute cette entreprise sera semblable à la farce du pot au lait, duquel un cordonnier se faisait riche par rêverie : puis le pot cassé n'eut de quoi dîner.

« Que prétendez-vous par ces belles conquêtes ? Quelle sera la fin de tant de travaux et traverses ?

— Ce sera, dit Picrochole, que nous retournés reposerons à nos aises », dont[2] dit Échephron, « et si par cas jamais n'en retournez ? Car le voyage est long et périlleux. N'est-ce mieux que dès maintenant nous reposons, sans nous mettre en ces hasards ?

— Ô, dit Spadassin[3], par Dieu voici un bon rêveux, mais allons nous cacher au coin de la cheminée : et là passons avec les dames notre vie et notre temps,

_____

1. Le prudent, en grec.
2. Ce qui fit dire à Échephron...
3. Ce nom signifie « celui qui manie l'épée ».

à enfiler des perles, ou à filer comme Sardanapale[1].
Qui ne s'aventure n'a cheval ni mule. Ce dit Salomon.

— Qui trop (dit Échephron) s'aventure perd cheval et mule. Répondit Malcon.

— Baste, dit Picrochole, passons outre. Je ne crains que ces diables de légions de Grandgousier, ce pendant que nous sommes en Mésopotamie, s'ils nous donnaient sur la queue quel remède ?

— Très bon, dit Merdaille, une belle petite commission, laquelle vous enverrez aux Moscovites, vous mettra en camp, pour un moment quatre cent cinquante mille combattants d'élite. Ô si vous m'y faites votre lieutenant je tuerai un peigne pour un mercier[2]. Je mords, je rue, je frappe, j'attrape, je tue, je renie.

— Sus, sus, dit Picrochole, qu'on dépêche tout, et qui m'aime si me suive. »

Chapitre 34

Comment Gargantua laissa la ville de Paris pour secourir son pays et comment Gymnaste rencontra les ennemis

En cette même heure Gargantua qui était issu de Paris soudain les lettres de son père lues, sur sa grand

---

1. Roi d'Assyrie ayant symbolisé la perte de toute virilité.
2. Inversion de la formule « tuer un mercier pour un peigne », c'est-à-dire en venir aux extrémités pour un enjeu ridicule.

jument venant avait ja[1] passé le pont de la Nonnain, lui, Ponocrates, Gymnaste et Eudémon, lesquels pour le suivre avaient pris chevaux de poste[2], le reste de son train, venait à justes journées, amenant tous ses livres et instrument philosophique[3].

Lui arrivé à Parilly, fut averti par le métayer de Gouguet, comment Picrochole s'était remparé à la Roche-Clermault et avait envoyé le capitaine Tripet : avec grosse armée : assaillir le bois de Vède : et Vaugaudry : et qu'ils avaient couru la poule, jusqu'au pressoir Billard : et que c'était chose étrange et difficile à croire des excès qu'ils faisaient par le pays. Tant qu'il lui fit peur, et ne savait bien que dire ni que faire. Mais Ponocrates lui conseilla qu'ils se transportassent vers le seigneur de la Vauguyon, qui de tous temps avait été leur ami et confédéré et par lui seraient mieux avisés de toutes affaires, ce qu'ils firent incontinent[4], et le trouvèrent en bonne délibération de leur secourir : et fut d'opinion qu'il enverrait quelqu'un de ses gens pour découvrir le pays et savoir en quel état étaient les ennemis, afin d'y procéder par conseil pris selon la forme de l'heure présente[5].

Gymnaste s'offrit d'y aller, mais il fut conclu, que pour le meilleur il menât avec soi[6] quelqu'un qui

---

1. Déjà.
2. Coursiers établis aux divers relais permettant la circulation des lettres.
3. Tout l'équipement nécessaire à l'acquisition sinon de la sagesse, du moins du savoir.
4. Aussitôt.
5. Afin de procéder en cela par prise de décision selon la tournure des événements.
6. Qu'il valait mieux emmener avec soi.

connût les voies et détours, et les rivières de l'entour.

Adonc partirent lui et Prelinguand écuyer de Vauguyon, et sans effroi épièrent de tous côtés.

Ce pendant Gargantua se rafraîchit, et reput quelque peu avec ses gens, et fit donner à sa jument un picotin d'avoine, c'étaient soixante et quatorze muids trois boisseaux[1].

Gymnaste et son compagnon tant chevauchèrent qu'ils rencontrèrent les ennemis tous épars et mal en ordre, pillant et dérobant tout ce qu'ils pouvaient : et de tant loin qu'ils l'aperçurent, accoururent sur lui à la foule[2] pour le détrousser : adonc il leur cria, « messieurs je suis pauvre Diable, je vous requiers qu'ayez de moi merci. J'ai encore quelque écu nous le boirons, car c'est *aurum potabile*[3] et ce cheval ici sera vendu pour payer ma bienvenue : cela fait retenez-moi des vôtres, car jamais homme ne sut mieux prendre, larder, rôtir, et apprêter, voire par Dieu démembrer, et gourmander poule que moi qui suis ici, et pour mon *proficiat*[4] je bois à tous bons compagnons. »

Lors découvrit sa ferrière[5], et sans mettre le nez dedans, buvait assez honnêtement.

Les maroufles le regardaient ouvrant la gueule d'un grand pied, et tirant les langues comme lévriers en

1. On dépasse là les 1 300 hectolitres.
2. En foule.
3. De l'or buvable.
4. Voir n. 1 p. 90.
5. Gourde.

attente de boire après : mais Tripet le capitaine sur
ce point accourut voir que c'était.

À lui Gymnaste offrit sa bouteille, disant. « Tenez
capitaine, buvez en hardiment, j'en ai fait l'essai, c'est
vin de la Foye-Monjault.

— Quoi, dit Tripet, ce gautier ici se guabele[1] de
nous. Qui es-tu ?

— Je suis (dit Gymnaste) pauvre Diable.

— Ha, dit Tripet, puisque tu es pauvre Diable,
c'est raison que passes outre, car tout pauvre Diable
passe par tout sans péage ni gabelle[2]. Mais ce n'est de
coutume que pauvres Diables soient si bien montés :
pourtant monsieur le Diable descendez, que j'aie[3] le
roussin, et si bien il ne me porte, vous maître Diable
me porterez. Car j'aime fort qu'un Diable tel m'emporte. »

Chapitre 35

Comment Gymnaste souplement tua le capitaine Tripet, et autres gens de Picrochole

Ces mots entendus, aucuns d'entre eux commencèrent avoir frayeur, et se signaient de toutes mains

---

1. Se moque.
2. Taxe.
3. Afin que j'aie.

pensant que ce fût un Diable déguisé, et quelqu'un d'eux nommé Bon Joan, capitaine des franc-taupins, tira ses heures[1] de sa braguette et cria assez haut, «*Agios ho theos*[2]. Si tu es de Dieu si[3] parle, Si tu es de l'autre si t'en va.» Et pas ne s'en allait, ce qu'entendirent plusieurs de la bande, et départaient[4] de la compagnie.

Le tout notant et considérant Gymnaste. Pourtant fit semblant descendre de cheval, et quand fut pendant du côté du montoir fit souplement le tour de l'étrivière, son épée bâtarde au côté, et par dessous passé se lança en l'air, et se tint des deux pieds sur la selle le cul tourné vers la tête du cheval. Puis dit. «Mon cas va au rebours[5].» Adonc en tel point qu'il était fit la gambade sur un pied, et tournant à senestre[6], ne faillit onq de rencontrer sa propre assiette[7] sans en rien varier.

Dont dit Tripet, «Ha ne ferai pas celui-là pour cette heure, et pour cause.

— Bren[8] dit Gymnaste, j'ai failli, je vais défaire cetui saut[9].»

Lors par grande force et agilité fit en tournant à dextre la gambade comme devant. Ce fait mit le pouce de la dextre sur l'arçon de la selle, et leva tout

---

1. Voir n. 5 p. 104.
2. Saint est Dieu.
3. Alors.
4. S'éloignaient.
5. À l'envers; mon affaire va de travers.
6. Gauche.
7. Ne manque pas de retrouver sa position première.
8. Merde.
9. Je me suis trompé, je vais refaire ce saut.

le corps en l'air, se soutenant tout le corps sur le muscle, et nerf dudit pouce : et ainsi se tourna trois fois, à la quatrième se renversant tout le corps sans à rien toucher se guinda[1] entre les deux oreilles du cheval, soudant tout le corps en l'air sur le pouce de la senestre : et en cet état fit le tour du moulinet, puis frappant du plat de la main dextre sur le milieu de la selle se donna tel branle qu'il s'assit sur la croupe, comme font les demoiselles.

Ce fait tout à l'aise passe la jambe droite par sur[2] la selle, et se mit en état de chevaucheur, sur la croupe. « Mais (dit-il) mieux vaut que je me mette entre les arçons » : adonc s'appuyant sur les pouces des deux mains à la croupe devant soi, se renversa cul sur tête en l'air, et se trouva entre les arçons en bon maintien, puis d'un soubresaut leva tout le corps en l'air, et ainsi se tint pieds joints entre les arçons, et là tournoya plus de cent tours les bras étendus en croix, et criait ce faisant à haute voix. « J'enrage diables j'enrage, j'enrage, tenez-moi diables tenez-moi tenez. »

Tandis qu'ainsi voltigeait, les maroufles en grand ébahissement disaient l'un à l'autre. « Par la mer dé[3] c'est un lutin, ou diable ainsi déguisé. *Ab hoste maligno libera nos domine*[4] » : et fuyaient à la route regardant derrière soi, comme un chien qui emporte un plumail[5].

---

1. Hissa.
2. Dessus.
3. Voir n. 2 p. 78.
4. Libère-nous de l'ennemi satanique, Seigneur !
5. Rognon d'aile emplumée que le cuisinier jette, et que le chien emporte.

Lors Gymnaste voyant son avantage descend de cheval : dégaine son épée, et à grands coups chargea sur les plus huppés[1], et les ruait à grands monceaux blessés, navrés, et meurtris, sans que nul lui résistât, pensant que ce fût un diable affamé, tant par les merveilleux voltigements[2] qu'il avait faits : que par les propos que lui avait tenus Tripet, en l'appelant pauvre diable.

Sinon que Tripet en trahison[3] lui voulut fendre la cervelle de son épée lansquenette, mais il était bien armé, et de cetui coup ne sentit que le chargement[4], et soudain se tournant, lança un estoc volant audit Tripet, et ce pendant qu'icelui se couvrait en haut, lui tailla d'un coup l'estomac, le colon, et la moitié du foie, dont tomba par terre, et tombant rendit plus de quatre potées de soupes[5], et l'âme mêlée parmi les soupes.

Ce fait Gymnaste se retire considérant que les cas de hasard jamais ne faut poursuivre jusqu'à leur période[6] : et qu'il convient à tous chevaliers révérentement traiter leur bonne fortune, sans la molester ni gêner[7]. Et montant sur son cheval lui donne des éperons tirant droit son chemin vers la Vauguyon, et Prelinguand avec lui.

---

1. Sur ceux qui portaient les plus hauts panaches.
2. Voltiges, acrobaties.
3. Par traîtrise.
4. Poids.
5. Morceaux de pain arrosés de bouillon.
6. Voir n. 3 p. 101.
7. Tourmenter.

Chapitre 36

Comment Gargantua démolit le château du Gué de Vède, et comment ils passèrent le Gué

Venu que fut raconta l'état auquel avait trouvé les ennemis et du stratagème qu'il avait fait, lui seul contre toute leur caterve [1], affirmant qu'ils n'étaient que marauds, pilleurs et brigands, ignorants de toute discipline militaire, et que hardiment ils se missent en voie, car il leur serait très facile de les assommer comme bêtes.

Adonc monta Gargantua sur sa grande jument, accompagné comme devant avons dit. Et trouvant en son chemin un haut et grand arbre, (lequel communément on nommait l'arbre de saint Martin, parce qu'ainsi était crû [2] un bourdon que jadis saint Martin y planta) dit. « Voici qu'il [3] me fallait. Cet arbre me servira de bourdon [4] et de lance. » Et l'arracha facilement de terre et en ôta les rameaux, et le para [5] pour son plaisir.

---

1. Bande.
2. Avait crû.
3. Ce qu'il.
4. Bâton.
5. Mis à nu.

Ce pendant sa jument pissa pour se lâcher le ventre : mais ce fut en telle abondance : qu'elle en fit sept lieues de déluge, et dériva tout le pissat[1] au gué de Vède et tant l'enfla devers le fil de l'eau, que toute cette bande des ennemis furent en grande horreur noyés, excepté aucuns qui avaient pris le chemin vers les coteaux à gauche.

Gargantua venu à l'endroit du bois de Vède fut avisé par Eudémon que dedans le château était quelque reste des ennemis, pour laquelle chose savoir Gargantua s'écria tant qu'il put. « Êtes-vous là, ou n'y êtes-vous pas ? Si vous y êtes, n'y soyez plus : si n'y êtes : je n'ai que dire. » Mais un ribaud[2] canonnier qui était au mâchicoulis[3] : lui tira un coup de canon, et l'atteignit par la tempe dextre furieusement : toutefois ne lui fit pour ce mal en plus que s'il lui eût jeté une prune. « Qu'est-ce là ? dit Gargantua, nous jetez-vous ici des grains de raisins ? La vendange vous coûtera cher. » Pensant de vrai que le boulet fût un grain de raisin.

Ceux qui étaient dedans le château amusés à la pille[4] entendant le bruit coururent aux tours, et forteresses, et lui tirèrent plus de neuf mille vingt et cinq coups de fauconneau[5], et arquebuses, visant tous à sa tête : et si menu tiraient contre lui, qu'il s'écria. « Ponocrates mon ami ces mouches ici m'aveuglent,

---

1. Toute la pisse.
2. Scélérat.
3. Galerie du rempart percée de meurtrières pour viser l'ennemi.
4. Ceux qui avaient passé leur temps à piller.
5. Petite pièce d'artillerie.

baillez-moi quelque rameau de ces saules pour les chasser.» Pensant des plombées [1] et pierres d'artillerie que fussent mouches bovines. Ponocrates l'avisa que n'étaient autres mouches que les coups d'artillerie que l'on tirait du château.

Alors choqua de son grand arbre contre le château, et à grands coups abattit et tours, et forteresses, et ruina tout par terre. Par ce moyen furent tous rompus, et mis en pièces ceux qui étaient en icelui.

De là partant arrivèrent au pont du moulin, et trouvèrent tout le gué couvert de corps morts, en telle foule qu'ils avaient engorgé le cours du moulin, et c'étaient ceux qui étaient péris au déluge urinal de la jument. Là furent en pensement [2] comment ils pourraient passer, vu l'empêchement de ces cadavres [3]. Mais Gymnaste dit. «Si les diables y ont passé, j'y passerai fort bien.

— Les diables (dit Eudémon) y ont passé pour en emporter les âmes damnées.

— Saint Treignan (dit Ponocrates) par donc conséquence nécessaire il y passera.

— Voire, voire, dit Gymnaste, ou je demeurerai en chemin.» Et donnant des éperons à son cheval passa franchement outre, sans que jamais son cheval eût frayeur des corps morts. Car il l'avait accoutumé (selon la doctrine d'Ælien) à ne craindre les âmes ni corps morts. Non en tuant les gens, comme Diomèdes tuait les Thraces, et Ulysse mettait les corps de ses ennemis aux pieds de ses chevaux, ainsi que

---

1. De la mitraille de plomb.
2. Se mirent à se demander.
3. La gêne causée par ces cadavres.

raconte Homère : mais en lui mettant un fantôme [1] parmi son foin, et le faisant ordinairement passer sur icelui quand il lui baillait son avoine.

Les trois autres le suivirent sans faillir, excepté Eudémon, duquel le cheval enfonça le pied droit jusqu'au genou dedans la panse d'un gros et gras vilain qui était là noyé à l'envers, et ne le pouvait tirer hors : ainsi demeurerait empêtré, jusqu'à ce que Gargantua du bout de son bâton enfondra le reste des tripes du vilain en l'eau, ce pendant que le cheval levait le pied.

Et (qui est chose merveilleuse en Hippiatrie [2]) fut ledit cheval guéri d'un surot [3] qu'il avait en celui pied, par l'attouchement des boyaux de ces gros maroufles.

Chapitre 37

Comment Gargantua soi peignant faisait tomber de ses cheveux les boulets d'artillerie

Issus [4] la rive de Vède peu de temps après abordèrent au château de Grandgousier, qui les attendait en grand désir [5].

---

1. Un simulacre, une image de quelque chose qui n'existe pas.
2. Médecine équestre.
3. Tumeur qui se développe sur l'os.
4. Étant sortis de.
5. Avec impatience.

À sa venue ils le festoyèrent à tour de bras, jamais on ne vit gens plus joyeux. Car *Supplementum Supplementi chronicorum*[1], dit que Gargamelle y mourut de joie, je n'en sais rien de ma part, et bien peu me soucie ni d'elle ni d'autre.

La vérité fut que Gargantua se rafraîchissant d'habillements[2], et se têtonnant[3] de son peigne (qui était grand de cent cannes[4], appointé de grandes dents d'éléphant tout entières) faisait tomber à chacun coup plus de sept balles de boulets qui lui étaient demeurés entre ses cheveux à la démolition du bois de Vède.

Ce que voyant Grandgousier son père, pensait que fussent poux, et lui dit. « Dea[5] mon bon fils nous as-tu apporté jusqu'ici des éperviers de Montaigu ? Je n'entendais que là tu fisses résidence[6]. »

Adonc Ponocrates répondit. « Seigneur ne pensez que je l'aie mis au collège de pouillerie qu'on nomme Montaigu[7], mieux l'eusse voulu mettre entre les guenaux[8] de saint-Innocent, pour l'énorme cruauté et vilenie que j'y ai connues. Car trop mieux sont traités les forcés[9] entre les Maures et Tartares, les meur-

---

1. Le *Supplément du supplément des Chroniques*.
2. S'habillant de neuf.
3. Voir n. 9 p. 116.
4. Soit à peu près 200 mètres.
5. Voir n. 1 p. 164.
6. Je ne m'attendais pas à ce que tu séjournasses.
7. Collège de Jean Standonck, pratiquant des méthodes particulièrement violentes qu'Érasme a souvent dénoncées, pour y être passé.
8. Gueux.
9. Forçats.

triers en la prison criminelle, voire certes les chiens en votre maison, que ne sont ces malotrus [1] audit collège.

« Et si j'étais roi de Paris, le diable m'emporte si je ne mettais le feu dedans et faisais brûler et principal et régents, qui endurent cette inhumanité devant leurs yeux être exercée. »

Lors levant un de ces boulets dit, « ce sont coups de canon que naguères a reçus votre fils Gargantua passant devant de Vède par la trahison de vos ennemis.

« Mais ils en eurent telle récompense qu'ils sont tous péris en la ruine du château : comme les Philistins par l'engin de Samson, et ceux qu'opprima la tour de Siloé, desquels est écrit *Luce, XIII* [2].

« Iceux je suis d'avis que nous poursuivons ce pendant que l'heur est pour nous [3].

« Car l'occasion a tous ses cheveux au front, quand elle est outrepassée, vous ne la pouvez plus révoquer, elle est chauve par le derrière de la tête, et jamais plus ne retourne.

— Vraiment dit Grandgousier, ce ne sera pas à cette heure, car je veux vous festoyer pour ce soir, et soyez les très bienvenus. »

Ce dit on apprêta le souper et de surcroît furent rôtis seize bœufs, trois génisses, trente et deux veaux, soixante et trois chevreaux moissonniers, quatre vingt quinze moutons, trois cents gorets de lait à beau

---

1. Malheureux.
2. En l'*Évangile de Luc*, XIII (4).
3. La chance nous sourit.

moût[1], onze vingt perdrix, sept cents bécasses, quatre cents chapons du Loudunais et Cornouaille, six mille poulets et autant de pigeons, six cents gélinottes[2], quatorze cents levrauts, trois cent et trois outardes, et mille sept cents hutaudeaux[3], de venaison l'on ne put tant soudain recouvrir, fors[4] onze sangliers, qu'envoya l'abbé de Turpenay, et dix et huit bêtes fauves que donna le seigneur de Grandmont : ensemble sept vingt faisans[5] qu'envoya le seigneur des Essars, et quelques douzaines de ramiers, d'oiseaux de rivière, de crécelles, buours, courtes, pluviers, francolins, cravants, tiransons, vanereaux, tadornes, pocheculilères, pouacres, héronneaux, foulques, aigrettes, cigognes, canepetières, oranges flamants, (qui sont phénicoptères), terrigoles, poules d'inde, force coscossons[6], et renfort de potages. Sans point de faute y était de vivres abondance et furent apprêtés honnêtement par Fripesauce, Hochepot et Pilleverjus cuisiniers de Grandgousier. Janot Miquel et Verrenet apprêtèrent fort bien à boire.

---

1. Cuits dans une sauce au moût de raisin.
2. Poulette, proche de la perdrix.
3. Chaponneaux.
4. On ne put se procurer si rapidement de la venaison, si ce n'est...
5. Avec 140 faisans.
6. Sarcelles, butors, courlis, pluviers, francolins, oies sauvages, bécasses, vanneaux, tadornes (canards), spatules, hérons tachetés, héronneaux, foulques (poules d'eau), aigrettes, cigognes, canepetières (outardes à collier blanc), flamants orangés, terrigoles (outardes), dindes, force coscossons (boulettes de viande frites).

Chapitre 38

Comment Gargantua mangea en salade six pèlerins

Le propos requiert, que racontons ce qu'advint à six pèlerins qui venaient de saint-Sébastien près de Nantes, et pour soi héberger celle nuit de peur des ennemis s'étaient mussés[1] au jardin dessus les poyzars[2] entre les choux et laitues. Gargantua se trouva quelque peu altéré et demanda si l'on pourrait trouver de laitues pour faire salade.

Et entendant qu'il y en avait des plus belles et grandes du pays car elles étaient grandes comme pruniers ou noyers : y voulut aller lui-même et en emporta en sa main ce que bon lui sembla, ensemble emporta les six pèlerins, lesquels avaient si grande peur, qu'ils n'osaient ni parler ni tousser.

Les lavant donc premièrement en la fontaine, les pèlerins disaient en voix basse l'un à l'autre. «Qu'est-il de faire? Nous noyons[3] ici entre ces laitues, parlerons-nous? Mais si nous parlons il nous tuera comme espies.» Et comme ils délibéraient ainsi, Gargantua les mit avec ses laitues dedans un plat de la maison, grand comme la tonne de Cîteaux[4], et avec huile, et vinaigre et sel, les mangeait pour soi rafraîchir devant

---

1. Cachés.
2. Fanes de pois.
3. Nous nous noyons.
4. Grande cuve de l'abbaye de Cîteaux en Bourgogne.

souper, et avait jà engueulé[1] cinq des pèlerins, le
sixième était dedans le plat caché sous une laitue,
excepté son bourdon[2] qui apparaissait au-dessus.

Lequel voyant Grandgousier dit à Gargantua. « Je
crois que c'est là une corne de limaçon ne le mangez
point.

— Pourquoi ? dit Gargantua. Ils sont bons tout ce
mois. »

Et tirant le bourdon ensemble enleva le pèlerin et
le mangeait très bien.

Puis but un horrible trait de vin pineau et attendi-
rent que l'on apprêtât le souper.

Les pèlerins ainsi dévorés se tirèrent hors les
meules de ses dents le mieux que faire purent, et pensaient qu'on les eût mis en quelque basse-fosse des
prisons. Et lorsque Gargantua but le grand trait, cuidèrent noyer en sa bouche, et le torrent du vin
presque les emporta au gouffre de son estomac, toutefois sautant avec leurs bourdons comme font les
miquelots[3] se mirent en franchise l'orée[4] des dents.

Mais par malheur l'un d'eux tâtant avec son bourdon le pays à savoir[5] s'ils étaient en sûreté, frappa
rudement en la faute[6] d'une dent creuse, et férit[7] le
nerf de la mandibule, dont fit très forte douleur à Gargantua et commença crier de rage qu'il endurait.

---

1. Mis en bouche.
2. Voir n. 4 p. 174.
3. Pèlerins du Mont-Saint-Michel.
4. Conquirent leur liberté en rejoignant la bordure des dents.
5. Pour savoir.
6. Là où manquait l'émail.
7. Frappa.

Pour donc se soulager du mal fit apporter son cure-dents, et sortant vers le noyer grollier[1] vous dénicha messieurs les pèlerins.

Car il attrapait l'un par les jambes, l'autre par les épaules, l'autre par la besace, l'autre par la foilluze[2], l'autre par l'écharpe, et le pauvre hère qui l'avait féru du bourdon l'accrocha par la braguette, toutefois ce lui fut un grand heur, car il lui perça une bosse chancreuse, qui le martyrisait depuis le temps qu'ils eurent passé Ancenis.

Ainsi les pèlerins dénichés s'enfuirent à travers la plante[3] à beau trot, et apaisa la douleur.

En laquelle heure fut appelé par Eudémon pour souper car tout était prêt.

« Je m'en vais donc (dit-il) pisser mon malheur. »

Lors pissa si copieusement, que l'urine trancha le chemin aux pèlerins, et furent contraints passer la grande boire[4].

Passant de là par l'orée de la touche[5] en plein chemin, tombèrent tous excepté Fournillier, en une trappe qu'on avait faite pour prendre les loups à la traînée[6].

Dont échappèrent moyennant l'industrie dudit Fournillier, qui rompit tous les lacs[7] et cordages.

---

1. Noyer produisant des noix extrêmement dures.
2. Bourse.
3. À travers la plantation.
4. Ruisseau aménagé pour irriguer les plantations.
5. Bosquet.
6. Au filet.
7. Cordons noués.

De là issus pour le reste de celle nuit couchèrent en une loge près le Coudray.

Et là furent réconfortés de leur malheur par les bonnes paroles d'un de leur compagnie nommé, Lasdaller, lequel leur remontra que cette aventure avait été prédite par David ps [1]. « *Cum exurgerent homines in nos, forte uiuos deglutissent nos* [2], quand nous fûmes mangés en salade au grain du sel. *Cum irasceretur furor eorum in nos : forsitan aqua absorbuisset nos* [3], quand il but le grand trait. *Torrentem pertransiuit anima nostra*, quand nous passâmes la grande boire, *forsitan pertransisset anima nostra aquam intolerabilem* [4], de son urine dont il nous tailla le chemin.

« *Beneditus dominus qui non dedit nos in captionem dentibus eorum. Anima nostra sicut passer erepta est de laqueo uenantium* [5], quand nous tombâmes en la trappe. *Laqueus contritus est*, par Fournillier, *et nos liberati sumus. Adiutorium nostrum etc* [6]. »

---

1. Dans cette reprise du *Psaume* CXXIV, Rabelais se moque très certainement de la tendance de certains courants spiritualistes à citer les Écritures en permanence pour les rapporter aux vicissitudes triviales de la vie quotidienne.
2. Quand les hommes surgirent contre nous, peut-être nous auraient-ils engloutis vivants.
3. Quand leur fureur s'enflamma contre nous, peut-être l'eau aurait pu nous emporter.
4. Peut-être notre âme aurait-elle franchi jusqu'à la rive cette eau insupportable.
5. Béni soit le Seigneur qui ne nous a pas soumis à la captivité de leurs dents. Notre âme comme un passereau a échappé au filet des chasseurs.
6. Le filet a été rompu, par Fournillier, nous avons été délivrés. Notre secours, etc.

Chapitre 39

Comment le moine fut festoyé par Gargantua, et des beaux propos qu'il tient en soupant

Quand Gargantua fut à table et la première pointe des morceaux fut bâfrée, Grandgousier commença raconter la source et la cause de la guerre mue entre lui et Picrochole, et vint au point de narrer comment frère Jean des Entommeures avait triomphé à la défense du clos de l'abbaye, et le loua au dessus des prouesses de Camille, Scipion, Pompée, César, et Thémistocle.

Adonc requit Gargantua que sur l'heure fût envoyé quérir, afin qu'avec lui on consultât de ce qu'était à faire. Par leur vouloir l'alla quérir son maître d'hôtel et l'amena joyeusement avec son bâton de croix sur la mule de Grandgousier. Quand il fut venu, mille caresses, mille embrassements, mille bonjours furent donnés. « Hes frère Jean mon ami. Frère Jean mon grand cousin, frère Jean de par le diable. L'accolée, mon ami. À moi la brassée. Cza couillon que je t'éreinte de force de[1] t'accoler ? » Et frère Jean de rigoler, jamais homme ne fut tant courtois ni gracieux.

« Czà, czà, dit Gargantua, une escabelle[2] ici auprès de moi, à ce bout.

1. À force de.
2. Escabeau.

— Je le veux bien (dit le moine) puisqu'ainsi vous plaît. Page de l'eau : boute mon enfant boute elle me rafraîchira le foie, Baille ici que je gargarise.

— *Deposita cappa*[1], dit Gymnaste, ôtons ce froc.

— Ho par Dieu (dit le moine) mon gentilhomme il y a un chapitre *in statutis ordinis*[2] : auquel ne plairait le cas.

— Bren[3] (dit Gymnaste) bren, pour votre chapitre. Ce froc vous rompt les deux épaules. Mettez-bas.

— Mon ami (dit le moine) laisse-le moi car par Dieu je n'en bois que mieux. Il me fait le corps tout joyeux. Si je le laisse, messieurs les pages en feront des jarretières : comme il me fut fait une fois à Coulaine. Davantage[4] je n'aurai nul appétit. Mais si en cet habit je m'assois à table, je boirai par Dieu et à toi, et à ton cheval. Et de hayt[5].

« Dieu garde de mal la compagnie. J'avais soupé. Mais pour ce ne mangerai-je point moins. Car j'ai un estomac pavé, creux comme la botte saint Benoît, toujours ouvert comme la gibecière d'un avocat.

« De tous poissons fors que[6] la tanche, prenez l'aile de la perdrix ou la cuisse d'une Nonnain, n'est ce falotement[7] mourir quand on meurt le caiche[8] raide ? Notre prieur aime fort le blanc de chapon.

---

1. Dépose ta chape.
2. Dans les statuts de l'ordre.
3. Merde.
4. Bien plus.
5. Voir n. 10 p. 41.
6. Autre que.
7. Plaisamment.
8. Sexe.

— En cela (dit Gymnaste) il ne semble point aux renards : car des chapons, poules, poulets qu'ils prennent jamais ne mangent le blanc.

— Pourquoi ? (dit le moine).

— Parce (répondit Gymnaste) qu'ils n'ont point de cuisiniers à les cuire. Et s'ils ne sont compétentement cuits, ils demeurent rouges et non blancs. La rougeur des viandes est indice [1] qu'elles ne sont assez cuites. Excepté les gammares [2] et écrevisses que l'on cardinalise [3] à la cuite.

— Fête Dieu bayart, dit le moine, l'infirmier de notre abbaye n'a donc la tête bien cuite, car il a les yeux rouges comme un jadeau de vergne [4]. Cette cuisse de levraut est bonne pour les goutteux.

« A propos truelle [5], pourquoi est-ce que les cuisses d'une demoiselle sont toujours fraîches ?

— Ce problème (dit Gargantua) n'est ni en Aristote ni en Alexandre Aphrodise ni en Plutarque.

— C'est (dit le moine) pour trois causes : par lesquelles un lieu est naturellement rafraîchi.

« *Primo* : pour ce que l'eau décourt tout du long.

« *Secundo*, pour ce que c'est un lieu ombrageux, obscur et ténébreux, auquel jamais le soleil ne luit.

« Et tiercement pour ce qu'il est continuellement

---

1. Le signe.
2. Homards.
3. Qui rougissent, se recouvrant ainsi de la couleur des cardinaux.
4. Une jatte de vergne.
5. Expression populaire qui annonce un changement soudain et immotivé de sujet.

éventé des vents du trou de bise, de chemise, et
d'abondant[1] de la braguette.

« Et de hayt. Page à la humerie[2]. Crac, crac, crac.
Que Dieu est bon, qui nous donne ce bon piot.
J'avoue Dieu[3], si j'eusse été au temps de Jésus-Christ,
j'eusse bien engardé que les juifs ne l'eussent pris au
Jardin des Oliviers.

« Ensemble le diable me faille[4] : si j'eusse failli de
couper[5] les jarrets à messieurs les Apôtres qui fui-
rent tant lâchement après qu'ils eurent bien soupé, et
laissèrent leur bon maître au besoin.

« Je hais plus que poison un homme qui fuit quand
il faut jouer de couteaux. Ho que je ne suis roi de
France pour quatre vingt ou cent ans.

« Par Dieu je vous mettrais en chien courtaut les
fuyards de Pavie[6]. Leur fièvre quartaine. Pourquoi ne
mouraient-ils là plutôt que laisser leur bon prince en
cette nécessité ? N'est-il meilleur et plus honorable
mourir vertueusement bataillant, que vivre fuyant
vilainement ?

« Nous ne mangerons guères d'oisons cette année.
Ha mon ami, baille de ce cochon. Diavol[7]. Il n'y a plus
de moût. *Germinauit radix Jesse*[1]. Je renie ma vie je

---

1. En outre.
2. Buvette.
3. Je l'avoue devant Dieu.
4. Que le diable me trompe.
5. Si j'eusse manqué de couper.
6. Allusion à la bataille de Pavie (1525) où le roi François Ier
s'était vu capturer, selon la légende, à cause de la désertion de
certains de ses hommes.
7. Voir n. 9 p. 34.

meurs de soif. Ce vin n'est des pires.

« Quel vin buviez-vous à Paris ? Je me donne au diable, si je n'y tins plus de six mois pour un temps maison ouverte à tout venant. Connaissez-vous frère Claude des Hauts Barrois ? Ô le bon compagnon que c'est. Mais quelle mouche l'a piqué ? Il ne fait rien qu'étudier depuis je ne sais quand. Je n'étudie point de ma part. En notre abbaye nous n'étudions jamais, de peur des auripeaux [2].

« Notre feu abbé disait que c'est chose monstrueuse voir un moine savant.

« Par Dieu monsieur mon ami *magis magnos clericos non sunt magis magnos sapientes* [3]. Vous ne vîtes onques tant de lièvres comme il y en a cette année. Je n'ai pu recouvrir ni autour, ni tiercelet de lieu du monde. Monsieur de la Bellonnière m'avait promis un lanier, mais il m'écrivit naguères qu'il était devenu patays [4].

« Les perdrix nous mangeront les oreilles mesouan [5]. Je ne prends point de plaisir à la tonnelle. Car j'y morfonds [6].

« Si je ne cours, si je ne tracasse, je ne suis point à mon aise.

« Vrai que sautant les haies et buissons, mon froc y laisse du poil. J'ai recouvert [7] un gentil lévrier.

« Je donne au diable si lui échappe lièvre.

---

1. La racine de Jessé a germé (*Isaïe*, XI, 1).
2. Oreillons.
3. Moins on est grand clerc, plus on est savant.
4. Pantois.
5. Cette année.
6. J'y attrape un morfondement, un coup de froid.
7. Recouvré.

« Un laquais le menait à monsieur de Maulévrier[1]. Je le détroussai : fis-je mal ?

— Nenni frère Jean (dit Gymnaste) nenni de par tous les diables nenni.

— Ainsi, dit le moine, à ces diables : ce pendant qu'ils durent.

« Vertu Dieu qu'en eût fait ce boiteux ?

« Le cor Dieu il prend plus de plaisir quand on lui fait présent d'un bon couple de bœufs.

— Comment (dit Ponocrates) vous jurez frère Jean ?

— Ce n'est (dit le moine) que pour orner mon langage. Ce sont couleurs[2] de rhétorique Cicéronienne. »

Chapitre 40

Pourquoi les moines
sont refuis[3] du monde,
et pourquoi les uns
ont le nez plus grand
que les autres

« Foi de chrétien (dit Eudémon) j'entre en grande rêverie considérant l'honnêteté de ce moine. Car il nous ébaudit ici tous. Et comment donc est-ce qu'on

---

1. « Mauvais lévrier ».
2. Ornements.
3. Retirés.

rechasse les moines de toutes bonnes compagnies ? Les appelant trouble-fête, comme abeilles chassent les frelons d'entour leurs ruches. *Ignauum fucos pecus* (dit Maro) *a presepibus arcent*[1]. »

À quoi répondit Gargantua. « Il n'y a rien si vrai que le froc, et la cagoule tire à soi les opprobres, injures et malédictions du monde, tout ainsi comme le vent dit Cecias attire les nues.

« La raison péremptoire est : parce qu'ils mangent la merde du monde, c'est à dire les péchés, et comme mâchemerdes l'on les rejette en leurs retraits[2] : ce sont leurs convents et abbayes, séparés de conversation politique comme sont les retraits d'une maison.

« Mais si entendez pourquoi un singe en une famille est toujours moqué et harcelé : vous entendez pourquoi les moines sont de tous refuis, et des vieux et des jeunes.

« Le singe ne garde point la maison, comme un chien, il ne tire pas l'aroi[3], comme le bœuf, il ne produit ni lait, ni laine, comme la brebis : il ne porte pas le faix[4] comme le cheval.

« Ce qu'il fait est tout conchier et dégâter[5], qui est la cause pourquoi de tous reçoit moqueries et bastonnades.

« Semblablement un moine (j'entends de ces

---

1. Elles chassent de leurs ruches les troupeaux oisifs des frelons, dit Virgile.
2. Lieux d'aisances, mais aussi lieux de retraite, à l'écart de toute compagnie.
3. L'araire.
4. Fardeau.
5. Endommager.

otieux [1] moines) ne laboure, comme le paysan : ne
garde le pays, comme homme de guerre : ne guérit
les malades, comme le médecin : ne prêche ni endoc-
trine le monde, comme le bon docteur évangélique [2]
et pédagogue : ni porte les commodités et choses
nécessaires à la république, comme le marchand.

« C'est la cause pourquoi de tous sont hués et
abhorrés.

— Voire mais (dit Grandgousier) ils prient Dieu
pour nous.

— Rien moins (répondit Gargantua). Vrai est qu'ils
molestent [3] tout leur voisinage à force de trinque-
baller leurs cloches.

(— Voire dit le moine, une messe, unes [4] matines,
unes vêpres bien sonnées, sont à demi-dites.)

— Ils marmonnent grand renfort de légendes et
psaumes nullement par eux entendus. Ils content
force patenôtres [5] entrelardés de longs *Aue Maria*,
sans y penser ni entendre [6]. Et ce j'appelle moquedieu
non oraison.

« Mais ainsi leur aide Dieu s'ils prient pour nous, et
non par peur de perdre leurs miches et soupes
grasses. Tous vrais Chrétiens, de tous états, en tous
lieux, en tous temps prient Dieu, et l'esprit prie et
interpelle [1] pour iceux : et Dieu les prend en grâce.

---

1. Oisifs.
2. Parfait connaisseur des Écritures, et notamment de l'Évangile.
3. Importunent.
4. Des.
5. Prière du *Pater noster*.
6. Ni comprendre ce qu'ils récitent.

Maintenant tel est notre bon frère Jean. Pourtant chacun le souhaite en sa compagnie.

« Il n'est point bigot, il n'est point déchiré[2], il est honnête, joyeux, délibéré, bon compagnon.

« Il travaille, il laboure[3], il défend les opprimés, il conforte les affligés, il subvient aux souffreteux, il garde les clos de l'abbaye.

— Je fais (dit le moine) bien davantage.

« Car en dépêchant nos matines et anniversaires au chœur, ensemble[4] je fais des cordes d'arbalète, je polis des matras et garots[5], je fais des rets[6] et des poches à prendre les connis[7]. Jamais je ne suis oisif. Mais or czà à boire, à boire, czà. Apporte le fruit. Ce sont châtaignes du bois d'Étroc. Avec bon vin nouveau, voi vous là[8] composeur de pets. Vous n'êtes encore céans émoustillés ? Par Dieu je bois à tous gués, comme un cheval de promoteur[9]. »

Gymnaste lui dit. « Frère Jean ôtez cette roupie[10] qui vous pend au nez.

— Ha, ha, (dit le moine) serais-je en danger de noyer ? Vu que suis en l'eau jusqu'au nez. Non, non. *Quare ? quia*[1] elle en sort bien, mais point n'y entre. Car il est bien antidoté de pampre.

---

1. Intercède.
2. Délabré.
3. Prend part aux labeurs.
4. En même temps.
5. Carreaux d'arbalète.
6. Filets.
7. Lapins.
8. Vous voilà.
9. Procureur, recevant souvent des présents.
10. Saleté gluante.

Quare ? quia [1] elle en sort bien, mais point n'y entre.
Car il est bien antidoté de pampre.

« Ô mon ami, qui aurait les bottes d'hiver de tel
cuir : hardiment pourrait-il pêcher aux huîtres. Car
jamais ne prendraient l'eau.

— Pourquoi (dit Gargantua) est-ce, que frère Jean
a si beau nez ?

— Parce (répondit Grandgousier) que ainsi Dieu
l'a voulu, lequel nous fait en telle forme et telle fin,
selon son divin arbitre, que fait un potier ses vaisseaux [2].

— Parce (dit Ponocrates) qu'il fut des premiers à
la foire des nez. Il prit des plus beaux et plus grands.

— Trut avant (dit le moine) selon vraie Philosophie monastique c'est parce que ma nourrice avait les
tétins molets [3], en la laitant [4] mon nez y enfondrait [5]
comme en beurre, et là s'élevait et croissait comme
la pâte dedans la maie [6].

« Les durs tétins de nourrices font les enfants
camus [7]. Mais guay, guay, *ad formam nasi cognoscitur ad
te leuaui* [8]. Je ne mange jamais de confitures. Page à la
humerie. Item [9] rôties [10]. »

---

1. Pourquoi ? Parce que.
2. Vaisselles, récipients.
3. Mous.
4. En tirant mon lait.
5. S'y enfonçait.
6. Pétrin.
7. Au nez court et aplati.
8. À la forme du nez reconnaît-on le *Vers toi je me suis levé*.
9. De même.
10. Tartine de pain grillé que l'on trempe dans le vin.

Chapitre 41

Comment le moine fit dormir Gargantua, et de ses heures et bréviaire

Le souper achevé consultèrent sur l'affaire instant et fut conclu qu'environ la minuit ils sortiraient à l'escarmouche[1] pour savoir quel guet et diligence faisaient leurs ennemis. En ce pendant[2] qu'ils se reposeraient quelque peu pour être plus frais.

Mais Gargantua ne pouvait dormir en quelque façon qu'il se mit.

Dont lui dit le moine.

«Je ne dors jamais bien à mon aise, sinon quand je suis au sermon, ou quand je prie Dieu.

«Je vous supplie commençons vous et moi les sept psaumes pour voir si tantôt[3] ne serez endormi.

L'invention plut très bien à Gargantua.

Et commençant le premier psaume, sur le point de *Beati quorum*[4], s'endormirent et l'un et l'autre.

Mais le moine ne faillit onques à s'éveiller avant la minuit, tant il était habitué à l'heure des matines claustrales[5].

Lui éveillé tous les autres éveilla, chantant à pleine

---

1. Pour savoir, par escarmouche…
2. En attendant.
3. Bientôt.
4. Bienheureux ceux dont… (*Ps* II).
5. Voir n. 4 p. 139.

voix la chanson. Ho Regnaut réveille-toi veille, ô Regnaut réveille-toi.

Quand tous furent éveillés, il dit. «Messieurs l'on dit, que matines [1] commencent par tousser et souper, par boire. Faisons au rebours commençons maintenant nos matines, par boire, et de soir à l'entrée de souper nous tousserons à qui mieux mieux.»

Dont dit Gargantua. «Boire si tôt après le dormi? Ce n'est vécu en diète de médecine. Il se faut premier écurer [2] l'estomac des superfluités et excréments.

— C'est dit le moine bien médeciné.

«Cent diables me sautent au corps s'il n'y a plus de vieux ivrognes, qu'il n'y a de vieux médecins. J'ai composé avec mon appétit en telle paction [3], que toujours il se couche avec moi et à cela je donne bon ordre le jour durant, aussi avec moi il se lève. Rendez tant que voudrez vos cures [4], je m'en vais après mon tiroir [5].

— Quel tiroir (dit Gargantua) entendez-vous?

— Mon bréviaire, dit le moine.

«Car tout ainsi que les fauconniers devant que paître leurs oiseaux les font tirer quelque pied de poule, pour leur purger le cerveau des phlegmes, et pour les mettre en appétit, ainsi prenant ce joyeux

---

1. Office du matin.
2. Nettoyer.
3. Pacte.
4. Purgatifs.
5. Nourriture destinée à habituer les oiseaux de proie utilisés à la chasse à rechercher de la viande.

petit bréviaire au matin, je m'écure tout le poumon, et voi me là [1] prêt à boire.

— À quel usage [2] (dit Gargantua) dites-vous ces belles heures ?

— À l'usage (dit le moine) de Fécamp à trois psaumes et trois leçons, ou rien du tout qui ne veut. Jamais je ne m'assujettis à heures, les heures sont faites pour l'homme, et non l'homme pour les heures. Pour tant je fais des miennes à guise d'étrivières, je les accourcis ou allonge quand bon me semble. *Breuis oratio penetrat celos, longua potatio euacuat cyphos* [3].

« Où est écrit cela ?

— Par ma foi (dit Ponocrates) je ne sais mon petit couillaut, mais tu vaux trop.

— En cela (dit le moine) je vous ressemble. Mais *Venite apotemus* [4]. » L'on apprêta carbonnades [5] à force et belles soupes de primes [6], et but le moine à son plaisir.

Aucuns [7] lui tinrent compagnie, les autres s'en déportèrent. Après chacun commença soi armer et accoutrer. Et armèrent le moine contre son vouloir, car il ne voulait autres armes que son froc devant son estomac, et le bâton de la croix en son poing. Toutefois à leur plaisir fut armé de pied en cap, et monté

1. Et me voilà.
2. Selon quelle manière ?
3. Une oraison brève pénètre jusqu'aux cieux, une longue buvette vide les coupes.
4. Venez, buvons.
5. Grillades.
6. Premier office de la journée.
7. Quelques-uns.

sur un bon coursier du royaume, et un gros braquemart au côté.

Ensemble Gargantua, Ponocrates, Gymnaste, Eudémon, et vingt et cinq des plus aventureux de la maison de Grandgousier, tous armés à l'avantage la lance
au poing montés comme saint Georges : chacun ayant
un arquebusier en croupe.

Chapitre 42

Comment le moine donne courage à ses compagnons, et comment il pendit à un arbre

Or s'en vont les nobles champions à leur aventure,
bien délibérés d'entendre quelle rencontre faudra
poursuivre, et de quoi se faudra contregarder[1], quand
viendra la journée de la grande et horrible bataille.

Et le moine leur donne courage, disant. « Enfants
n'ayez ni peur ni doute. Je vous conduirai sûrement.
Dieu et saint Benoît soient avec nous. Si j'avais la
force de même le courage, par la mort bieu je vous
les plumerais comme un canard. Je ne crains rien
fors[2] l'artillerie. Toutefois je sais quelque oraison, que

---

1. Garder.
2. Si ce n'est.

m'a baillé le soubsecrétain [1] de notre abbaye, laquelle garantit la personne de toutes bouches à feu [2]. Mais elle ne me profitera de rien. Car je n'y ajoute point de foi. Toutefois mon bâton de croix fera diables [3].

« Par Dieu, qui fera la cane [4] de vous autres, je me donne au diable si je ne le fais moine en mon lieu et l'enchevêtre [5] de mon froc. Il porte médecine à couardise de gens. Avez point ouï parler du lévrier de Monsieur de Meurles, qui ne valait rien pour les champs, il lui mit un froc au col, par le corps Dieu il n'échappait ni lièvre ni renard devant lui, et qui plus est couvrit toutes les chiennes du pays, qui auparavant était éreinté, et *de frigidis et maleficiatis* [6]. »

Le moine disant ces paroles en colère passa sous un noyer tirant vers la saulaie, et embrocha la visière de son heaume à la roupte [7] d'une grosse branche du noyer. Ce nonobstant donna fièrement des éperons à son cheval lequel était châtouilleur à la pointe, en manière que le cheval bondit en avant, et le moine voulant défaire sa visière du croc, lâche la bride, et de la main se pend aux branches : ce pendant que le cheval se dérobe dessous lui.

Par ce moyen demeura le moine pendant au noyer, et criant à l'aide et au meurtre, protestant aussi de trahison. Eudémon premier l'aperçut, et appelant

---

1. Sous-sacristain.
2. Canons.
3. Des merveilles.
4. La poule mouillée.
5. L'attache.
6. À compter au nombre des impuissants et des envoûtés.
7. Le tronçon.

Gargantua. « Sire venez et voyez Absalon[1] pendu. »
Gargantua venu considéra la contenence du moine :
et la forme[2] dont il pendait, et dit à Eudémon. « Vous
avez mal rencontré le comparant à Absalon. Car
Absalon se pendit par les cheveux, mais le moine ras
de tête s'est pendu par les oreilles.

— Aidez-moi (dit le moine) de par le diable.
N'est-il pas bien le temps de jaser ? Vous me semblez[3] les prêcheurs décrétalistes[4], qui disent que quiconque verra son prochain en danger de mort, il le
doit sur peine d'excommunication trisulce[5] plutôt
admonester de se confesser et mettre en état de
grâce[6] que de lui aider.

« Quand donc je les verrai tombés en la rivière, et
prêts d'être noyés, en lieu de[7] les quérir et bailler la
main je leur ferai un beau et long *sermon de contemptu
mundi, et fuga seculi*[8], et lorsqu'ils seront raides morts,
je les irai pêcher.

— Ne bouge (dit Gymnaste) mon mignon je te vais
quérir, car tu es gentil petit *monachus. Monachus in
claustro non ualet oua duo, sed quando est extra bene*

---

1. Personnage biblique mort pour s'être accroché les cheveux
qu'il portait longs à un arbre alors qu'il essayait d'échapper à ses
ennemis.
2. Manière.
3. Me semblez être.
4. Ceux qui prêchent les articles de lois des *Décrétales*, corpus
juridique.
5. À trois pointes, telle que l'était la foudre envoyée par Jupiter.
6. En état impeccable, où ses péchés ont été pardonnés.
7. Au lieu de.
8. Sermon sur le mépris des choses terrestres, et sur le siècle
qui passe.

ualet triginta [1]. J'ai vu des pendus plus de cinq cents, mais je n'en vis onques qui eût meilleure grâce en pendillant, et si je l'avais aussi bonne je voudrais ainsi pendre toute ma vie.

— Aurez-vous (dit le moine) tantôt assez prêché ? Aidez-moi de par Dieu, puisque de par l'autre ne voulez. Par l'habit que je porte vous en repentirez *tempore et loco prelibatis* [2]. »

Alors descendit Gymnaste de son cheval, et montant au noyer souleva le moine par les goussets [3] d'une main et de l'autre défit sa visière du croc de l'arbre, et ainsi le laissa tomber en terre, et soi après. Descendu que fut le moine se défit de tout son harnais et jeta l'une pièce après l'autre parmi le champ et reprenant son bâton de la croix remonta sur son cheval, lequel Eudémon avait retenu à la fuite. Ainsi s'en vont joyeusement tenant le chemin de la saulaie.

---

1. Gentil petit moine. Un moine dans son cloître ne vaut pas deux œufs, mais il en vaut bien trente à l'extérieur.

2. En temps et lieu prévus.

3. Pièce de l'armure protégeant l'aisselle.

Chapitre 43

Comment l'escarmouche de Picrochole fut rencontrée par Gargantua. Et comment le moine tua le capitaine Tiravant, et puis fut prisonnier entre les ennemis

Picrochole à la relation [1] de ceux qui avaient évadé à la roupte [2] lorsque Tripet fut étripé fut épris de grand courroux, oyant que les diables avaient couru sur ses gens, et tint son conseil toute la nuit, auquel Hâtiveau et Touquedillon conclurent que sa puissance était telle qu'il pourrait défaire tous les diables d'enfer s'ils y venaient. Ce que Picrochole ne croyait du tout, aussi ne s'en défiait-il.

Pourtant envoya sous la conduite du Comte Tiravant pour découvrir le pays seize cents chevaliers tous montés sur chevaux légers en escarmouche, tous bien aspergés d'eau bénite, et chacun ayant pour leur signe une étole en écharpe, à toutes aventures s'ils rencontraient les diables, que par vertu tant de cette eau Gringorienne [3], que des étoles, iceux fissent disparoir [4] et évanouir.

---

1. Récit, rapport.
2. Qui avaient échappé à la débâcle.
3. Eau bénite selon le rite de saint Grégoire.
4. Disparaître.

Coururent donc jusque près la Vauguyon, et la maladrerie, mais onques ne trouvèrent personne à qui parler, dont[1] repassèrent par le dessus, et en la loge et tugure pastorales[2], près le Couldray trouvèrent les cinq pèlerins. Lesquels liés et bafoués emmenèrent, comme s'ils fussent espies[3], nonobstant les exclamations, adjurations, et requêtes qu'ils fissent. Descendus de là vers Seuillé, furent entendus par Gargantua. Lequel dit à ses gens. «Compagnons il y a ici rencontre et sont en nombre trop plus dix fois que nous, choquerons-nous sur eux?

— Que diable (dit le moine) ferons-nous donc? Estimez-vous les hommes par nombre, et non par vertu et hardiesse.»

Puis s'écria. «Choquons diables, choquons.» Ce qu'entendant les ennemis pensaient certainement que fussent vrais diables, dont commencèrent fuir à bride avalée, excepté Tiravant, lequel coucha sa lance en l'arrêt, et en férit[4] à toute outrance[5] le moine au milieu de la poitrine, mais rencontrant le froc horrifique, reboucha[6] par le fer, comme si vous frappiez d'une petite bougie contre une enclume.

Adonc le moine avec son bâton de croix lui donna entre cou et collet sur l'os acromion[7] si rudement

---

1. C'est pourquoi.
2. Deux synonymes dénotant une cabane de berger.
3. Espions.
4. Frappa.
5. Sans retenir sa force.
6. Émoussa.
7. Sur l'os en pointe de l'omoplate.

qu'il l'étonna [1] : et fit perdre tout sens et mouvement, et tomba aux pieds du cheval.

Et voyant l'étole qu'il portait en écharpe, dit à Gargantua. « Ceux-ci ne sont que prêtres, ce n'est qu'un commencement de moine, par saint Jean je suis moine parfait, je vous en tuerai comme de mouches. »

Puis le grand galop [2] courut après, tant qu'il attrapa les derniers et les abattait comme seigle frappant à tort et à travers. Gymnaste interrogea sur l'heure Gargantua, s'ils les devaient poursuivre.

À quoi dit Gargantua, « Nullement. Car selon vraie discipline militaire, jamais ne faut mettre son ennemi en lieu de désespoir [3]. Parce que telle nécessité lui multiplie sa force, et accroît le courage, qui jà était déjet et failli [4]. Et n'y a meilleur remède de salut à gens étommis et recrus [5] que de n'espérer salut aucun. Quantes victoires ont été tollues [6] des mains des vainqueurs par les vaincus, quand il ne se sont contentés de raison : mais ont attenté du tout mettre à internition [7] et détruire totalement leurs ennemis, sans en vouloir laisser un seul pour en porter les nouvelles.

« Ouvrez toujours à vos ennemis toutes les portes et chemins, et plutôt leur faites un pont d'argent, afin de les renvoyer.

---

1. Le foudroya.
2. Au grand galop.
3. Ne faut acculer son ennemi au désespoir.
4. Parti et tombé.
5. Atteints et épuisés.
6. Combien nombreuses sont les victoires qui furent ôtées de la main des…
7. Tenté un anéantissement complet.

— Voire mais (dit Gymnaste) ils ont le moine.

— Ont-ils (dit Gargantua) le moine ? Sur mon honneur, que ce sera à leur dommage. Mais afin de survenir à tous hasards, ne nous retirons pas encore, attendons ici en silence. Car je pense jà assez connaître l'engin [1] de nos ennemis, il se guident par sort non par conseil. »

Iceux ainsi attendant sous les noyers, ce pendant le moine poursuivait choquant tous ceux qu'il rencontrait sans de nul avoir merci. Jusqu'à ce qu'il rencontra un chevalier qui portait en croupe un des pauvres pèlerins, et là le veulent mettre à sac s'écria le pèlerin.

« Ha monsieur le prieur mon ami, monsieur le prieur sauvez-moi je vous en prie. » Laquelle parole entendue se retournèrent arrière [2] les ennemis et voyant que là n'était que le moine, qui faisait cet esclandre, le chargèrent de coups, comme on fait un âne de bois, mais de tout rien ne sentait, mêmement quand ils frappaient sur son froc, tant il avait la peau dure.

Puis le baillèrent [3] à garder à deux archers, et tournant bride ne virent personne contre eux dont estimèrent que Gargantua était fui avec sa bande. Adonc coururent vers les Noirettes tant raidement qu'ils purent pour les rencontrer, et laissèrent là le moine seul avec deux archers de garde. Gargantua entendit le bruit, et hennissement des chevaux, et dit à ses

---

1. La ruse.
2. En arrière.
3. Donnèrent.

gens. «Compagnons j'entends le trac[1] de nos ennemis, et jà[2] aperçois aucuns d'iceux qui viennent
contre nous à la foule[3], serrons-nous ici, et tenons le
chemin en bon rang, par ce moyen nous les pourrons
recevoir à leur perte et à notre honneur.»

Chapitre 44

Comment le moine se défit de ses gardes, et comment l'escarmouche de Picrochole fut défaite

Le moine les voyant ainsi départir[4] en désordre,
conjectura qu'ils allaient charger sur Gargantua et ses
gens, et se contristait merveilleusement[5] de ce qu'il
ne les pouvait secourir. Puis avisa la contenance de
ses deux archers de garde, lesquels eussent volontiers
couru après la troupe pour y butiner quelque chose
et toujours regardaient vers la vallée en laquelle ils
descendaient.

Davantage syllogisait[6] disant, «ces gens ici sont bien

---

1. Bruit des pas.
2. Déjà.
3. En foule.
4. S'éloigner.
5. S'attristait incroyablement.
6. Réfléchissait par syllogisme, structure dialectique permettant d'aboutir à une conclusion nécessaire à partir de deux propositions prises comme prémisses. Ici, le syllogisme part de la
conclusion.

mal exercés en fait d'armes. Car onques ne m'ont demandé ma foi[1], et ne m'ont ôté mon braquemart. »

Soudain après tira son dit braquemart, et en férit l'archer qui le tenait à dextre lui coupant entièrement les veines jugulaires, et artères spagitides du cou[2], avec le gargareon[3], jusqu'aux deux adènes[4] : et retirant le coup lui entrouvrit le moelle spinale[5] entre la seconde et tierce vertèbre, là tomba l'archer tout mort.

Et le moine détournant son cheval à gauche courut sur l'autre, lequel voyant son compagnon mort et le moine avantagé sur soi, criait à haute voix. « Ha monsieur le prieur je me rends, monsieur le prieur mon bon ami, monsieur le prieur. » Et le moine criait de même. « Monsieur le postérieur[6] mon ami, monsieur le postérieur, vous aurez sur vos postères[7].

— Ha (disait l'archer) monsieur le prieur mon mignon, monsieur le prieur, que Dieu vous fasse abbé.

— Par l'habit (disait le moine) que je porte, je vous ferai ici cardinal. Rançonnez-vous les gens de religion ? Vous aurez un chapeau rouge à cette heure de ma main. » Et l'archer criait, « Monsieur le prieur, monsieur le prieur, monsieur l'abbé futur, monsieur le cardinal, monsieur le tout. Ha, ha, hes, non Monsieur le prieur, mon bon petit seigneur le prieur je me rends à vous.

— Et je te rends (dit le moine) à tous les diables. »

---

1. Ma parole.
2. Artères de la carotide.
3. Luette.
4. Glandes.
5. Épinière.
6. Ici, noter le jeu sur *prior/posterior*.
7. Fesses.

Lors d'un coup lui trancha la tête, lui coupant la tête sur les os pétreux [1] et enlevant les deux os bregmatis et la commissure sagittale [2], avec grande partie de l'os coronal [3], ce que faisant lui trancha les deux méninges et ouvrit profondément les deux postérieurs ventricules du cerveau et demeura le crâne pendant sur les épaules à la peau du pericrâne par derrière, en forme d'un bonnet doctoral, noir par dessus, rouge par dedans. Ainsi tomba raide mort en terre.

Ce fait, le moine donne des éperons à son cheval et poursuit la voie que tenaient les ennemis, lesquels avaient rencontré Gargantua et ses compagnons au grand chemin, et tant étaient diminués au nombre pour l'énorme meurtre qu'y avaient fait Gargantua avec son grand arbre, Gymnaste, Ponocrates, Eudémon, et les autres, qu'ils commençaient soi retirer à diligence, tous effrayés et perturbés de sens et entendement comme s'ils vissent la propre espèce et forme de mort devant leurs yeux.

Et comme vous voyez un âne quand il a au cul un œstre Junonique [4], ou une mouche qui le point [5], courir çà et là sans voie ni chemin jetant sa charge par terre, rompant son frein et rênes, sans aucunement respirer ni prendre repos, et ne sait on qui le meut, car l'on ne voit rien qui le touche. Ainsi fuyaient ces

---

1. Os temporal.
2. Les deux os pariétaux et leur suture.
3. Frontal.
4. Un taon, comme celui que Junon envoyait contre Io courtisée par Jupiter et transformée en vache.
5. Pique.

gens de sens dépourvus, sans savoir cause de fuir tant seulement les poursuit une terreur panique laquelle avaient conçue en leurs âmes.

Voyant le moine que toute leur pensée n'était sinon à gagner au pied[1], descend de son cheval, et monte sur une grosse roche qui était sur le chemin, et avec son grand braquemart, frappait sur ces fuyards à grand tour de bras sans se feindre ni épargner[2].

Tant en tua et mit par terre, que son braquemart rompit en deux pièces. Adonc pensa en soi-même que c'était assez massacré et tué, et que le reste devait échapper pour en porter les nouvelles. Pourtant saisit en son poing une hache de ceux qui là gisaient morts, et se retourna derechef sur la roche, passant temps à voir fuir les ennemis, et culbuter entre les corps morts, excepté qu'à tous faisait laisser leurs piques, épées, lances et arquebuses et ceux qui portaient les pèlerins liés, il les mettait à pied et délivrait[3] leurs chevaux auxdits pèlerins, les retenant avec soi l'orée de la haie. Et Touquedillon, lequel il retint prisonnier.

---

1. Voyant qu'ils n'avaient en tête que de s'enfuir.
2. Sans hésiter ni s'épargner.
3. Remettait.

Chapitre 45

Comment le moine
amena les pèlerins
et les bonnes paroles
que leur dit Grandgousier

Cette escarmouche parachevée se retira Gargantua avec ses gens excepté le moine, et sur la pointe du jour se rendirent à Grandgousier, lequel en son lit priait Dieu pour leur salut et victoire. Et les voyant tous saufs et entiers les embrassa de bon amour, et demanda nouvelles du moine. Mais Gargantua lui répondit que sans doute leurs ennemis avaient le moine. « Ils auront (dit Grandgousier) donc male encontre[1]. » Ce qui avait été bien vrai.

Pourtant encore est le proverbe en usage, de bailler le moine à quelqu'un.

Adonc commanda qu'on apprêtât très bien à déjeuner, pour les rafraîchir. Le tout apprêté l'on appela Gargantua mais tant lui grevait[2] de ce que le moine ne comparait[3] aucunement, qu'il ne voulait ni boire ni manger.

Tout soudain le moine arrive, et dès la porte de la basse-cour, s'écria, « Vin frais, vin frais, Gymnaste mon ami. » Gymnaste sortit et vit que c'était frère Jean qui

---

1. De la malchance.
2. Peinait.
3. Comparaissait.

amenait cinq pèlerins, et Touquedillon prisonnier,
dont Gargantua sortit au devant et lui firent le
meilleur recueil que purent, et le menèrent devant
Grandgousier, lequel l'interrogea de toute son aventure.

Le moine lui disait tout : et comment on l'avait pris,
et comment il s'était défait des archers, et la boucherie qu'il avait fait par le chemin, et comment il avait
recouvert les pèlerins, et amené le capitaine Touquedillon.

Puis se mirent à banqueter joyeusement tous
ensemble. Ce pendant Grandgousier interrogeait les
pèlerins, de quel pays ils étaient, dont ils venaient, et
où ils allaient.

Lasdaller pour tous répondit.

« Seigneur je suis de Saint-Genou en Berry,

« Cetui-ci est de Paluau,

« Cetui-ci est d'Onzay,

« Cetui-ci est d'Argy.

« Et cetui-ci est de Villebernin. Nous venons de
Saint-Sébastien près de Nantes, et nous en retournons par nos petites journées [1].

— Voire mais (dit Grandgousier) qu'alliez-vous
faire à saint Sébastien ?

— Nous allions (dit Lasdaller) lui offrir nos votes [2]
contre la peste.

— Ô (dit Grandgousier) pauvres gens, estimez-
vous que la peste vienne de Saint-Sébastien ?

1. Étapes.
2. Vœux.

— Oui vraiment (répondit Lasdaller) nos prêcheurs nous l'affirment.

— Oui (dit Grandgousier) les faux prophètes vous annoncent-ils tels abus ? Blasphèment-ils en cette façon les justes et saints de Dieu, qu'ils les font semblables aux diables, qui ne font que mal entre les humains ? Comme Homère écrit que la peste fut mise en l'oust[1] des Grégois[2] par Apollon, et comme les poètes feignent un grand tas de Vejoves[3] et dieux malfaisants. Ainsi prêchait à Cinais un cafard, que saint Antoine mettait le feu aux jambes.

« Saint Eutrope faisait les hydropiques.

« Saint Gildas les fous.

« Saint Genou les gouttes. Mais je le punis en tel exemple[4] quoiqu'il m'appelât hérétique, que depuis ce temps cafard quiconque n'est osé[5] entrer en mes terres. Et m'ébahis si votre roi les laisse prêcher par son royaume tels scandales[6]. Car plus sont à punir que ceux qui par art magique ou autre engin[7] auraient mis la peste par le pays. La peste ne tue que le corps. Mais tels imposteurs empoisonnent les âmes. »

Lui disant ces paroles entra le moine tout délibéré, et leur demanda. « Dont[8] êtes-vous, vous autres pauvres hères ?

1. L'armée.
2. Grecs.
3. Mauvais démons.
4. Si exemplairement que…
5. N'a osé.
6. Un scandale est une occasion de chuter en péchant, pour le croyant.
7. Ruse.
8. D'où.

— De Saint-Genou, dirent-ils.

— Et comment (dit le moine) se porte l'abbé Tranchelion le bon buveur. Et les moines, quelle chère font-ils ? Le cor Dieu ils biscotent vos femmes ce pendant qu'êtes en romivage [1].

— Hinhen (dit Lasdaller) je n'ai pas peur de la mienne. Car qui la verra de jour, ne se rompra jà [2] le cou pour l'aller visiter la nuit.

— C'est (dit le moine) bien rentré de pique [3]. Elle pourrait être aussi laide que Proserpine, elle aura par Dieu la saccade puisqu'il y a moines au tour. Car un bon ouvrier met indifféremment toutes pièces en œuvre. Que j'aie la vérole, en cas que [4] ne les trouviez engrossées à votre retour. Car seulement l'ombre du clocher d'une abbaye est féconde.

— C'est (dit Gargantua) comme l'eau du Nil en Égypte, si vous croyez Strabo, et Pline *lib. VII. chap. III* [5]. Avise que c'est de [6] la miche, des habits, et des corps. »

Lors dit Grandgousier. « Allez-vous en pauvres gens au nom de Dieu le créateur, lequel vous sait en guide perpétuelle. Et dorénavant ne soyez faciles à ces otieux [7] et inutiles voyages. Entretenez vos familles, travaillez chacun en sa vocation, instruez [8] vos enfants, et vivez comme vous enseigne le bon Apôtre saint

---

1. Pèlerinage.
2. Jamais.
3. Une belle repartie, un beau coup.
4. Au cas où.
5. Au livre VII de l'*Histoire naturelle*, chap. 3.
6. Il faut y voir l'effet de la miche (de la nourriture)…
7. Enclins à ces oisifs.
8. Instruisez.

Paul. Ce faisant vous aurez la garde de Dieu, des anges, et des saints avec vous, et n'y aura peste ni mal qui vous porte nuisance. »

Puis les mena Gargantua prendre leur réfection en la salle : mais les pèlerins ne faisaient que soupirer, et dirent à Gargantua.

« Ô qu'heureux est le pays qui a pour seigneur un tel homme. Nous sommes plus édifiés et instruits en ce propos qu'il nous a tenu, qu'en tous les sermons que jamais nous furent prêchés en notre ville.

— C'est (dit Gargantua) ce que dit Platon *lib. V. de rep.*[1] que lors[2] les républiques seraient heureuses, quand les rois philosopheraient ou les philosophes règneraient. » Puis leur fit emplir leurs besaces de vivres, leurs bouteilles de vin, et à chacun donna cheval pour soi soulager au reste du chemin, et quelques carolus[3] pour vivre.

Chapitre 46

Comment Grandgousier traita humainement Touquedillon prisonnier

Touquedillon fut présenté à Grandgousier, et interrogé par icellui sur l'entreprise et affaires de Picro-

---

1. Au livre V de *La République*.
2. Qu'alors.
3. Pièces.

chole, quelle fin il prétendait par ce tumultuaire vacarme. À quoi répondit que sa fin et sa destinée était de conquêter tout le pays s'il pouvait, pour l'injure faite à ses fouaciers.

« C'est (dit Grandgousier) trop entrepris, qui trop embrasse peu étreint. Le temps n'est plus d'ainsi conquêter les royaumes avec dommage de son prochain frère chrétien, cette imitation des anciens Hercule, Alexandre, Hannibal, Scipion, César et autres tels est contraire à la profession de l'Évangile, par lequel nous est commandé, garder, sauver, régir et administrer chacun ses pays et terres, non hostilement envahir les autres. Et ce que les Sarrasins et Barbares jadis appelaient prouesses, maintenant nous appelons briganderies, et méchancetés.

« Mieux eût-il fait soi contenir en sa maison royalement la gouvernant : qu'insulter en la mienne, hostilement la pillant, car par bien la gouverner l'eût augmentée, par me piller sera détruit. Allez-vous-en au nom de Dieu : suivez bonne entreprise, remontrez à votre roi les erreurs que connaîtrez, et jamais ne le conseillez, ayant égard à votre profit particulier, car avec le commun est aussi le propre [1] perdu.

« Quand est [2] de votre rançon, je vous la donne entièrement, et veux que vous soient rendus armes et cheval, ainsi faut-il faire des voisins et anciens amis,

---

1. Avec les intérêts publics disparaissent aussi les intérêts privés.
2. Pour ce qui est.

vu que cette notre différence[1], n'est point guerre
proprement[2].

« Comme Platon *li. V de rep.*[3] voulait être non
guerre nommée, ains[4] sédition quand les Grecs mou-
vaient d'armes[5] les uns et les autres. Ce que si par
male fortune advenait, il commande qu'on use de
toute modestie[6].

« Si guerre la nommez, elle n'est que superficiaire[7] :
elle n'entre point au profond cabinet de nos cœurs.
Car nul de nous n'est outragé en son honneur : et
n'est question en somme totale, que de rhabiller
quelque faute commise par nos gens, j'entends et
vôtre et nôtre. Laquelle encore que connussiez, vous
deviez laisser couler outre[8], car les personnages que-
rellant étaient plus à contemner, qu'à ramentevoir[9],
mêmement leur satisfaisant selon le grief[10], comme je
me suis offert. Dieu sera juste estimateur de notre
différend, lequel je supplie plutôt par mort me tollir[11]
de cette vie, et mes biens dépérir devant mes yeux,
que par moi ni les miens en rien soit offensé. »

Ces paroles achevées appela le moine, et devant

---

1. Différend.
2. À proprement parler, réellement.
3. Platon au livre V de *La République*.
4. Mais.
5. Levaient les armes.
6. Modération.
7. Superficielle.
8. La laisser passer.
9. Plus dignes de mépris que de mémoire.
10. Surtout leur donnant satisfaction à proportion de leur
dommage.
11. M'ôter.

tous lui demanda, « Frère Jean mon bon ami êtes-vous qui avez pris le capitaine Touquedillon ici présent ?

— Sire (dit le moine) il est présent, il a âge et discrétion, j'aime mieux que le sachez par sa confession, que par ma parole. » Adonc dit Touquedillon. « Seigneur c'est lui véritablement qui m'a pris, et je me rends son prisonnier franchement.

— L'avez-vous (dit Grandgousier au moine) mis à rançon ?

— Non, dit le moine. De cela je ne me soucie.

— Combien (dit Grandgousier) voudriez-vous de sa prise ?

— Rien rien (dit le moine) cela ne me mène [1] pas. » Lors commanda Grandgousier, que présent Touquedillon fussent comptés au moine soixante et deux mille saluts [2], pour celle prise. Ce que fut fait ce pendant qu'on fit la collation au dit Touquedillon, auquel demanda Grandgousier s'il voulait demeurer avec lui, ou si mieux aimait retourner à son roi. Touquedillon répondit, qu'il tiendrait le parti lequel il lui conseillerait. « Donc (dit Grandgousier) retournez à votre roi, et Dieu soit avec vous. »

Puis lui donna une belle épée de Vienne, avec le fourreau d'or fait à belles vignettes d'orfèvrerie, et un collier d'or pesant sept cent deux mille marcs, garni de fines pierreries, à l'estimation de cent soixante mille ducats, et dix mille écus par présent honorable [3].

Après ces propos monta Touquedillon sur son

---

1. Motive, conduit.
2. Monnaie.
3. Honorifique.

cheval. Gargantua pour sa sûreté lui bailla trente hommes d'armes, et six vingt archers sous la conduite de Gymnaste, pour le mener jusqu'aux portes de la Roche-Clermault, si besoin était.

Icelui départi le moine rendit à Grandgousier les soixante et deux mille saluts qu'il avait reçus, disant.

« Sire ce n'est ores [1], que vous devez faire tels dons. Attendez la fin de cette guerre, car l'on ne sait quelles affaires pourraient survenir. Et guerre faite sans bonne provision d'argent, n'a qu'un soupirail [2] de vigueur.

« Les nerfs des batailles sont les pécunes [3].

— Donc (dit Grandgousier) à la fin je vous contenterai par honnête récompense, et tous ceux qui m'auront bien servi. »

Chapitre 47

Comment Grandgousier manda quérir ses légions, et comment Touquedillon tua Hâtiveau, puis fut tué par le commandement de Picrochole

En ces mêmes jours, ceux de Bessé, du Marché Vieux, du Bourg Saint-Jacques, du Traîneau, de Parilly,

---

1. Sire, ce n'est pas maintenant que vous devez…
2. Soupir, souffle.
3. L'argent.

de Rivière, des Roches Saint-Paul, du Vau Breton, de
Pontille, du Bréhémont, du Pont de Clam, de Cravant,
de Grandmont, des Bourdes, de Lavillaumer, de
Huismes, de Segré, d'Ussé, de Saint-Louant, de Pan-
zoult, des Coudreaux, de Véron, de Coulaine, de
Chousé, de Varennes, de Bourgueil, de l'Île-Bouchard,
du Croulay, de Narcay, de Candes, de Montsoreau,
et autres lieux confins [1] envoyèrent devers Grandgousier ambassades, pour lui dire qu'ils étaient avertis des torts que lui faisait Picrochole et pour leur
ancienne confédération, ils lui offraient tout leur pouvoir tant de gens, que d'argent, et autres munitions
de guerre.

L'argent de tous montait par les pactes qu'ils lui
avaient, six vingt quatorze millions deux écus et demi
d'or. Les gens étaient quinze mille hommes d'armes,
trente et deux mille chevaux légers, quatre vingt neuf
mille arquebusiers, cent quarante mille aventuriers,
onze mille deux cents canons, doubles canons, basilics et spiroles. Pionniers quarante sept mille, le tout
soudoyé et avitaillé [2] pour six mois et quatre jours.
Laquelle offre Gargantua ne refusa, ni accepta du tout.

Mais grandement les remerciant, dit, qu'il compo-
serait [3] cette guerre par tel engin [4] que besoin ne serait
tant empêcher [5] de gens de bien.

Seulement envoya qui amènerait en ordre les

1. Voisins.
2. Payé et ravitaillé.
3. Organiserait.
4. Voir n. 1 p. 205.
5. Déranger.

légions lesquelles entretenait ordinairement en ses places de la Devinière, de Chavigny, de Gravot, et Quinquenays montant en nombre deux mille cinq cents hommes d'armes, soixante et six mille hommes de pied, vingt et six mille arquebusiers, deux cents grosses pièces d'artillerie, vingt et deux mille pionniers, et six mille chevau-légers, tous par bandes [1], tant bien assorties de leurs trésoriers, de vivandiers, de maréchaux, d'armuriers, et autres gens nécessaires au trac [2] de bataille : tant bien instruits en art militaire, tant bien armés, tant bien reconnaissants et suivants leurs enseignes, tant soudains [3] à entendre et obéir à leurs capitaines, tant expédiés [4] à courir, tant forts à choquer, tant prudents à l'aventure, que mieux ressemblaient une harmonie d'orgues et concordance d'horloge, qu'une armée, ou gendarmerie [5].

Touquedillon arrivé se présenta à Picrochole, et lui compta au long ce qu'il avait et fait et vu. À la fin conseillait par fortes paroles qu'on fît appointement [6] avec Grandgousier lequel il avait éprouvé [7] le plus homme de bien du monde, ajoutant que ce n'était ni preu, ni raison molester ainsi ses voisins, desquels jamais n'avaient eu que tout bien. Et au regard du

1. Troupes.
2. Mise en route.
3. Prompts.
4. Prêts.
5. Peloton d'hommes en armes.
6. Accord.
7. En lequel il avait reconnu.

principal : que jamais ne sortiraient de cette entreprise qu'à leur grand dommage et malheur.

Car la puissance de Picrochole n'était telle, qu'aisément ne les pût Grandgousier mettre à sac. Il n'eut
achevé cette parole, que Hâtiveau dit tout haut. « Bien
malheureux est le prince qui est de tels gens servi,
qui tant facilement sont corrompus comme je connais
Touquedillon. Car je vois son courage tant changé
que volontiers se fût adjoint à nos ennemis pour
contre nous batailler et nous trahir, s'ils l'eussent
voulu retenir : mais comme vertu est de tous tant
amis que ennemis louée et estimée, aussi méchanceté
est tôt connue et suspecte. Et posé que [1] d'icelle les
ennemis se servent à leur profit si ont-ils toujours les
méchants et traîtres en abomination. » À ces paroles
Touquedillon impatient tira son épée, et en trans-
perça Hâtiveau un peu au-dessus de la mamelle
gauche dont mourut incontinent [2].

Et tirant son coup du corps, dit franchement.
« Ainsi périsse qui féaux [3] serviteurs blâmera. »

Picrochole soudain entra en fureur, et voyant
l'épée et fourreau tant diaprés [4], dit. « T'avait-on
donné ce bâton, pour en ma présence tuer maligne-
ment mon tant bon ami Hâtiveau ? »

Lors commanda à ses archers qu'ils le missent en
pièces.

Ce que fut fait sur l'heure, tant cruellement que

---

1. À supposer que.
2. Aussitôt.
3. Fidèles.
4. Colorés par une couleur brillante (ici, le sang).

la chambre était toute pavée de sang. Puis fit honorablement inhumer le corps de Hâtiveau et celui de Touquedillon jeter par sur[1] les murailles en la vallée.

Les nouvelles de ces outrages furent sues par toute l'armée, dont plusieurs commencèrent murmurer contre Picrochole, tant que Grippe Pinaut lui dit.

« Seigneur j'en sais quelle issue sera de cette entreprise. Je vois vos gens peu confirmés[2] en leur courage. Ils considèrent que sommes ici mal pourvus de vivres, et jà beaucoup diminués en nombre, par deux ou trois issues[3].

« Davantage il vient grand renfort de gens à vos ennemis. Si nous sommes assiégés une fois, je ne vois point comment ce ne soit à notre ruine totale.

— Bren, bren[4], dit Picrochole, vous semblez[5] les anguilles de Melun. Vous criez devant qu'on vous écorche, laissez-les seulement venir. »

---

1. Dessus.
2. Sûrs.
3. Sorties.
4. Voir n. 7 p. 19.
5. Ressemblez.

Chapitre 48

Comment Gargantua
assaillit Picrochole
dedans la Roche-Clermault
et défit l'armée dudit
Picrochole

Gargantua eut la charge totale de l'armée, son père demeura en son fort. Et leur donnant courage par bonnes paroles, promit grands dons à ceux qui feraient quelques prouesses.

Puis gagnèrent le gué de Vède, et par bateaux et ponts légèrement faits passèrent outre [1] d'une traite. Puis considérant l'assiette [2] de la ville qui était en lieu haut et avantageux, délibéra celle nuit sur ce qu'était de faire. Mais Gymnaste lui dit. « Seigneur telle est la nature et complexion des Français, qu'ils ne valent qu'à la première pointe [3]. Lors ils sont pires que diables. Mais s'ils séjournent ils sont moins que femmes. Je suis d'avis qu'à l'heure présente après que vos gens auront quelque peu respiré et repu, fassiez donner l'assaut. » L'avis fut trouvé bon.

Adonc produit toute son armée en plein camp, mettant les subsides du côté de la montée.

Le moine prit avec lui six enseignes de gens de pied,

---

1. Passèrent de l'autre côté.
2. Voir n. 5 p. 145.
3. Qu'au premier combat.

et deux cents hommes d'armes, et en grande diligence traversa les marais, et gagna au-dessus le puits jusqu'au grand chemin de Loudun.

Ce pendant l'assaut continuait, les gens de Picrochole ne savaient si le meilleur était sortir hors et les recevoir, ou bien garder la ville sans bouger.

Mais furieusement sortit avec quelque bande d'hommes d'armes de sa maison : et là fut reçu et festoyé à grands coups de canon qui grêlaient devers les coteaux, dont les Gargantuistes se retirèrent au val, pour mieux donner lieu à l'artillerie. Ceux de la ville défendaient le mieux que pouvaient, mais les traits passaient outre par dessus sans nul férir. Aucuns[1] de la bande sauvés de l'artillerie donnèrent fièrement sur nos gens, mais peu profitèrent, car tous furent reçus entre les ordres, et là rués par terre. Ce que voyant se voulaient retirer, mais ce pendant le moine avait occupé le passage.

Par quoi se mirent en fuite sans ordre ni maintien. Aucuns voulaient leur donner la chasse, mais le moine les retint craignant que suivant les fuyants perdissent leurs rangs, et que sur ce point ceux de la ville chargeassent sur eux. Puis attendant quelque espace, et nul ne comparant à l'encontre[2], envoya le duc Phrontiste[3] pour admonester Gargantua à ce qu'il avançât pour gagner le coteau à la gauche pour empêcher la retraite de Picrochole par celle porte.

Ce que fit Gargantua en toute diligence, et y

---

1. Certains.
2. Nul n'arrivant en face.
3. Homme réfléchi, en grec.

envoya quatre légions de la compagnie de Sébaste, mais si tôt ne purent gagner le haut, qu'ils ne rencontrassent en barbe[1] Picrochole et ceux qui avec lui s'étaient épars[2].

Lors chargèrent sur raidement, toutefois grandement furent endommagés par ceux qui étaient sur les murs en coups de trait et artillerie.

Quoi voyant Gargantua en grande puissance alla les secourir, et commença son artillerie à heurter sur ce quartier de murailles, tant que toute la force de la ville y fut révoquée[3].

Le moine voyant celui côté lequel il tenait assiégé, dénué de gens et gardes, magnanimement tira vers le fort et tant fit qu'il monta sur lui et aucuns de ses gens pensant que plus de crainte et de frayeur donnent ceux qui surviennent à un conflit, que ceux qui lors à leur force combattent.

Toutefois ne fit onques effroi, jusqu'à ce que tous les siens eussent gagné la muraille excepté les deux cents hommes d'armes qu'il laissa hors pour les hasards. Puis s'écria horriblement et les siens ensemble, et sans résistance, tuèrent les gardes d'icelle porte, et l'ouvrirent aux hommes d'armes et en toute fierté coururent ensemble vers la porte de l'Orient, où était le désarroi. Et par derrière renversèrent toute leur force.

Voyant les assiégés de tous côtés et les Gargantuistes avoir gagné la ville, se rendirent au moine à merci.

---

1. Qu'ils ne tombassent nez à nez sur.
2. Dispersés.
3. Rappelée.

Le moine leur fit rendre les bâtons et armes et tous retirer et resserrer par les églises saisissant tous les bâtons des croix, et commettant [1] gens aux portes pour les garder d'issir [2]. Puis ouvrant celle porte orientale sortit au secours de Gargantua.

Mais Picrochole pensait que le secours lui venait de la ville et par outrecuidance se hasarda plus que devant [3] : jusqu'à ce que Gargantua s'écria. « Frère Jean mon ami, frère Jean en bonne heure soyez venu. »

Adonc connaissant Picrochole et ses gens que tout était désespéré, prirent la fuite en tous endroits. Gargantua les poursuivit jusque près Vaugaudry tuant et massacrant, puis sonna la retraite.

Chapitre 49

Comment Picrochole fuyant fut surpris de males fortunes [4] et ce que fit Gargantua après la bataille

Picrochole ainsi désespéré s'enfuit vers l'Île-Bouchart, et au chemin de Rivière son cheval broncha [5] par terre, à quoi tant fut indigné que de son épée le

---

1. Plaçant.
2. Sortir.
3. Qu'auparavant.
4. De mauvaise fortune.
5. Trébucha.

tua en sa chole[1], puis ne trouvant personne qui le remontât voulut prendre un âne du moulin qui là auprès était, mais les meuniers le meurtrirent tout de coups, et le détroussèrent de ses habillements, et lui baillèrent pour soi couvrir une méchante sequenie[2].

Ainsi s'en alla le pauvre colérique, puis passant l'eau au Port-Huault, et racontant ses males fortunes fut avisé par une vieille lourpidon[3], que son royaume lui serait rendu, à la venue des coquecigrues[4], depuis ne sait-on qu'il[5] est devenu.

Toutefois l'on m'a dit qu'il est de présent pauvre gagne-denier à Lyon, colère[6] comme devant. Et toujours se guemente[7] à tous étrangers de la venue des coquecigrues, espérant certainement selon la prophétie de la vieille, être à leur venue reintégré à son royaume.

Après leur retraite Gargantua premièrement recensa les gens, et trouva que peu d'iceux étaient péris en la bataille, savoir est quelques gens de pied de la bande du capitaine Tolmère, et Ponocrates qui avait un coup d'arquebuse en son pourpoint.

Puis les fit rafraîchir chacun par sa bande et commanda aux trésoriers que ce repas leur fût défrayé et

---

1. En son humeur, sa bile (colérique).
2. Souquenille (tunique sale portée par les gens de basse condition).
3. Sorcière.
4. Animal fabuleux déjà évoqué par Rabelais dans son *Pantagruel.*
5. Ce qu'il.
6. Tout comme pour « colérique » plus haut, le sens passionnel est une fois de plus indissociable du sens physiologique.
7. S'informe.

payé, et que l'on ne fît outrage quelconque en la ville, vu qu'elle était sienne, et après leur repas ils comparussent en la place devant le château, et là seraient payés pour six mois.

Ce que fut fait, puis fit convenir[1] devant soi en ladite place tous ceux qui là restaient de la part[2] de Picrochole, auxquels présents tous ses Princes et capitaines parla comme s'ensuit.

Chapitre 50

La contion[3] que fit Gargantua aux vaincus

« Nos pères, aïeux, et ancêtres de toute mémoire, ont été de ce sens[4] et cette nature : que des batailles par eux consommées[5] ont pour signe mémorial des triomphes et victoires plus volontiers érigé trophées et monuments aux cœurs des vaincus par grâce : qu'aux terres par eux conquêtées par architecture. Car plus estimaient la vive souvenance[6] des humains acquise par libéralité, que la mute[7] inscription des arcs, colonnes, et pyramides sujette aux calamités de

---

1. S'assembler.
2. Du camp de.
3. Harangue.
4. De ce bon sens.
5. Accomplies.
6. Mémoire, souvenir.
7. Muette.

l'air, et envie d'un chacun. Souvenir assez vous peut de la mansuétude [1], dont ils usèrent envers les Bretons à la journée de Saint-Aubin-du-Cormier : et à la démolition de Parthenay. Vous avez entendu, et entendant admirez le bon traitement qu'ils firent aux Barbares d'Hispaniola, qui avaient pillé, dépopulé, et saccagé les fins [2] maritimes d'Olonne et Talmondais.

« Tout ce ciel a été rempli des louanges et gratulations [3] que vous-mêmes et vos pères fîtes lorsqu'Alpharbal roi de Canarre non assouvi de ses fortunes [4] envahit furieusement le pays d'Aunis exerçant la piratique [5] en toutes les îles armoriques [6] et régions confines. Il fut en juste bataille navale pris et vaincu de mon père, auquel Dieu soit garde et protecteur. Mais quoi ? Au cas que [7] les autres rois et empereurs, voire qui se font nommer catholiques l'eussent misérablement traité, durement emprisonné, et rançonné extrêmement : il le traita courtoisement, aimablement le logea avec soi en son palais, et par incroyable débonnaireté le renvoya en [8] sauf-conduit, chargé de dons, chargé de grâces, chargé de tous offices d'amitié. Qu'en est-il advenu ? Lui retourné en ses terres fit assembler tous les princes et états de son royaume, leur exposa l'humanité qu'il avait en nous connue et les pria sur ce délibérer en façon que le monde y eût

---

1. Vous pouvez bien vous souvenir de…
2. Régions.
3. Remerciements.
4. Non satisfait de son sort.
5. La piraterie.
6. D'Armorique.
7. Alors que.
8. Avec un.

exemple, comme avait jà en nous de gracieuseté honnête [1] : aussi en eux d'honnêteté gracieuse. Là fut
décrété par consentement unanime, que l'on offrirait
entièrement leurs terres, domaines et royaume, à en
faire selon notre arbitre.

« Alpharbal en propre personne soudain retourna
avec neuf mille trente et huit grandes naufs oné-
raires [2], menant non seulement les trésors de sa maison et lignée royale, mais presque de tout le pays. Car
soi embarquant pour faire voile au vent Vesten Nor-
dest [3] : chacun à la foule jetait dedans icelles or,
argent, bagues, joyaux, épiceries [4], drogues et odeurs
aromatiques, papeguays [5], pélicans, guenons, civettes,
genettes, porcs-épics. Point n'était fils de bonne mère
réputé, qui dedans ne jetât ce qu'avait de singulier.
Arrivé que fut [6] voulait baiser les pieds de mondit
père, le fait fut estimé indigne : et ne fut toléré : ains
fut embrassé socialement [7] : offrit ses présents, ils ne
furent reçus, par [8] trop être excessifs, se donna man-
cipe [9] et serf volontaire, soi et sa postérité : ce ne fut
accepté, par ne sembler équitable : céda par le décret
des états ses terres et royaume offrant la transaction
et transport [10] signés, scellés et ratifiés de tous ceux

---

1. Il avait eu en nous exemple de magnanimité honnête.
2. Vaisseaux de transport de marchandises.
3. Au vent ouest-nord-ouest.
4. Épices.
5. Voir n. 2 p. 72.
6. Quand il fut arrivé.
7. En toute amitié.
8. Pour.
9. Esclave.
10. Passation.

qui faire le devaient : ce fut totalement refusé, et les contrats jetés au feu.

« La fin fut, que mon dit père commença lamenter de pitié et pleurer copieusement, considérant le franc vouloir et simplicité des Canarriens : et par mots exquis et sentences congrues [1] diminuait le bon tour qu'il leur avait fait, disant ne leur avoir fait bien qui fût à l'estimation d'un bouton [2], et si rien d'honnêteté leur avait montré, il était tenu de ce faire. Mais tant plus l'augmentait Alpharbal. Quelle fut l'issue ?

« En lieu que pour sa rançon prise à toute extrémité [3], eussent pu tyranniquement exiger vingt fois cent mille écus et retenir pour otages ses enfants aînés, ils se sont faits tributaires perpétuels, et obligés nous bailler par chacun an deux millions d'or affiné à vingt quatre carats. Ils nous furent l'année première ici payés : la seconde de franc vouloir en payèrent. XXIII. cent mille écus, la tierce. XXVI. cent mille, la quarte trois millions, et tant toujours croissent de leur bon gré, que serons contraints leur inhiber [4] de rien plus nous apporter.

« C'est la nature de gratuité. Car le temps qui toutes choses ronge et diminue, augmente, et accroît les bienfaits, parce qu'un bon tour libéralement fait à homme de raison, croît continûment par noble pensée et remembrance [5].

« Ne voulant donc aucunement dégénérer de la

1. Mesurées.
2. Qui valût un bouton.
3. En ultime recours.
4. Défendre.
5. Souvenir.

débonnaireté héréditaire de mes parents, maintenant je vous absous et délivre, et vous rends francs et libres comme par avant.

« D'abondant serez à l'issue des portes [1] payés chacun pour trois mois, pour vous pouvoir retirer en vos maisons et familles, et vous conduiront en sauveté six cents hommes d'armes et huit mille hommes de pied sous la conduite de mon écuyer Alexandre, afin que par les paysans ne soyez outragés.

« Dieu soit avec vous. Je regrette de tout mon cœur que n'est ici Picrochole. Car je lui eusse donné à entendre que sans mon vouloir, sans espoir d'accroître ni mon bien, ni mon nom, était faite cette guerre. Mais puisqu'il est éperdu [2], et ne sait-on où, ni comment est évanoui, je veux que son royaume demeure entier à son fils. Lequel parce qu'est par trop bas d'âge, (car il n'a encore cinq ans accomplis) sera gouverné et instruit par les anciens princes et gens savants du royaume.

« Et par autant qu'un royaume ainsi désolé, serait facilement ruiné, si on ne réfrénait la convoitise et avarice des administrateurs d'icelui : j'ordonne et veux que Ponocrates soit sur tous ses gouverneurs intendant, avec autorité à ce requise, et assidu avec l'enfant : jusqu'à ce qu'il le connaîtra idoine de pouvoir par soi régir et régner.

« Je considère que facilité trop énervée et dissolue [3] de pardonner aux malfaisants, leur est occasion de

---

1. Après avoir passé les portes.
2. Perdu.
3. La facilité trop faible et lâche, qui consiste à pardonner.

plus légèrement[1] derechef[2] mal faire, par cette pernicieuse confiance de grâce.

« Je considère que Moïse, le plus doux homme qui de son temps fût sur la terre, aigrement punissait les mutins et séditieux au peuple d'Israël.

« Je considère que Jules César empereur tant débonnaire, que[3] de lui dit Cicéron, que sa fortune rien plus souverain n'avait, sinon qu'il pouvait[4] : et sa vertu meilleur n'avait, sinon qu'il voulait toujours sauver, et pardonner à un chacun. Icelui toutefois ce non obstant en certains endroits punit rigoureusement les auteurs de rébellion.

« À ces exemples je veux que me livrez avant le départir[5] : premièrement ce beau Marquet, qui a été source et cause première de cette guerre par sa vaine outrecuidance, Secondement ses compagnons fouaciers, qui furent négligents de corriger[6] sa tête folle sur l'instant. Et finalement tous les conseillers, capitaines, officiers et domestiques de Picrochole : lesquels l'auraient incité, loué, ou conseillé de sortir ses limites pour ainsi nous inquiéter. »

---

1. Facilement.
2. À nouveau.
3. Si débonnaire que…
4. Traduction très littérale du *Pro Ligario* de Cicéron (§ 12). Sans modification des structures syntaxiques du latin.
5. Avant le départ.
6. Qui ont négligé de corriger.

Chapitre 51

Comment les victeurs [1] *Gargantuistes furent récompensés après la bataille*

Cette contion [2] faite par Gargantua, furent livrés les séditieux par lui requis : exceptez Spadassin, Merdaille et Menuail : lesquels étaient fuis [3] six heures devant la bataille. L'un jusqu'au col de Laignel [4], d'une traite, l'autre jusqu'au Val de Vire, l'autre jusqu'à Logroine [5] sans derrière soi regarder, ni prendre haleine par chemin, et deux fouaciers, lesquels périrent en la journée.

Autre mal ne leur fit Gargantua : sinon qu'il les ordonna pour [6] tirer les presses à son imprimerie : laquelle il avait nouvellement instituée.

Puis ceux qui là étaient morts il fit honorablement inhumer en la vallée des Noirettes, et au camp de Brûlevieille. Les navrés [7] il fit panser et traiter en son grand Nosocome [8]. Après avisa aux [9] dommages faits en la ville et habitants : et les fit rembourser de tous

---

1. Vainqueurs.
2. Voir n. 3 p. 228.
3. Avaient fui.
4. Col d'Agnello, à la frontière franco-italienne.
5. Logrono en Espagne.
6. Mis en place.
7. Blessés.
8. Hôpital.
9. Fit la tournée des.

leurs intérêts[1] à leur confession et serment[2]. Et y fit bâtir un fort château[3] : y commettant gens et guet pour à l'avenir mieux soi défendre contre les soudaines émeutes.

Au départir remercia gracieusement[4] tous les soudards[5] de ses légions : qui avaient été à cette défaite, et les renvoya hiverner en leurs stations[6] et garnisons. Excepté aucuns de la légion Décumane, lesquels il avait vus en la journée faire quelques prouesses : et les capitaines des bandes lesquels il amena avec soi devers Grandgousier.

À la vue et venue d'iceux le bonhomme fut tant joyeux, que possible ne serait le décrire. Adonc leur fit un festin le plus magnifique, le plus abondant et plus délicieux, qui fut vu depuis le temps du roi Assuère[7].

À l'issue de table il distribua à chacun d'iceux tout le parement[8] de son buffet qui était au poids de dix-huit cent mille quatorze besans d'or : en grands vases d'antique, grands pots, grands bassins, grands tasses, coupes, potets[9], candelabres, calathes, nacelles, violiers[10], drageoirs, et autre telle vaisselle toute d'or massif, outre la pierrerie, émail et ouvrage[11], qui par estime de tous[12] excédait en prix

1. De tous leurs dommages.
2. Sur simple déclaration et serment.
3. Un château fort.
4. Avec bonté.
5. Soldats.
6. Quartiers d'hiver.
7. Assuérus.
8. La décoration.
9. Petits pots.
10. Coupes et vases de diverses formes.
11. Décorations, ciselures.
12. Selon l'estimation de tous.

la matière d'iceux. Plus, leur fit compter de ses coffres à chacun douze cent mille écus comptant. Et d'abondant[1] à chacun d'iceux donna à perpétuité (excepté s'ils mouraient sans hoirs[2]) ses châteaux, et terres voisines selon que plus leur étaient commodes. À Ponocrates donna la Roche-Clermault, à Gymnaste le Coudray, à Eudémon, Montpensier. Le Riveau, à Tolmère, à Ithybole[3], Montsoreau, à Acamas Candes, Varennes, à Chironacte, Gravot, à Sébaste, Quinquenays, à Alexandre, Ligré à Sophrone, et ainsi de ses autres places.

Chapitre 52

Comment Gargantua
fit bâtir pour le moine
l'abbaye de Thélème

Restait seulement le moine à pourvoir. Lequel Gargantua voulait faire abbé de Seuillé : mais il refusa. Il lui voulut donner l'abbaye de Bourgueil, ou de Saint-Florent, laquelle mieux lui duirait[4], ou toutes deux, s'il les prenait à gré[5]. Mais le moine lui fit

---

1. En plus.
2. Héritiers.
3. En grec, « qui lance droit » ; ses compagnons : Acamas, « infatigable » ; Chironacte, « celui qui travaille de ses mains » ; Sophrone, le « sage ».
4. Lui irait.
5. Si elles lui plaisaient.

réponse péremptoire, que de moine il ne voulait charge ni gouvernement, «Car comment (disait-il) pourrais-je gouverner autrui, qui moi-même gouverner ne saurais? Si vous semble que je vous aie fait[1], et que puisse à l'avenir faire service agréable, octroyez-moi de fonder une abbaye à mon devis.»

La demande plut à Gargantua et offrit tout son pays de Thélème[2] jouxte[3] la rivière de Loire, à deux lieues de la grande forêt du Port-Huault. Et requit à Gargantua qu'il instituât sa religion[4] au contraire de toutes autres.

«Premièrement donc (dit Gargantua) il n'y faudra jà[5] bâtir murailles au circuit[6]: car toutes autres abbayes sont fièrement[7] murées.

— Voire, dit le moine. Et non sans cause où mur y a et devant et derrière, y a force murmure, envie, et conspiration mutue[8].» Davantage vu qu'en certains convents de ce monde est en usance: que si femme aucune y entre (j'entends des prudes et pudiques) on nettoie la place par laquelle elles ont passé, fut ordonné que si religieux ou religieuse y entrait par

---

1. Sous-entendu par la construction: [service agréable].
2. En grec, *théléma* est surtout usité dans le texte grec des Évangiles pour désigner la volonté de Dieu; cette volonté, davantage liée au désir profond de l'être qu'issue d'une délibération rationnelle, est aussi celle qui unit les Thélémites dans une même vie communautaire, où ils partagent cette «volonté» qui est sagesse divine. Voir Per Nykrog, «Thélème, Panurge et la dive bouteille», R.H.L.F., 1965.
3. Contre.
4. Ici, au sens de maison religieuse, monastère.
5. Jamais.
6. Autour.
7. D'une manière sauvage.
8. Réciproque.

cas fortuit[1], on nettoierait curieusement[2] tous les lieux par lesquels auraient passé.

Et parce qu'aux religions[3] de ce monde tout est compassé, limité, et réglé par heures, fut décrété que là ne serait horloge ni cadran aucun.

Mais selon les occasions et opportunités seraient toutes les œuvres dispensées[4].

« Car (disait Gargantua) la plus vraie perte du temps qu'il sût, était de compter les heures. Quel bien en vient-il ? Et la plus grande rêverie[5] du monde était soi gouverner au son d'une cloche, et non au dicté[6] de bon sens et entendement. »

Item par ce qu'en icelui temps on ne mettait en religion des femmes, sinon celles qui étaient borgnes, boiteuses, bossues, laides, défaites, folles, insensées, maléficiées[7], et tarées : ni les hommes sinon catarrhés[8], mal nés, niais et empêches[9] de maison.

« À propos (dit le moine) une femme qui n'est ni belle ni bonne, à quoi vaut toile ?

— À mettre en religion, dit Gargantua.

— Voire, dit le moine, et à faire des chemises ? »
Fut ordonné que là ne seraient reçues sinon les belles,

---

1. Par hasard.
2. Soigneusement.
3. Voir ci-dessus n. 4 p. 237.
4. Tout serait fait selon…
5. Aberration.
6. Selon ce que dictent…
7. Victimes de maléfices.
8. Catarrheux.
9. Boulets du foyer.

bien formées, et bien naturées[1] : et les beaux, bien formés, et bien naturés.

Item parce qu'aux couvents des femmes n'entraient les hommes sinon à l'emblée[2] et clandestinement : fut décrété que jà[3] ne seraient là les femmes au cas que n'y fussent les hommes, ni les hommes en cas que n'y fussent les femmes.

Item parce que tant hommes que tant femmes une fois reçus en religion, après l'an de probation[4] étaient forcés et astreints y demeurer perpétuellement leur vie durant, fut établi que tant hommes que femmes là reçus, sortiraient quand bon leur semblerait franchement[5] et entièrement.

Item parce qu'ordinairement les religieux faisaient trois vœux : savoir est de chasteté, pauvreté, et obédience : fut constitué, que là honorablement on pût être marié, que chacun fût riche, et vécût en liberté.

Au regard de l'âge légitime, les femmes y étaient reçues depuis dix jusqu'à quinze ans : les hommes depuis douze jusqu'à dix et huit.

1. D'une nature heureuse.
2. À la dérobée.
3. Jamais.
4. D'essai, de noviciat.
5. Librement.

Chapitre 53

Comment fut bâtie et dotée l'abbaye des Thélémites

Pour le bâtiment et assortiment de l'abbaye Gargantua fit livrer de comptant vingt et sept cent mille huit cent trente et un moutons à la grand laine[1], et par chacun an jusqu'à ce que le tout fût parfait assigna sur la recette de la Dive[2] seize cent soixante et neuf mille écus au soleil et autant à l'étoile poussinière[3].

Pour la fondation et entretien d'icelle donna à perpétuité vingt trois cent soixante neuf mille cinq cent quatorze nobles à la rose[4] de rente foncière indemnisés[5], amortis, et solvables par chacun an à la porte de l'abbaye. Et de ce leur passa belles lettres[6].

Le bâtiment fut en figure hexagone[7] en telle façon qu'à chacun angle était bâtie une grosse tour ronde : à la capacité de soixante pas en diamètre. Et étaient toutes pareilles en grosseur et portrait[8].

La rivière de Loire découlait sur l'aspect de

---

1. Voir n. 8 p. 55.
2. Recette de la navigation sur cette petite rivière proche de la Devinière.
3. Constellation de la Pléiade, contrebalançant le soleil des précédents écus.
4. Monnaie anglaise.
5. Exempts de taxe.
6. De rente.
7. Hexagonale.
8. Forme.

Septentrion. Au pied d'icelle était une des tours assise, nommée Artice. Et tirant vers l'Orient était une autre nommée Calaer. L'autre ensuivant Anatole. L'autre après Mésembrine, l'autre après Hesperie. La dernière, Cryère[1].

Entre chacune tour était espace de trois cent douze pas. Le tout bâti à six étages, comprenant les caves sous terre pour un. Le second était voûté à la forme d'une anse de panier. Le reste était embranché de gui[2] de Flandres à forme de culs-de-lampe, le dessus couvert d'ardoise fine : avec l'endossure de plomb à figures de petits mannequins et animaux bien assortis et dorés avec les gouttières qui issaient hors[3] la muraille entre les croisées, peintes en figure diagonale d'or et azur, jusqu'en terre, où finissaient en grands échenaux[4] qui tous conduisaient en la rivière par dessous le logis.

Ledit bâtiment était cent fois plus magnifique que n'est Bonivet, ni Chambord, ni Chantilly. Car en icelui étaient neuf mille trois cent trente et deux chambres : chacune garnie d'arrière-chambre, cabinet, garde-robe, chapelle, et issue en une grande salle. Entre chacune tour au milieu dudit corps de logis était une vis[5] brisée dedans icelui même corps.

De laquelle les marches étaient part[6] de porphyre,

---

1. Les noms des tours signifient : Arctique, Bel-Air, Orientale, Méridionale, Occidentale, Glacée.
2. Recouvert de gypse.
3. Ressortaient de.
4. Chenaux.
5. Escalier à rampe.
6. Pour partie.

part de pierre Numidique [1], part de marbre serpentin :
longues de XXII. pieds : l'épaisseur était de trois doigts,
l'assiette [2] par nombre de douze entre chacun repos [3].
En chacun repos étaient deux beaux arceaux d'antique [4], par lesquels était reçue la clarté : et par iceux
on entrait en un cabinet fait à claire-voie de largeur de
ladite vis : et montait jusqu'au dessus la couverture, et
là finait en pavillon. Par icelle vis on entrait de chacun
côté en une grande salle, et des salles aux chambres.

Depuis la tour Artice jusqu'à Cryère étaient les
belles grandes librairies en grec, latin, hébreu, français, toscan, et espagnol : disparties [5] par les divers
étages selon iceux langages.

Au milieu était une merveilleuse vis, de laquelle
l'entrée était par le dehors du logis en un arceau large
de six toises. Icelle était faite en telle symétrie et
capacité, que six hommes d'armes la lance sur la
cuisse pouvaient de front ensemble monter jusqu'au-dessus de tout le bâtiment.

Depuis la tour Anatole jusqu'à Mésembrine étaient
belles grandes galeries toutes peintes des antiques
prouesses, histoires et descriptions de la terre. Au
milieu étaient une pareille montée et porte comme
avons dit du côté de la rivière.

Sur icelle porte était écrit en grosses lettres
antiques ce qui s'ensuit.

---

1. De Numidie.
2. L'agencement.
3. Palier.
4. Arcades à l'antique.
5. Réparties.

Chapitre 54

Inscription mise sur la grande porte de Thélème

Ci n'entrez pas Hypocrites, bigots,
Vieux matagots, marmiteux boursouflés,
Torcous, badauds plus que n'étaient les Goths,
Ni Ostrogoths, précurseurs des magots,
Hères, cagots, cafards empantouflés,
Gueux mitouflés [1], frappars [2] escorniflés,
Befflés [3], enflés, fagoteurs de tabus [4]
Tirez [5] ailleurs pour vendre vos abus.

Vos abus méchants
Rempliraient mes champs
De méchanceté.
Et par fausseté
Troubleraient mes chants
Vos abus méchants.

Ci n'entrez pas mâchefoins praticiens,
Clercs, basochiens [6] mangeurs du populaire.

---

1. Emmitouflés.
2. Ordres mendiants stigmatisés ici pour leur affectation hypocrite de pauvreté.
3. Bafoués.
4. Pus.
5. Allez.
6. Membres de la Basoche, confrérie de clercs du Parlement de Paris.

Officiels, scribes, et pharisiens [1],
Juges, anciens, qui les bons paroissiens
Ainsi que chiens mettez au capulaire [2].
Votre salaire est au patibulaire [3].
Allez-y braire : ici n'est fait excès,
Dont en vos cours on dût mouvoir procès.

Procès et débats
Peu font ci d'ébats
Où l'on vient s'ébattre.
À vous pour débattre
Soient en pleins cabats [4]
Procès et débats.

Ci n'entrez pas vous usuriers chichars [5],
Briffaux, léchars [6], qui toujours amassez,
Grippeminaux, avaleurs de frimars [7],
Courbés, camars [8], qui en vos coquemars [9]
De mille marcs jà n'auriez assez.
Point éguassés [10] n'êtes quand cabassez

---

1. Les pharisiens, Juifs particulièrement scrupuleux dans le respect de la Loi, sont opposés par les Évangiles avec les scribes au Christ, comme la figure des idolâtres du texte de la Loi face à celui qui en vénère plutôt l'esprit. Par extension, ils finissent par désigner les faux dévots.
2. Dans la tombe.
3. Gibet.
4. Paniers, mais à rapprocher aussi de *cabas*, le sexe féminin.
5. Avares.
6. Deux synonymes pour «gloutons».
7. Frimas. Voir n. 5 p. 101.
8. Camus.
9. Voir n. 2 p. 31.
10. Écœurés.

Et entassez, poltrons à chiche face.
La male morte[1] en ce pas[2] vous défasse.

Face non humaine
De tels gens qu'on mène
Raire[3] ailleurs : céans
Ne serait séant.
Videz[4] ce domaine
Face non humaine.

Ci n'entrez pas vous rassotés[5] mâtins[6],
Soirs ni matins, vieux chagrins et jaloux,
Ni vous aussi séditieux mutins,
Larves, lutins, de danger palatins[7],
Grecs ou Latins plus à craindre que Loups,
Ni vous galous[8] vérolés jusqu'à l'os :
Portez vos loups ailleurs paître en bonheur,
Croûtelevez[9] remplis de déshonneur.

Honneur, los, déduit[10]
Céans est déduit[11]
Par joyeux accords.
Tous sont sains au corps.

---

1. Mort violente.
2. Sur-le-champ.
3. Raser.
4. Quittez.
5. Voir n. 4 p. 283.
6. Chiens de garde.
7. Officiers du palais du roi danger.
8. Galeux.
9. Encroûtés.
10. Honneur, louange, plaisir.
11. Produit.

Par ce bien leur duit [1]
Honneur, los, déduit.

Ci entrez-vous, et bien soyez venus
Et parvenus tous nobles chevaliers.
Ci est le lieu où sont les revenus
Bien advenus : afin qu'entretenus
Grands et menus, tous soyez à milliers.
Mes familiers serez et péculiers [2],
Frisques [3] galliers [4], joyeux, plaisants mignons,
En général tous gentils compagnons.

Compagnons gentils,
Sereins et subtils
Hors de vileté,
De civilité
Ci sont les outils [5],
Compagnons gentils.

Ci entrez-vous qui le saint évangile
En sens agile [6] annoncez, quoiqu'on gronde,
Céans aurez un refuge et bastille
Contre l'hostile erreur, qui tant postille [7]
Par son faux style empoisonner le monde.
Entrez, qu'on fonde ici la foi profonde

---

1. Enseigne.
2. À moi, de ma maison.
3. Voir n. 8 p. 138.
4. Gaillards.
5. Ici sont les outils de civilité, ses instruments.
6. Avec un esprit agile, sagace, rapide.
7. Souhaite.

Puis qu'on confonde et par voix, et par rôle [1]
Les ennemis de la sainte parole.

La parole sainte,
Jà [2] ne soit éteinte
En ce lieu très saint.
Chacun en soit ceint,
Chacune ait enceinte
La parole sainte.

Ci entrez vous dames de haut parage
En franc courage. Entrez y en bonheur.
Fleurs de beauté, à céleste visage,
À droit corsage [3], à maintien prude et sage :
En ce passage est le séjour d'honneur.
Le haut seigneur, qui du lieu fut donneur
Et guerdonneur [4], pour vous l'a ordonné,
Et pour frayer [5] à tout prou or [6] donné.

Or donné par don
Ordonne pardon
À cil qui le donne.
Et très bien guerdonne [7]
Tout mortel prud'homme [8]
Or donné par don.

---

1. Par écrit, par consignation sur une liste.
2. Jamais.
3. Buste.
4. Bienfaiteur, celui qui récompense.
5. Pourvoir.
6. Beaucoup d'or.
7. Récompense.
8. Probe.

Chapitre 55

*Comment était
le manoir des Thélémites*

Au milieu de la basse-cour était une fontaine magnifique de bel albâtre.

Au-dessus les trois Grâces avec cornes d'abondance. Et jetaient l'eau par les mamelles, bouche, oreilles, yeux, et autres ouvertures du corps.

Le dedans du logis sur ladite basse-cour était sur gros piliers de Calcédoine et Porphyre, à beaux arcs d'antique [1]. Au dedans desquels étaient belles galeries longues et amples, ornées de peintures, et cornes de cerf, licornes, rhinocéros, hippopotames, dents d'éléphant, et autres choses spectables [2].

Le logis des dames comprenait depuis la tour Artice, jusqu'à la porte Mésembrine. Les hommes occupaient le reste.

Devant ledit logis des dames, afin qu'elles eussent l'ébattement [3], entre les deux premières tours : au dehors étaient les lices [4], l'hippodrome, le théâtre, et natatoires [5], avec les bains mirifiques à triple solier [6], bien garnis de tous assortiments et foison d'eau de

---

1. Voir n. 4 p. 242.
2. Admirables.
3. La distraction.
4. Enclos où avaient lieu les tournois.
5. Piscines.
6. Niveau.

Myre, jouxte[1] la rivière était le beau jardin de plaisance. Au milieu d'icelui le beau labyrinthe.

Entre les deux autres tours étaient les jeux de paume et de grosse balle.

Du côté de la tour Cryère était le verger plein de tous arbres fruitiers, tous ordonnés en ordre quinconce. Au bout était le grand parc, foisonnant en toute sauvagine[2].

Entre les tierces tours étaient les butes pour l'arquebuse, l'arc, et l'arbalète. Les offices hors la tour Hesperie à simple étage. L'écurie au-delà des offices.

La fauconnerie au devant d'icelles, gouvernée par autoursiers[3] bien experts en l'art.

Et était annuellement fournie par les Candiens[4], Vénitiens, et Sarmates de toutes sortes d'oiseaux paragons.

aigles,	gerfaux,	autours,
sacres[5],	laniers,	faucons,
éperviers,	émerillons[6],	

Et autres : tant bien faits et domestiqués que partant du château pour s'ébattre aux champs prenaient tout ce que rencontraient.

La vénerie[7] était un peu plus loin tirant vers le parc.

Toutes les salles, chambres, et cabinets étaient

---

1. Voir n. 3 p. 98.
2. En toute espèce sauvage.
3. Experts en oiseaux de chasse.
4. Crétois.
5. Faucons spécialisés dans la chasse aux proies de gros gabarit.
6. Rapace diurne utilisé pour chasser.
7. Lieu de stockage de tout le matériel de chasse.

tapissés en diverses sortes selon les saisons de l'année.

Tout le pavé était couvert de drap vert. Les lits étaient de broderie.

En chacune arrière chambre était un miroir de cristallin enchâssé en or fin, au tour garni de perles, et était de telle grandeur, qu'il pouvait véritablement représenter toute la personne.

À l'issue des salles du logis des dames étaient les parfumeurs et têtonneurs[1], par les mains desquels passaient les hommes quand ils visitaient les dames. Iceux fournissaient par chacun matin les chambres des dames, d'eau rose, d'eau de naphe[2], et d'eau d'ange[3], et à chacune la précieuse cassolette vaporante[4] de toutes drogues aromatiques.

Chapitre 56

Comment étaient vêtus les religieux et religieuses de Thélème

Les dames au commencement de la fondation s'habillaient à leur plaisir et arbitre[5]. Depuis furent réformées par leur franc vouloir en la façon qui s'ensuit.

---

1. Coiffeurs.
2. Eau de fleur d'oranger.
3. Eau de myrte.
4. Diffuseur de parfum et d'autres huiles essentielles.
5. Volonté.

Elles portaient chausses[1] d'écarlate, ou de migraine[2], et passaient lesdites chausses le genou au-dessus par trois doigts, justement. Et cette lisière était de quelques belles broderies et découpures.

Les jarretières étaient de la couleur de leurs bracelets, et comprenaient le genou au dessus et dessous.

Les souliers, escarpins, et pantoufles de velours cramoisi rouge, ou violet, déchiquetées[3] à barbe d'écrevisse.

Au dessus de la chemise vêtaient la belle basquine[4] de quelque beau camelot[5] de soie.

Sur icelle vêtaient la Verdugale[6] de taffetas blanc, rouge, tanné, gris etc.

Au dessus, la cotte de taffetas d'argent fait à broderies de fin or et à l'aiguille entortillé, ou selon que bon leur semblait et correspondant à la disposition de l'air, de satin, damas, velours orangé, tanné, vert, cendré, bleu, jaune clair, rouge, cramoisi, blanc, drap d'or, toile d'argent, de cannetille, de brodure selon les fêtes.

Les robes selon la saison, de toile d'or à frisure d'argent, de satin rouge couvert de cannetille d'or, de taffetas blanc, bleu, noir, tanné, serge de soie,

---

1. Des bas.
2. Autre teinture rouge.
3. Découpées.
4. Un corset.
5. Étoffe précieuse en poils de chameau ou de chèvre mélangés à de la soie.
6. Vertugadin : robe pourvue d'un bourrelet destiné à la faire bouffer autour des hanches.

camelot de soie, velours, drap d'argent, toile d'argent, or trait, velours ou satin profilé d'or en diverses portraitures.

En été quelques jours en lieu de robes portaient belles marlottes des parures[1] susdites, ou quelques bernes[2] à la mauresque de velours violet à frisure d'or sur cannetille d'argent, ou à cordelières d'or garnies aux rencontres de petites perles indiques[3]. Et toujours le beau panache selon les couleurs des manchons et bien garni de papillettes[4] d'or.

En hiver robes de taffetas des couleurs comme dessus : fourrées de loups cerviers, genettes noires, martres de Calabre, zibelines, et autres fourrures précieuses.

Les patenôtres[5], anneaux, jaserans[6], carcans[7], étaient de fines pierreries, escarboucles[8], rubis, balays, diamants, saphirs, émeraudes, turquoises, grenats, agates, beryls, perles et unions d'excellence[9].

L'accoutrement de la tête était selon le temps. En hiver à la mode française. Au printemps à l'espagnole. En été à la tusque[10]. Excepté les fêtes et dimanches, auxquels portaient accoutrement français, parce qu'il

1. Belles chasubles confectionnées avec les parures.
2. Autre type de pardessus, ouvert et sans manches.
3. Des Indes.
4. Pampilles : franges de passementerie ornées de pendeloques.
5. Chapelets.
6. Chaînes.
7. Colliers.
8. Variété de grenat.
9. Perles de calibre exceptionnel.
10. À la mode de Toscane.

est plus honorable, et mieux sent la pudicité matronale [1].

Les hommes étaient habillés à leur mode, chausses pour le bas d'estamet [2] ou serge drapée d'écarlate, de migraine, blanc ou noir.

Les hauts [3] de velours d'icelles couleurs ou bien près approchantes : brodées et déchiquetées selon leur invention.

Le pourpoint de drap d'or, d'argent, de velours, satin, damas, taffetas, de mêmes couleurs, déchiqueté, brodé, et accoutré en parangon [4].

Les aiguillettes de soie de mêmes couleurs, les fers [5] d'or bien émaillés.

Les saies et chamarres [6] de drap d'or, toile d'or, drap d'argent, velours profilé à plaisir. Les robes autant précieuses comme des dames.

Les ceintures de soie de couleurs du pourpoint, chacun la belle épée au côté, la poignée dorée, le fourreau de velours de la couleur des chausses, le bout d'or, et d'orfèvrerie.

Le poignard de même.

Le bonnet de velours noir, garni de force bagues et boutons d'or.

La plume blanche par dessus mignonnement, partie

---

1. La pudeur propre aux mères de famille.
2. Lainage léger.
3. Hauts-de-chausse.
4. Décoré de la plus belle manière.
5. Ferrets ornant les aiguillettes, lesquelles reliaient le haut-de-chausse au pourpoint.
6. Simarres, robes portées par-dessus les autres vêtements, comme les saies (manteaux).

à paillettes d'or : au bout desquelles pendaient en papillettes[1], beaux rubis, émeraudes etc.

Mais telle sympathie[2] était entre les hommes et les femmes, que par chacun jour ils étaient vêtus de semblable parure. Et pour à ce ne faillir[3] étaient certains gentilshommes ordonnés pour dire aux hommes par chacun matin, quelle livrée les dames voulaient en icelle journée porter. Car le tout était fait selon l'arbitre[4] des dames. En ces vêtements tant propres et accoutrements tant riches, ne pensez qu'eux ni elles perdissent temps aucun, car les maîtres des garderobes avaient toute la vêture[5] tant prête par chacun matin : et les dames de chambre tant bien étaient apprises[6], qu'en un moment elles étaient prêtes et habillées de pied en cap.

Et pour iceux accoutrements avoir en meilleure opportunité[7].

Au tour du bois de Thélème était un grand corps de maison long de demi-lieue, bien clair et assorti, en laquelle demeuraient les orfèvres, lapidaires, brodeurs, tailleurs, tireurs d'or, veloutiers[8], tapissiers, et hauts lissiers[9], et là œuvraient chacun de son métier, et le tout pour les susdits religieux et religieuses. Iceux étaient fournis de matière et étoffe par les

1. Ici, pendeloques.
2. Loi naturelle d'attraction, apparaint ici les comportements.
3. Et pour ne pas manquer à cette règle.
4. La volonté.
5. Tous les habits.
6. Étaient si expertes.
7. Plus commodément, dans de meilleures conditions.
8. Voir n. 2 p. 127.
9. Tapissiers.

mains du seigneur Nausiclète[1], lequel par chacun an leur rendait sept navires des Îles de Perlas et Cannibales, chargés de lingots d'or, de soie crue, de perles et pierreries. Si quelques unions[2] tendaient à vétusté, et changeaient de naïve[3] blancheur : icelles par leur art renouvelaient en les donnant à manger à quelques beaux coqs, comme on baille cure[4] aux faucons.

Chapitre 57

Comment étaient réglés les Thélémites à leur manière de vivre

Toute leur vie était employée non par lois, statuts ou règles, mais selon leur vouloir et franc arbitre. Se levaient du lit quand bon leur semblait : buvaient, mangeaient, travaillaient, dormaient quand le désir leur venait. Nul ne les éveillait, nul ne les parforçait[5] ni à boire, ni à manger, ni à faire chose autre quelconque. Ainsi l'avait établi Gargantua. En leur règle n'était que cette clause. Fais ce que voudras.

Parce que gens libres, bien nés, bien instruits,

---

1. Réputé pour ses vaisseaux, en grec.
2. Grosse perle.
3. Originelle.
4. Voir n. 4 p. 196.
5. Contraignait.

conversant en compagnies honnêtes ont par nature
un instinct, et aiguillon, qui toujours les pousse à faits
vertueux, et retire [1] de vice, lequel ils nommaient honneur. Iceux quand par vile sujétion et contrainte sont
déprimés [2] et asservis, détournent la noble affection [3]
par laquelle à vertu franchement tendaient, à [4] dépo-
ser et enfreindre ce joug de servitude. Car nous
entreprenons toujours choses défendues et convoi-
tons ce qui nous est dénié.

Par cette liberté entrèrent en louable émulation de
faire tous ce qu'à un seul voyaient plaire.

Si quelqu'un ou quelqu'une disait « buvons », tous
buvaient. Si disait « jouons », tous jouaient. Si disait
« allons à l'ébat [5] aux champs », tous y allaient. Si
c'était pour voler ou chasser, les dames montées sur
belles haquenées [6] avec leur palefroi gourrier [7], sur le
poing mignonnement engantelé [8] portaient chacune,
ou un épervier, ou un laneret [9], ou un émerillon : les
hommes portaient les autres oiseaux.

Tant noblement étaient appris [10], qu'il n'était entre
eux celui, ni celle qui ne sût lire, écrire, chanter, jouer
d'instruments harmonieux, parler de cinq et six

1. Et [les] retire.
2. Accablés.
3. Inclination.
4. Pour.
5. Allons nous ébattre.
6. Juments.
7. Avec leur cheval de promenade fièrement harnaché.
8. Ganté.
9. Faucon lanier.
10. Instruits.

langages, et en iceux composer tant en carme que en oraison solue[1].

Jamais ne furent vus chevaliers tant preux, tant galants, tant dextres[2] à pied, et à cheval, plus verts[3], mieux remuants[4], mieux maniant tous bâtons que[5] là étaient.

Jamais ne furent vues dames tant propres[6], tant mignonnes, moins fâcheuses, plus doctes à la main, à l'aiguille, à tout acte mulièbres[7] honnête et libre, que là étaient.

Par cette raison quand le temps venu était qu'aucun[8] d'icelle abbaye, ou à la requête de ses parents, ou pour autres causes voulût issir[9] hors, avec soi il emmenait une des dames, celle laquelle l'aurait pris pour son dévot[10], et étaient ensemble mariés. Et si bien avaient vécu à Thélème en dévotion et amitié : encore mieux la continuaient-ils en mariage, d'autant s'entraimaient-ils à la fin de leurs jours, comme le premier de leurs noces.

Je ne veux oublier vous décrire une énigme qui fut trouvée aux fondements de l'abbaye, en une grande lame[11] de bronze. Telle était comme s'ensuit.

---

1. Tant en vers qu'en prose.
2. Adroits.
3. Robustes.
4. Plus agiles.
5. Aussi preux… que.
6. Soignées.
7. Féminin.
8. Que quelqu'un.
9. Sortir.
10. Amoureux.
11. Plaque.

Chapitre 58

Énigme en prophétie [1]

Pauvres humains qui bonheur attendez
Levez vos cœurs, et mes dits entendez.
S'il est permis de croire fermement
Que par les corps qui sont au firmament,
Humain esprit de soi puisse advenir [2]
À prononcer les choses à venir :
Ou si l'on peut par divine puissance
Du sort futur avoir la connaissance,
Tant que l'on juge en assuré discours
Des ans lointains la destinée et cours,
Je fais savoir à qui le veut entendre,
Que cet hiver prochain sans plus attendre
Voire plus tôt en ce lieu où nous sommes
Il sortira une manière d'hommes
Las du repos, et fâchés du séjour [3],
Qui franchement iront, et de plein jour,
Suborner gens de toutes qualités
À différend et partialités [4].

---

1. Le poème qui suit, à l'exception des deux premiers vers et
des dix derniers qui sont de Rabelais, est emprunté à Mellin de
Saint-Gelais. Ce texte en forme d'énigme, qui peut se lire chez
Rabelais dans une perspective religieuse et eschatologique, propose aussi allusivement la description d'une partie de jeu de
paume.
2. Arriver à.
3. Dégoûtés de l'oisiveté.
4. Pousser les gens à s'affronter dans des différends et des
désaccords.

Et qui voudra les croire et écouter :
(Quoi qu'il en doive advenir et coûter)
Ils feront mettre en débats apparents [1]
Amis entre eux et les proches parents.
Le fils hardi ne craindra l'impropère [2]
De se bander [3] contre son propre père,
Même les grands de noble lieu saillis [4]
De leurs sujets se verront assaillis.
Et le devoir d'honneur et révérence
Perdra pour lors tout ordre [5] et différence,
Car ils diront que chacun à son tour
Doit aller haut, et puis faire retour [6].
Et sur ce point aura [7] tant de mêlées,
Tant de discords, venues, et allées,
Que nulle histoire, où sont les grandes merveilles
À fait récit d'émotions [8] pareilles,
Lors se verra maint homme de valeur
Par l'aiguillon de jeunesse et chaleur
Et croire [9] trop ce fervent appétit
Mourir en fleur, et vivre bien petit [10].
Et ne pourra nul laisser cet ouvrage,
Si une fois il y met le courage :
Qu'il n'ait empli par noises et débats [11]

---

1. En affrontement manifeste.
2. Le reproche.
3. Se dresser.
4. Issus.
5. Valeur.
6. Et puis retomber.
7. Il y aura.
8. Troubles.
9. Et pour trop croire…
10. Bien peu de temps.
11. Querelles et affrontements.

Le ciel de bruit, et la terre de pas.
Alors auront non moindre autorité
Hommes sans foi, que gens de vérité :
Car tous suivront la créance et étude[1]
De l'ignorante et sotte multitude.
Dont le plus lourd[2] sera reçu pour juge.
Ô dommageable et pénible déluge,
Déluge (dis-je) et à bonne raison,
Car ce travail[3] ne perdra sa saison
Ni n'en sera délivrée la terre :
Jusqu'à tant qu'il en sorte à grand erre[4]
Soudaines eaux, dont les plus attrempés[5]
En combattant seront pris et trempés,
Et à bon droit : car leur cœur adonné
À ce combat, n'aura point pardonné
Même aux troupeaux des innocentes bêtes
Que de leurs nerfs, et boyaux deshonnêtes[6]
Il ne soit fait, non aux dieux sacrifice
Mais aux mortels ordinaire service.
Or maintenant je vous laisse penser
Comment le tout se pourra dispenser.
Et quel repos en noise si profonde
Aura le corps de la machine ronde[7].
Les plus heureux qui plus d'elle tiendront

---

1. Le goût.
2. Le moins fin, le plus lourdaud.
3. Cette épreuve.
4. À grande allure.
5. Tempérés, mesurés.
6. Vils.
7. Cette périphrase s'applique à la terre comme à la balle du jeu.

Moins de la perdre et gâter s'abstiendront,
Et tâcheront en plus[1] d'une manière
À l'asservir et rendre prisonnière,
En tel endroit que la pauvre défaite
N'aura recours qu'à celui qui l'a faite
Et pour le pis de son triste accident
Le clair Soleil, ains qu'[2]être en occident
Lairra épandre[3] obscurité sur elle
Plus que d'éclipse, ou de nuit naturelle.
Dont en un coup perdra sa liberté,
Et du haut ciel la faveur et clarté.
Ou pour le moins demeurera déserte,
Mais elle avant cette ruine et perte
Aura longtemps montré sensiblement
Un violent et si grand tremblement,
Que lors Etna ne fût tant agité,
Quand sur un fils de Titan[4] fut jeté,
Et plus soudain ne doit être estimé
Le mouvement que fit Inarimé[5]
Quand Tiphœus si fort se dépita,
Que dans la mer les monts précipita.
Ainsi sera en peu d'heures rangée
À triste état, et si souvent changée,
Que même ceux qui tenue l'auront
Aux survenants[6] occuper la lairront,
Lors sera près le temps bon et propice

---

1. De plus.
2. Avant que.
3. Laissera se répandre.
4. Typhée fut ainsi puni par Jupiter.
5. Montagne où Typhée était retenu prisonnier.
6. Aux suivants.

De mettre fin à ce long exercice :
Car les grandes eaux dont oyez[1] deviser
Feront chacun la retraite aviser[2].
Et toutefois devant le partement[3]
On pourra voir en l'air apertement[4]
L'âpre chaleur d'une grand flamme éprise,
Pour mettre à fin[5] les eaux et l'entreprise[6].
Reste en[7] après ces accidents parfaits[8]
Que les élus joyeusement refaits[9]
Soient de tous biens, et de manne céleste
Et d'abondant[10] par récompense honnête
Enrichis soient. Les autres en la fin
Soient dénués. C'est la raison, afin
Que ce travail en tel point terminé
Un chacun ait son sort prédestiné.
Tel fut l'accord. Ô qu'est à révérer,
Cil[11] qui enfin pourra persévérer.

La lecture de cetui monument parachevée, Gargantua soupira profondément, et dit aux assistants.

« Ce n'est de maintenant[12] que les gens réduits à la

---

1. Vous entendez.
2. Envisager.
3. Avant le départ.
4. Ouvertement.
5. Mettre un terme à.
6. L'affrontement.
7. Au reste.
8. Une fois ces événements achevés.
9. Remis sur pied.
10. En outre.
11. Celui.
12. Cela ne date pas d'aujourd'hui.

créance [1] évangélique sont persécutés. Mais bien heureux est celui qui ne sera scandalisé et qui toujours tendra au but, au blanc [2], que Dieu par son cher fils nous a préfix [3], sans par ses affections [4] charnelles être distrait ni diverti. »

Le moine dit. « Que pensez-vous en votre entendement être par cette énigme désigné et signifié.

— Quoi, dit Gargantua, le décours [5] et maintien de vérité divine.

— Par saint Goderan (dit le moine). Telle n'est mon exposition [6]. Le style est de Merlin le prophète [7], donnez-y allégories et intelligences [8] tant graves que voudrez. Et y ravassez-vous et tout le monde ainsi que voudrez, de ma part je n'y pense autre sens enclos qu'une description du jeu de paume sous obscures paroles. Les suborneurs de gens sont les faiseurs de parties, qui sont ordinairement amis. Et après les deux chasses faites [9], sort hors le jeu celui qui y était et l'autre y entre. On croit le premier qui dit si l'esteuf [10] est sur ou sous la corde. Les eaux sont les sueurs. Les cordes des raquettes sont faites de boyaux de mouton ou de chèvre. La machine ronde est la pelote ou l'esteuf. Après le jeu on se rafraîchit

---

1. Conduits à la croyance.
2. Droit vers sa cible.
3. Fixé à l'avance.
4. Passions.
5. Cours.
6. Explication.
7. Merlin l'enchanteur.
8. Sens. On revient ici au paradoxe du prologue.
9. Après les deux premiers services.
10. La balle.

devant un clair feu et change l'on de chemise. Et
volontiers banquette l'on, mais plus joyeusement
ceux qui ont gagné. Et grand chère. »

FIN

Table des chapitres

De l'illustration

au texte

Valérie Lagier

De l'illustration au texte

L'Enfance de Gargantua
de Gustave Doré

… À verbe loquace, trait exubérant !…

Plus de trois siècles séparent la publication originale du *Gargantua* de François Rabelais (1534 ou 1535) et l'édition des *Œuvres de François Rabelais* (Paris, 1854), illustrée par Gustave Doré (1832-1883). Malgré cette distance temporelle entre les deux ouvrages, il semble bien que les illustrations de Doré n'aient eu aucune difficulté à s'imprimer dans l'imaginaire collectif et à gommer toute autre interprétation visuelle du personnage inventé par Rabelais. Pourtant, dès la première édition de l'ouvrage, des bois gravés, un peu maladroits et naïfs, accompagnent le texte de *Gargantua*. Ces images, proches dans leur langage synthétique des vignettes des almanachs comiques et des livres populaires dans lesquels Rabelais a puisé son inspiration pour l'invention de son personnage, n'ont pas eu le succès du texte, puisque nul aujourd'hui n'en a gardé mémoire. Aussi, gouailleur, bon vivant, philosophe du bien vivre et du bien manger, le Gargantua de Rabelais a trouvé, par-delà les siècles, son jumeau, son double imaginaire dans le Gargantua de Doré. La verve comique qui transpire du verbe rabelaisien,

avec sa débauche de mots imagés, odorants et
sonores, trouve sans encombre à s'exprimer dans la
générosité grouillante et pittoresque du trait de Doré.
Son Gargantua, replet et débonnaire, évolue, comme
le héros de Rabelais, dans un univers fantastique et
grotesque, où les foules sont une agglutination de
petits personnages et les décors, une transcription
imaginaire d'un Moyen Âge de légende. Et la
densité d'informations du texte, qui multiplie les
paraboles et les métaphores pour parvenir à une
expression nourrie et pleine de saveur, se trouve à
l'aise dans la saturation visuelle des illustrations de
Doré, où l'œil se perd dans la complexité de la mise
en scène et la richesse des détails. À verbe loquace,
trait exubérant ! Et Gustave Doré, dont la mise en
image des textes de Rabelais en 1854 signe le point
de départ d'une prolifique carrière d'illustrateur de
livres, s'abreuvera jusqu'à sa mort à cette source
féconde. En effet, si la dernière édition de son
ouvrage de Rabelais paraît en 1873, Gustave Doré
consacre encore aux géants Gargantua et Pantagruel
plusieurs aquarelles, non destinées à la publication.
L'une d'entre elles est même sélectionnée par l'artiste pour le représenter lors de sa première exposition à la Société des artistes français en 1877, signe
que son talent trouve à s'épancher avec délices dans
les aventures égrillardes et rocambolesques des héros
rabelaisiens.

… *en extraire « la substantifique moelle »*…

Si illustrer un texte, c'est emprunter pas à pas les
sillons tracés par l'imaginaire de l'écrivain, si c'est

transcrire en contours appuyés l'univers ébauché par un autre esprit tout en lui insufflant sa propre énergie vitale, alors Gustave Doré est bien le génie de l'illustration. Un peu servile, dépendante, cette forme de création exige tout d'abord de son auteur une capacité à entrer en familiarité profonde avec les mots du texte, et à laisser venir à lui les visions qui s'élaborent au fur et à mesure de sa lecture. Mais elle demande surtout à celui qui s'y essaye une faculté de recul, une facilité à s'affranchir des multiples détails qui concourent à dresser le décor et à conter les péripéties du récit, pour en extraire, selon la formule de Rabelais, « la substantifique moelle ». Car l'illustration est une traduction tout aussi bien qu'un choix. Elle est une re-création. Et si l'illustrateur est un plagiaire, s'il emprunte les habits cousus par un autre que lui, il ne s'en revêt qu'en les retaillant à sa mesure. De la saveur jubilatoire des mots, il n'aspire dans sa sphère intérieure que ce qui peut y trouver un écho fructueux. Il trie et ordonne ses intuitions, ses sensations et ses visions, jusqu'à ce que se cristallise brusquement sous son crayon l'image forte qui résume et donne du relief au récit. Ce talent de metteur en scène des aspérités d'un texte, Gustave Doré le possède au plus haut point si l'on en juge par la critique formulée à son endroit par son contemporain Émile Zola : « L'artiste, dans son intuition rapide, saisit toujours le point intéressant du drame, le caractère dominant, les lignes sur lesquelles il faut s'appuyer. Cette sorte de vision est servie par une main habile, qui rend avec relief et puissance la pensée du dessinateur à l'instant même où elle se formule. » Et nulle image mieux que cette aquarelle, mettant en scène *L'Enfance de Gargantua*, ne permet de juger de ce talent subtil. N'étant en aucune manière une étude préparatoire pour une des gravures de l'ouvrage de 1854, cette œuvre indépendante nous offre ainsi, contrairement aux images en noir et blanc de l'édition imprimée, une rare occasion de mesurer la sensibilité de coloriste de Gustave Doré.

... un schéma pyramidal...

Car, des visions de l'artiste, qui ont ensuite été traduites en gravures, il ne reste pas une trace, pas même un croquis. En effet, Gustave Doré, sûr de l'acuité de son œil et de la dextérité de sa main, lance directement sur des blocs de bois ses dessins au lavis rehaussés de gouache. La lourde tâche de traduction de ses dessins en langage d'ombre et de lumière, en fines hachures croisées, revient alors aux ciseaux des graveurs, qui entament le bois en effaçant du même coup les créations originales de l'illustrateur. Les rares compositions inspirées de *Gargantua* qui n'ont pas été sacrifiées à l'ardeur des graveurs sont celles que Doré a conçues en dehors de tout contexte de commande, pour son seul plaisir. Rescapés, ces quelques dessins de la main du maître disent assez ce que nous avons perdu avec la disparition des compositions originales de l'ouvrage de 1854. Cette aquarelle, abusivement intitulée *L'Enfance de Gargantua*, donne vie, avec une gouaille et un humour délicieux, à un épisode contenu dans le chapitre 11, « De l'adolescence de Gargantua ». On y découvre le jeune géant, s'initiant aux joies naturelles de la vie sous l'œil attendri de ses parents,

Grandgousier et Gargamelle. D'un trait incisif et brillant, Doré campe la scène devant un décor de boiseries Renaissance, qu'il évoque à travers ses ornements de dentelles, doucement caressées par un rayon de lumière venu de la droite. Ce décor sommaire et romantique, qui n'est pas sans rappeler les architectures visionnaires d'un Victor Hugo, a pour seule justification de donner l'échelle des personnages, le trio de géants, entouré d'une foule bigarrée et grouillante de servantes et de gens de cour. Construite sur un schéma pyramidal, cette image dirige ses lignes de force vers un élément décentré, qui en est néanmoins le pivot : la figure du jeune Gargantua, tenant sous son bras un chien dodu. Tous les regards des protagonistes sont tournés vers lui, ceux de ses géants de parents comme ceux des habitants du château. Gustave Doré a réparti ceux-ci en trois groupes distincts. Le premier, à droite, montre des individus grossiers et joufflus, parmi lesquels on reconnaît un peintre muni de sa palette et un domestique chargé de servir le vin. Le second, aux pieds de Gargamelle, met en scène cinq donzelles richement vêtues, dames de cour coiffées de hennins, très en vogue à la fin du Moyen Âge. Le récit nous incite à voir en ces jeunes filles les gouvernantes du jeune géant. Enfin, le dernier groupe occupe le fond de la composition, dans l'ombre démesurée de la géante. Il s'agit probablement, compte tenu de leurs costumes, de hauts dignitaires du royaume, intendants ou précepteurs. Les traits de plume, légers et précis, dessinent les contours des personnages, qu'un délicat mouvement de pinceau chargé de couleurs diluées rehausse par endroits.

*... deux couleurs reviennent comme un leitmotiv :
le blanc et le bleu...*

La palette, réduite, n'en est pas moins éclatante :
les rouges, bleus et blancs sont distribués avec un
savant sens de l'équilibre sur l'ensemble de la composition. Dans cette fête colorée, ce puzzle essen-
tiellement tricolore, une tache jaune vif, la robe
d'une des jeunes filles du groupe central, vient bri-
ser la monotonie. Ce choix réduit trouve en partie
sa source dans les replis du récit. Au chapitre 8,
« Comment on vêtit Gargantua », Rabelais nous
décrit avec force détails le costume de son héros.
Dans cet accoutrement élaboré et somptueux, deux
couleurs reviennent comme un leitmotiv : le blanc
et le bleu. Son « pourpoint » est fait de « huit cent
treize aunes de satin blanc » ; ses « chausses », de
« onze cent cinq aunes, et un tiers d'estamet blanc » ;
ses « souliers », de « quatre cent six aunes de velours
bleu teint en grenat » ; son « saie », de « dix et huit
cents aunes de velours bleu » et son « bonnet », de
« trois cent deux aunes un quart de velours blanc ».
Pour expliquer ce choix vestimentaire, Rabelais
convoque la symbolique, et déclare au chapitre suivant : « Les couleurs de Gargantua furent blanc et
bleu [...]. Et par icelles voulait son père qu'on
entendît que ce lui était une joie céleste. Car le
blanc lui signifiait joie, plaisir, délices, et réjouissance, et le bleu, choses célestes. » De cette bannière
épicurienne Gustave Doré ne garde que quelques
détails, comme les chausses blanches, mais il
conserve néanmoins l'association du blanc et du
bleu pour composer l'harmonie d'ensemble de son

dessin. Respectueux de l'esprit général du texte, l'illustrateur reste, dans sa mise en image, maître des fioritures.

… transformé en gentille gaillardise…

Cette liberté d'interprétation se lit aussi dans la manière de raconter l'histoire. Gargantua, un chien dodu calé sous l'aisselle, est en train de soulever de son épée les jupes d'une jeune fille en robe bleue. Le choix de cet animal comme attribut du géant n'a rien de fortuit. Il trouve sa justification dans le chapitre 11 : « Les petits chiens de son père mangeaient en son écuelle. Lui de même mangeait avec eux : il leur mordait les oreilles. Ils lui graphinaient le nez. Il leur soufflait au cul. Ils lui léchaient les badigoinces. » Au vocabulaire fleuri de Rabelais, Doré ne donne cependant pas une traduction littérale. Il atténue visuellement la crudité du propos. Il procède de même avec l'épisode grivois de la découverte des dessous féminins. « Ce petit paillard toujours tâtonnait ses gouvernantes sens dessus dessous, sens devant derrière, hardi bourrico : et déjà commençait exercer sa braguette… » Cru et sans ambages, ce récit des premiers émois du héros est doucement transformé en gentille gaillardise par le trait de l'illustrateur. À défaut de braguette, c'est avec son épée que Gargantua s'aventure sous les jupes des filles, sous l'œil débonnaire et compréhensif de ses géniteurs. Cette vision bon enfant et d'un comique léger que Gustave Doré s'efforce de donner du héros rabelaisien se retrouve dans les gravures de l'ouvrage de 1854. Distillée, éventée, atténuée, la force expressive de la langue de Rabelais, pleine de saveurs, d'odeurs et d'images salaces, ne trouve qu'un écho assourdi et moralisé sous le crayon de l'illustrateur. Car cette ripaille pleine d'excès, cette féroce critique déguisée des mœurs, cette exaltation des fonctions corporelles qui font tout le goût du récit de Gargantua, se meurent dans l'œil prolifique de Doré. S'il garde l'abondance, il la digère et la recrache avec les codes de son temps. Le Gargantua irrévérencieux de la Renaissance, déjà difficile à entendre en son temps, ne peut être lu au XIXᵉ siècle, bourgeois et moraliste, qu'avec les apparences d'un conte pour enfants. Et c'est bien dans ce langage visuel que Gustave Doré entend en proposer une interprétation. Dans cette transmutation, la moquerie acerbe de l'auteur du XVIᵉ siècle est devenue respectable, présentable, acceptable. L'édition illustrée des *Œuvres de François Rabelais* en 1854 va connaître un succès énorme, qui fera de l'histoire de Gargantua un classique incontournable de la littérature française, un récit populaire inscrit dans l'imaginaire collectif. Réédité à de nombreuses reprises, cet ouvrage va aussi fixer, à travers les images de Gustave Doré, les traits du héros et l'esprit général de l'histoire. Véhicule imparfait du texte, l'illustration est donc un récit parallèle, reflétant l'imaginaire de l'artiste comme la mentalité de son temps. L'œuvre de Doré emprunte un chemin propre, certes construit sur les traces archéologiques des mots rabelaisiens, mais usant d'un tracé et de matériaux contemporains.

Le texte

en perspective

Emmanuel Naya

Mouvement littéraire

L'humanisme

1.

Définitions

1. *Qu'est-ce que l'humanisme ?*

Si «l'humanisme» peut se définir au sens large comme une doctrine dont le but est le plein épanouissement de l'homme et qui est liée à la «philanthropie», c'est-à-dire à l'amour de l'être humain en tant que tel, il désigne en un sens plus étroit et dans une perspective cette fois historique une réalité articulée à l'acception précédente, mais beaucoup plus précise : elle ne désigne pas qu'un état d'esprit, mais avant tout une méthode pour avancer vers les buts que cette idéologie se fixe. L'adjectif «humaniste», dont la première attestation en français semblerait remonter à 1539, est une transposition du néo-latin *humanista*, terme qui désignait au XIVᵉ siècle en Italie ceux qui se vouaient à l'étude des langues et des littératures de l'Antiquité. Au XVIIᵉ siècle, le substantif «humaniste» finit alors par désigner les lettrés ayant bénéficié de ce cursus, les *studia humanitatis* que l'on appelait il y a encore peu les « humanités ». Ainsi, si l'homme est le point de mire de l'humanisme renaissant, il est approché très concrètement à travers un corpus de textes ; c'est en étudiant les auteurs antiques que l'on pourra accéder à la compréhension de ce qui est constitutif de l'humain, de l'essence fondant notre humanité.

2. *Une recherche globale de l'humain*

Dès lors, l'humanisme est un mouvement littéraire porté par l'essor de l'imprimerie et des institutions scolaires, au sens où c'est le texte qui est le moyen et le vecteur d'une enquête à la fois philosophique et spirituelle ; les lettres recouvrant à cette époque une réalité beaucoup plus étendue qu'aujourd'hui — puisque en plus d'englober tous les genres de fictions littéraires, elles rassemblaient dans une même chaîne du savoir les textes philosophiques, théologiques ou encore juridiques —, l'humanisme doit être considéré comme une recherche globale de l'humain, fondée sur une nouvelle méthode d'investigation textuelle et permettant de renouveler la conception de l'homme et de l'univers au centre duquel Dieu l'a placé. Incarné par des figures majeures telles qu'Érasme de Rotterdam (1469-1536), l'Anglais Thomas More (1478-1535), les Français Guillaume Budé (1467-1540) et Jacques Lefèvre d'Étaples (1450-1537), ou encore l'Espagnol Juan Luis Vives (1492-1540), l'humanisme renvoie autant à une certaine manière d'aborder les textes qu'au renouvellement intellectuel qu'une telle méthode a produit au sortir de l'époque médiévale.

On peut ainsi considérer l'humanisme comme

une ambition de rénovation du savoir de l'homme sur lui-même, accompagnée d'une méthode commune permettant de renouveler la perception des textes littéraires.

2.

La Renaissance comme rupture

1. *Le réveil de l'homme*

L'humanisme est intrinsèquement lié, autant sur un plan chronologique que dans la logique même de ses présupposés et de ses buts avoués, à la notion de « Renaissance ». Il se donne en effet pour but de faire renaître l'homme à lui-même, débarrassé des fausses représentations qui pouvaient le couper de sa vocation conférée par Dieu ; il propose une réforme de l'homme, au sens de « reformation », de renaissance au terme d'une période de déclin. Inversement, la Renaissance a trouvé dans l'humanisme le moteur de sa révolution socio-culturelle. Toutefois, il faut bien noter que « Renaissance » est un terme de périodisation historique qui ne s'est imposé qu'à partir du XIXᵉ siècle en Allemagne puis en France. Qu'il s'agisse du philosophe Friedrich Hegel (1770-1831) qui voit en elle une issue à la phase critique et négative du Moyen Âge, qu'il s'agisse de Jakob Burckhardt (1818-1897) qui la considère comme un point de basculement de la civilisation italienne où un nouvel esprit individualiste finit par s'imposer, ou encore de l'historien Jules Michelet (1798-1874) qui en fait une phase de libération des structures obscurantistes et aliénantes du Moyen Âge, la conception globale de la « Renaissance » varie peu : ces représentations sont toutes fondées sur l'idée de réveil, c'est-à-dire d'un passage d'une période de léthargie et de paralysie — le Moyen Âge — à une période où la vie et la liberté de l'esprit s'imposent à nouveau. Bien sûr, une telle opposition est aujourd'hui fortement contestée : l'histoire des idées a montré quelle a été la richesse de la culture et de la civilisation médiévales ; il a fallu aussi se rendre à cette évidence : même si ces « renaissances » ne sont pas comparables à celles portées par l'esprit humaniste, le Moyen Âge, loin d'avoir constamment imposé une « chape de plomb » culturelle, a eu lui-même ses propres « renaissances », notamment à l'époque carolingienne.

2. *De l'obscurantisme à la lumière ?*

On utilise pourtant ce terme, tout en ayant à l'esprit cette restriction, non seulement pour la commodité conférée par son usage courant qui le rapporte selon les pays à la période mi-XIVe - fin XVIe siècle, mais aussi pour une raison plus importante : la « Renaissance » correspond à la représentation que les humanistes avaient de leur propre époque. Elle n'est pas, en effet, une catégorie inventée seulement par les historiens modernes ; le terme est employé par Giorgio Vasari (1511-1574) en 1550 dans ses *Vies des meilleurs peintres, sculpteurs et architectes italiens* : la « *Rinascita* » aurait permis de sortir de la phase calamiteuse du Moyen Âge qui, entre l'excellence de l'Antiquité et l'éclat retrouvé de la Renaissance, n'avait aucune valeur en soi. Ce n'était qu'une période médiane, sombre intermède entre deux époques glorieuses. Cette représentation de son époque comme une rupture avec un passé que l'on rejette est fort courante dans les témoignages des lettrés du XVIᵉ siècle : tous les humanistes qui ont défini leur exercice comme une « restitution des bonnes lettres » n'ont rien fait d'autre que d'identifier le Moyen Âge comme une époque de corruption de la culture littéraire. Rabelais lui-même souligne ce changement lorsque Gargantua écrit à son fils au chapitre 8 du *Pantagruel* (1532 ; voir le groupement de textes). Le géant confronte l'époque de sa jeunesse, peu favorable aux études, et celle que son fils a la chance de connaître : à l'obscurantisme du Moyen Âge, Gargantua oppose un nouvel âge d'or de la culture où l'homme, qui sait à nouveau lire les textes et qui bénéficie des progrès de diffusion apportés par l'imprimerie, se perfectionne, « [progressant] en savoir et vertu ». Ainsi, même s'il faut garder à l'esprit que la Renaissance n'a pas fait table rase des acquis médiévaux, qu'elle n'a pas concerné au même moment tous les secteurs de l'activité et de la culture humaines et qu'elle ne s'est pas épanouie dans les différents pays de l'Europe ni dans les différentes régions selon une chronologie identique, il est certain qu'elle s'est inscrite dans les consciences de l'époque comme une nouvelle naissance, à la fois mythe fondateur sur lequel l'Europe a bâti sa modernité, et aussi programme d'action devant faire progresser à nouveau tous les secteurs.

3.

Les grandes étapes de l'humanisme

1. *Une véritable effervescence intellectuelle*

L'humanisme éclot en Italie au XIVᵉ siècle. Des auteurs tels que Boccace (1313-1375) et Pétrarque (1304-1374) amorcent la redécouverte de l'Antiquité et la constitution d'une nouvelle anthropologie liée à la définition de nouveaux idéaux esthétiques. Le XVᵉ siècle voit l'explosion d'un tel mouvement favorisé par le mécénat de cour : que ce soit dans l'entourage des Médicis à Florence à la fin du XVᵉ siècle ou à la cour pontificale à Rome au début du siècle suivant, les intellectuels trouvent les moyens de se consacrer pleinement à leur travail. Ainsi, Marsile Ficin (1433-1499) permet à l'Europe entière de redécouvrir Platon (428-348 av. J.-C.) et de diversifier un horizon philosophique principalement limité à l'étude d'Aristote (384-322 av. J.-C.) et ce, grâce à l'aide matérielle de Cosme de Médicis, prince de Florence — capitale de l'humanisme italien au milieu du XVᵉ siècle. Par ailleurs, la chute de l'empire romain d'Orient en 1453 entraîne une « fuite des cerveaux » de Constantinople vers l'Italie toute proche ; ainsi, les facteurs politiques et humains sont réunis pour que se prolonge au cours du XVᵉ siècle l'effervescence intellectuelle et artistique initiée par Pétrarque et Boccace. L'humanisme connaît ensuite une vaste phase d'expansion à l'échelle de l'Europe, qui est due à plusieurs facteurs, dont, principalement, l'invention et la vulgarisation de l'imprimerie dans la deuxième moitié du XVᵉ siècle, qui permet de diffuser les textes des

auteurs classiques comme les œuvres des humanistes. À la fin du siècle, plus de deux cents villes
dotées d'imprimeries ont contribué à la publication
de plus de trente-cinq mille œuvres.

2. *L'humanisme en Europe*

L'humanisme se répand aussi à travers l'Europe à
la faveur d'échanges de plus en plus fréquents, qu'il
s'agisse de voyages ou de correspondances — souvent
colossales ; Érasme écrivit ainsi plus de trois mille
lettres. Mais c'est aussi grâce aux échanges écono-
miques — notamment les grandes foires — que l'esprit de l'Italie renaissante se diffuse hors de la
péninsule : ils occasionnent des contacts culturels
dont Lyon devient, à la fin du XVe siècle, la plaque
tournante. Cette implantation pacifique est redou-
blée par les premières campagnes militaires des rois
de France en Italie entre 1494 et 1516 : la découverte du raffinement des États traversés suscite le
désir d'importer de tels modèles artistiques et intellectuels au retour en France. Le prestige de l'Italie
n'entraîne pourtant pas une uniformisation de
l'Europe : si certaines tendances, surtout artistiques,
finissent par influencer les autres pays, chacun
d'entre eux développe sa propre renaissance et son
propre humanisme. L'essor de ce dernier en Italie
n'a pas produit un modèle hégémonique mais plutôt un élan que chaque nation a prolongé dans un
esprit qui lui était propre. Les premières décennies
de l'humanisme français sont alors marquées par un
réel optimisme ; l'entreprise de rénovation de la
culture — appuyée par le roi François Ier — va bon
train : on participe au renouvellement de la traduc-

tion des textes païens comme des Saintes Écritures ;
le christianisme devient, avec l'apparition du protes-
tantisme luthérien, un lieu de débat et de réforme ;
on cherche à le renouveler — dans la lignée d'É-
rasme — et à le concilier avec la sagesse antique.

3. *Humanisme et religion*

Toutefois, ces expériences créatives dont le *Pantagruel* et le *Gargantua* de Rabelais sont les purs produits finissent par subir le contrecoup de la
répression antiprotestante. À la suite de l'affaire des
Placards (1534), le pouvoir royal s'est durci contre
la Réforme, et la liberté de presse et de conscience
est mise à mal : les imprimeurs humanistes Antoine
Augereau et Étienne Dolet sont brûlés à Paris en
1534 et 1546. Le concile de Trente qui réunit les
évêques de l'Église catholique entre 1545 et 1562
renforce la ligne doctrinale de l'Église par réaction
aux progrès de la Réforme ; des humanistes tels
qu'Érasme — qui avaient défini une sensibilité
catholique moins intransigeante, plus conciliatrice
— tombent en disgrâce. Ainsi, plus les guerres de
religion se politisent et se radicalisent avec les atro-
cités qui en découlent, plus l'idéal humaniste d'un
homme réconcilié avec lui-même, maître de son des-
tin et centre d'un univers harmonieux où il serait un
garant de justice et de paix, s'efface. La deuxième
moitié du XVIe siècle voit le pessimisme s'installer et
le scepticisme battre en brèche les espérances du
passé. L'amertume se fait sentir avec le *Quart Livre*
de Rabelais (1552) dans l'exploration pessimiste des
îles qui reflètent les aspects idéologiques les plus ter-
rifiants de la société, comme dans l'investigation

sceptique du jugement que Montaigne (1533-1592) propose dans ses *Essais* (1580-1592). Si l'humanisme n'est pas mort, il ne peut plus ignorer la triste leçon des événements.

4.

Une question de méthode

1. *La philologie*

Si l'humanisme est indissociable, comme nous l'avons vu, de l'étude des « humanités », lire les textes antiques n'est certes pas une révolution radicale puisque le Moyen Âge les pratiquait déjà beaucoup, qu'il s'agisse des philosophes, des Pères de l'Église ou des œuvres purement littéraires ; le grec était certainement plus méconnu dans l'Occident médiéval, mais pas totalement ignoré. La Renaissance s'est distinguée de deux manières principales dans ce domaine. Fuyant Constantinople tombée sous l'assaut des Turcs en 1453, les grammairiens byzantins arrivant en Italie développent les compétences linguistiques des érudits de la péninsule, surtout en grec. Les humanistes nouvellement formés purent alors se donner pour but de rétablir désormais le texte dans la pureté initiale de la langue de son auteur, débarrassé des traductions, gloses, commentaires ou ajouts divers. Ce travail de restitution et d'étude des textes par remontée au texte primitif fut appelé « philologie », discipline que Guillaume Budé décrit comme « amour des bonnes lettres et inclination à l'étude ». Cette déontologie nouvelle qu'embrasse le bon lecteur, soucieux de respecter l'objet de son étude, se fonde sur une série de gestes qui définissent l'activité humaniste, et qui furent ceux de Rabelais lorsqu'il entreprit d'éditer des textes médicaux d'Hippocrate (460-377 av. J.-C.) et de Claude Galien (131-201) : tout d'abord trouver de nouveaux manuscrits et les acheter ou les copier pour en préparer l'édition imprimée — dans les cités italiennes notamment ou dans les monastères, parfois au prix de longs voyages.

2. *Le retour aux textes originaux*

Ensuite vient le travail philologique par excellence, qui consiste à purifier les textes acquis en tentant de reconstituer, par comparaison de divers manuscrits d'une même œuvre, le texte initialement rédigé par Homère, Cicéron (106-43 av. J.-C.) ou Plutarque (46-125) : il s'agit ainsi d'effacer les modifications imposées au texte par des générations de copistes peu scrupuleux. Ce travail d'édition était la marque d'un esprit critique qui ne se satisfaisait pas d'un donné immédiat, mais désirait vérifier par lui-même la valeur exacte de son texte. L'entreprise de Jacques Lefèvre d'Étaples qui voulait retraduire les textes bibliques, car il ne se contentait pas de la traduction latine officielle retenue par l'Église depuis le VIIIe siècle (dite la *Vulgate* de saint Jérôme), était emblématique de cette volonté de dépoussiérer pour mieux comprendre la révélation divine. Enfin, le dernier geste consistait à diffuser les textes ainsi restitués par le biais de l'imprimerie, ce qui explique que les humanistes étaient soit liés à des imprimeurs-libraires, soit eux-mêmes de cette profession, comme Sébastien Gryphe à Lyon, les Estienne à

Paris puis à Genève, Froben à Bâle, les Alde à Venise ou Plantin à Anvers. Des œuvres perdues ressurgissent alors, mais aussi des motifs littéraires, notamment mythologiques, des genres littéraires ignorés au Moyen Âge, ou encore certaines formes métriques.

3. Une autre vision de la religion

Ce n'est pas simplement la conception du texte comme objet purifié mais sa lecture qui en sort transformée. Le Moyen Âge cherchait avant tout à extraire de la littérature païenne ce qui était susceptible d'être intégré à un cadre de pensée religieuse. Ainsi, Ovide (43 av. J.-C.-17 ap. J.-C.) ou Aristote étaient pillés pour illustrer la préfiguration par les païens des vérités chrétiennes. Le prisme de lecture qui se dégage à la Renaissance est davantage centré sur l'homme que sur Dieu ; l'Antiquité devient un miroir où l'homme ne recherche plus simplement l'image de la révélation divine mais avant tout sa propre image, où Dieu n'est certes pas absent, mais moins directement central. Les textes latins et grecs deviennent des points où se réfracte une partie de la vérité sur la condition humaine et sur les moyens d'atteindre la sagesse et le bonheur. Ils deviennent exemplaires en ce qu'ils fournissent des modèles dans tous les domaines : exemple de perfection stylistique avec Cicéron pour Dolet, de perfection historiographique avec Tacite (55-120) pour Montaigne, ou encore de perfection morale avec Socrate (470-399 av. J.-C.) qui, chez Érasme, est considéré comme une préfiguration du Christ lui-même. Si l'on finit parfois par réintégrer les normes et les valeurs religieuses, ce n'est plus sous l'effet direct d'un théocentrisme tout-puissant comme cela pouvait être le cas au Moyen Âge. Le prisme religieux, pourtant toujours omniprésent, n'est plus forcément le point de départ de toute démarche intellectuelle. Le retour à l'Antiquité a été motivé avant tout par une insatiable curiosité éprouvée pour l'homme et pour le moyen de le perfectionner, dépassant ainsi le statut primordial que l'anthropologie religieuse traditionnelle conférait à la corruption due au péché originel.

5.

Réformer l'homme

1. *Au centre de l'univers*

L'humanisme se focalise sur l'homme, qui devient un objet d'investigation destinée à améliorer sa condition et l'efficacité de son action dans l'univers, et ce, dans tous les domaines. Si Pétrarque, dans *Mon secret*, interrogeait la vocation d'un homme écartelé entre vie spirituelle et vie mondaine, si Rabelais, après avoir posé dans le *Pantagruel* cette même question, s'interrogeait sur notre capacité à accéder au sens et à le communiquer, tout en appelant à plusieurs reprises au cœur même du *Gargantua* à la construction d'une véritable société chrétienne portée par l'amour divin, Nicolas Machiavel (1469-1527) mettait pour sa part en lumière le comportement de l'animal politique qu'est l'homme. Emblématique de l'humanisme, l'Italien Jean Pic de la Mirandole (1463-1494) faisait de l'homme, dans son *Discours sur la dignité de l'homme*, la seule créature placée au centre de l'univers et appelée par Dieu à entrer dans un processus d'autoperfectionnement indéfini permettant, par le progrès des connaissances, de faire reculer ses propres limites jusqu'à un statut quasi divin. On voit bien que dans cette profession de foi — qui est certainement la corde la plus tendue d'un humanisme triomphant auquel Rabelais a immédiatement posé des restrictions —, c'est le désir de réformer l'individu qui l'emporte : c'est-à-dire, au sens fort du terme, lui rendre sa première forme, celle qu'Adam et Ève ont perdue lors de la Chute.

2. *L'importance de l'éducation*

L'éducation mettant en jeu un principe d'association de toutes les disciplines en une grande « chaîne des savoirs » (sens étymologique de l'encyclopédisme) était alors la préoccupation principale des humanistes, qui n'hésitaient pas à enseigner eux-mêmes comme Érasme à Cambridge aux alentours de 1511 ou Budé au Collège trilingue de François Ier à partir de 1530, institution que l'éducation de Gargantua par Ponocrates incarne et défend face à la sophistique « sorbonnicole ». Un tel projet a toutefois porté en lui-même une tension très forte à laquelle des auteurs évangéliques tels que Rabelais ou Henri Estienne (1531-1598) ont été sensibles : le savoir hérité de la sagesse antique pouvait ne pas recouper les limites posées par l'anthropologie religieuse, et malgré tous les efforts d'articulation déployés par les humanistes, la sagesse humaine pouvait être folie aux yeux de Dieu, comme le voulait la *Première épître de saint Paul aux Corinthiens*.

Comme le dit Gargantua à la fin de sa lettre à son fils, « science » et « conscience » ne vont pas toujours de pair. Si Pantagruel doit devenir un « abyme de science », il faut aussi « servir, aimer et craindre Dieu » : si le but de l'humanisme est bien de former l'homme, le risque d'une aggravation de la difformité due au poids du péché n'est jamais à exclure. Ce problème n'a jamais quitté la réflexion des humanistes sur l'éducation.

Quelques grands textes humanistes

1467　Marsile Ficin, *Commentaire sur* Le Banquet *de Platon.*

1486　Pic de la Mirandole, *Discours sur la dignité de l'homme.*

1511　Érasme, *Éloge de la folie.*

1513　Nicolas Machiavel, *Le Prince.*

1516　Thomas More, *L'Utopie.*

1519　Érasme, *Colloques.*

1528　Baldassare Castiglione, *Le Livre du courtisan.*

1532　Rabelais, *Pantagruel.*

1536　Calvin, *Institution de la religion chrétienne.*

1549　Joachim du Bellay, *Défense et illustration de la langue française.*

Propositions de lecture sur l'humanisme

Jacob BURCKHARDT, *La Civilisation de la Renaissance en Italie*, Paris, Livre de poche, 1986.

Peter BURKE, *La Renaissance européenne*, Paris, Seuil, 2002.

Jean DELUMEAU, *La Civilisation de la Renaissance*, Paris, Arthaud, 1993 (rééd.).

Eugenio GARIN, *L'Éducation de l'homme moderne : la pédagogie de la Renaissance*, Paris, Hachette, 1995.

Eugenio GARIN (dir.), *L'Homme de la Renaissance*, Paris, Seuil, 2002 pour la trad. française.

Étienne GILSON, *Humanisme et Renaissance*, Paris, Vrin, 2003.

Marie-Madeleine LA GARANDERIE, *Christianisme et lettres profanes*, Paris, Champion, 1996 (rééd.).

Marie-Dominique LEGRAND, *Lire l'humanisme*, Paris, Dunod, 1993.

Jean-Claude MARGOLIN, *Érasme précepteur de l'Europe*, Paris, Julliard, 1995.

Daniel MÉNAGER, *Introduction à la vie littéraire du XVIᵉ siècle*, Paris, Dunod, 1997 (3ᵉ éd.).

Caroline TROTOT, *L'Humanisme et la Renaissance*, Paris, Flammarion, 2003.

Thierry WANEGFFELEN (dir.), *La Renaissance*, Paris, Ellipses, 2003.

Genre et registre

Les genres narratifs à la Renaissance

NI *PANTAGRUEL* NI *Gargantua* ne revendiquent leur appartenance au genre romanesque dont le Moyen Âge a jeté les fondations. Malgré des hésitations terminologiques ménagées par Rabelais dans ses propres préfaces, il est évident que l'œuvre rabelaisienne s'inscrit comme un jalon fondamental dans l'évolution des genres narratifs, et notamment du roman.

1.

Aux origines du roman

G argantua peut être considéré, au moins à titre parodique, comme un roman de chevalerie renvoyant aux grands modèles hérités depuis le XIIᵉ siècle. À cette époque, le roman est un récit en vers écrit en *romanz*, langue populaire du Nord par opposition à la langue savante qu'était le latin, adaptant le plus souvent des matières antiques (romans de Troie, de Thèbes, d'Énée) ou folkloriques (matière de Bretagne) et contant les amours et les aventures merveilleuses de héros imaginaires. Les romans de

Chrétien de Troyes (1135-1183) illustrent parfaitement la naissance d'un genre où les aventures du chevalier ne répondent plus, comme dans les chansons de geste, à un principe d'agencement libre et spontané de séquences topiques au cours de la récitation improvisée par les jongleurs-narrateurs ; elles répondent désormais à une architecture concertée conduisant le héros de l'idylle initiale à la victoire finale, en passant par maintes aventures merveilleuses. Si l'épopée des chansons de geste cherchait à refonder l'histoire d'une communauté et à en exalter les valeurs, le roman abandonne toute ambition « politique » en se construisant autour de deux notions principales : la fiction et les aventures d'un héros singulier. Il ne s'agit plus d'écrire ou de réécrire l'Histoire, mais de produire une vérité poétique, fondée sur l'agencement d'une narration recentrée autour des valeurs sociales d'un public noble en pleine expansion qui recherche une culture de plus en plus raffinée : valeurs de la lyrique courtoise qui associe amour strictement codifié (*fin'amors*) et codes de la chevalerie.

2.

Le succès des romans de chevalerie

1. *L'émergence difficile de la prose*

Les récits en prose souffrent au XVIe siècle d'un certain manque de considération de la part des lettrés. La difficulté pour que les formes narratives en prose émergent est double : non seulement le prestige de la poésie est tel qu'il tend à occulter la création narrative, qui manque de réelle visibilité faute de reconnaissance ; mais surtout, la narration en prose est encore expérimentale : il s'agit de trouver sa place face aux romans de chevalerie du Moyen Âge qui, ayant gagné dans la prose depuis le XIIIe siècle un nouveau mode d'expression, restent extrêmement populaires. Le roman, lorsqu'il continue d'explorer les territoires de la prose, ne quitte pas réellement la matière chevaleresque. De 1478 à 1549, pas moins de soixante-dix-neuf romans de chevalerie voient le jour, ce qui témoigne de la vitalité de ce type de récit. L'exploitation d'un tel filon donne parfois lieu à des œuvres populaires flattant le goût du public pour les péripéties en tout genre. La plupart du temps, les nouveaux romans, comme *Robert le diable*, *Fierabras* ou encore *Pierre de Provence,* donnent lieu à une rencontre équilibrée de la veine épique et des romans courtois. Les romans célèbrent alors la guerre et l'amour, deux valeurs fondatrices du romanesque comme en témoignera encore à la fin du XVIIe siècle le *Dictionnaire de l'Académie française* (1694) dans sa définition du substantif « roman » : « ouvrage en prose, contenant des aventures fabuleuses, d'amour, ou de guerre ».

2. *Un total engouement*

Si l'article « entêter » de ce dictionnaire souligne la caractéristique du roman qui est d'« entêter » ses lecteurs en leur faisant perdre le sens de la réalité — comme le feront Don Quichotte ou Emma Bovary —, c'est que, depuis l'aube de la Renaissance, le romanesque se définit comme un écart attractif du récit par rapport à la réalité. Le roman, qui s'affirme

au XVIe siècle comme roman de chevalerie, repose
tout entier sur le perpétuel ménagement de la sur-
prise qui conteste la morne réalité en faveur d'une
évasion dans l'univers noble du héros accomplissant
maints hauts faits pour mériter de progresser dans la
réalisation de son idylle amoureuse, qui répond au
code de l'amour courtois. L'engouement du public
pour ces textes est immense, comme en témoigne le
cycle des *Amadis* qui devient, au moment où Rabelais
s'engage en littérature, un véritable phénomène de
société. En 1508, l'Espagnol Montalvo avait proposé
sa propre adaptation de la matière arthurienne avec
ces aventures d'Amadis, le chevalier amoureux de la
belle Oriane, fille du roi d'Écosse, lançant ce qui allait
être un cycle de vingt-quatre livres traduits en français
entre 1540 et 1608. Le succès foudroyant de cette
œuvre en fit pour la noblesse européenne un vrai
manuel de savoir-vivre, et pour les autres un moyen
de s'approprier cette éthique nobiliaire et courtoise.

3.

Parodie et métissages

1. *Un Gargantua férocement chevaleresque*

Dans un tel cadre littéraire, il n'est pas étonnant
que Rabelais ait donné à sa deuxième chronique
gigantale de nombreux aspects relevant du roman
de chevalerie. S'il n'insiste pas sur la filiation directe
entre ce dernier et son *Gargantua* — comme il l'avait
fait dans son *Pantagruel* —, préférant relier son texte
à des livrets populaires et folkloriques comme ceux
des chroniques gargantuines, la structure linéaire du

récit est clairement chevaleresque : généalogie du héros, enfance, éducation puis faits d'armes qui aboutissent, au terme de la geste du géant, à un moniage — fondation traditionnelle d'une abbaye par le chevalier ayant démontré sa valeur au combat. De même, si la figure du narrateur-récitant est plus discrète que dans le *Pantagruel*, la situation d'énonciation relève souvent de celle du bateleur qui récite les aventures en soulignant à plaisir le caractère dramatique des événements qu'il rapporte (chap. 42) :

> Or s'en vont les nobles champions à leur aventure, bien délibérés d'entendre quelle rencontre faudra poursuivre, et de quoi se faudra contregarder, quand viendra la journée de la grande et horrible bataille.

Toutefois, il est évident que le registre est ici celui de la parodie : le roman de chevalerie, déjà enclin à l'hyperbolisation du réel, se voit poussé au comble de sa logique avec le gigantisme du héros. Si les situations topiques de bataille provoquent moins l'admiration que le rire, dès que le défenseur du « service divin » est un moine se battant à coups de bâton de croix pour le « service du vin », et que le preux chevalier défait les ennemis en les noyant dans l'urine de sa jument, Rabelais réussit à concilier plusieurs objectifs : tirer parti des possibilités offertes par la structure initiatique du roman de chevalerie, réinscrire le propos de ses personnages dans un code de valeurs fait de prud'homie et de profonde foi, tout en contestant par la parodie et la transformation burlesque le genre romanesque tel qu'il est pratiqué à son époque. Le roman de chevalerie est donc à la fois support d'un plus haut sens — il permet l'exaltation du soldat du Christ comme celle, sur un plan plus conjoncturel, de la royauté française — et objet d'une critique féroce qui rend sensibles les apories des récits en prose tels qu'on les pratiquait depuis le XIIIe siècle.

2. *Gargantua, un personnage en série*

Cette reprise parodique d'un tel genre n'est toutefois pas absolument nouvelle : le *Gargantua* de 1535 s'inscrit dans le sillage de textes, anonymes pour la plupart, qui entre 1532 et 1534 avaient développé les aventures du géant Gargantua et avaient connu un très grand succès populaire. Les deux premières chroniques de cette série sont extrêmement proches de notre texte : *Les Grandes et Inestimables Chroniques du grant et énorme géant Gargantua* (1532) avaient inscrit la genèse du héros appelé à devenir roi dans l'univers du roi Arthur, puisque Grand Gosier et Galemelle, ses parents, étaient eux-mêmes issus — par la magie de l'enchanteur Merlin — du sang de Lancelot et de fragments d'ongles de Guenièvre ; plusieurs épisodes ou motifs que nous trouvons dans *Gargantua* y sont déjà mentionnés, tels que les cloches de Notre-Dame, la confection d'une livrée ou encore l'épisode de la dent creuse. Quant au *Vrai Gargantua*, dont la proximité stylistique avec notre texte est forte, il mettait en valeur dans Gargantua une figure liée à saint Michel, le bras armé de Dieu, continuant à faire du géant le véritable restaurateur du pouvoir affaibli du roi Arthur. Il est d'ailleurs très vraisemblable, comme le propose Mireille Huchon (voir bibliographie), que ces textes aient été écrits par Rabelais lui-même, seul ou en collaboration. Le *Gargantua* pourrait alors être considéré comme l'extension ultime d'une série à succès, mais aussi comme l'élaboration finale d'un mythe éparpillé entre plusieurs remaniements ou continuations, et ayant déjà opéré le choix de parodier une littérature chevaleresque liée initialement au cycle arthurien. Mais la transformation du roman de chevalerie traditionnel est aussi liée dans le *Gargantua* à l'intégration de motifs littéraires issus d'autres pratiques narratives de la Renaissance : la figure du moine amateur de bonne chère, la goinfrerie du « déjeuner sur l'herbe » de Grandgousier, avec son épouse et les citadins des pays alentours, ne sont pas sans évoquer certains motifs propres aux fabliaux du Moyen Âge réinjectés dans les premiers recueils de nouvelles de la Renaissance. Le texte incorpore également d'autres types de discours : les énigmes avec les « Fanfreluches antidotées » et la reprise remaniée d'un texte de Mellin de Saint-Gelais qui, tout en proposant une description cryptée d'une partie de jeu de paume, évoque de manière voilée des perspectives eschatologiques ; mais aussi les discours oratoires proches de l'homélie et destinés à énoncer avec toute l'efficacité de la rhétorique des principes évangéliques fondamentaux.

4.

Réalisme historique et jeux de la fiction

1. *Vers une vérité historique...*

Les choix terminologiques opérés par Rabelais pour désigner son texte, sous le masque d'Alcofrybas, sont significatifs d'une volonté de s'écarter du roman de chevalerie hérité de l'époque médiévale. Si la terminologie des genres narratifs longs n'est pas encore fixée dans la première moitié du XVIᵉ siècle, on peut noter que Rabelais indique dans son prologue que le lecteur va lire une chronique ; cette désignation permet d'établir la situation d'énonciation de l'auteur qui se confond ici avec le narrateur hétérodiégétique (extérieur au récit) : le chroniqueur était depuis le Moyen Âge un secrétaire attaché à un seigneur, ayant pour charge de consigner l'histoire d'une communauté. La fonction historiographique est donc soumise à une délégation officielle, ce qui assied bien sûr l'autorité d'un discours fixant les faits illustres dont la commémoration permettra de fonder l'unité de la communauté politique. *Gargantua* proclame par là même son ambition de délivrer une parole historique et vraie, dont l'importance sera fondamentale pour «notre religion, l'état politique et la vie économique» («Prologue»). La lecture d'un tel texte va donc lier le lecteur à un ensemble de valeurs fondatrices d'une société bien définie, ici symbolisée par le royaume de Grandgousier ou encore l'utopie thélémite.

2. ... *qui n'est qu'illusion*

Cette revendication d'une parole vraie relie d'autre part Rabelais à la réflexion sur la fiction de Lucien de Samosate (125-192), auteur grec de dialogues satiriques et philosophiques largement traduits au début du XVIᵉ siècle. Dans le prologue de ses *Histoires vraies*, Lucien jetait les bases d'une théorie de la fiction littéraire en insistant sur le mensonge constitutif d'une telle entreprise (Lucien,

Histoires vraies, § 4, trad. J. Bompaire, Paris, Les Belles Lettres, 1998) :

> J'ai lu tous ces auteurs, sans trop reprocher à ces hommes de mentir, vu que c'était déjà pratique courante chez ceux mêmes qui font profession de philosopher. Mais ils m'étonnaient sur un point : c'est qu'ils avaient cru pouvoir écrire ce qui n'est pas vrai sans qu'on s'en aperçût. C'est pourquoi moi aussi — par vaine gloire — j'ai tenu à transmettre quelque chose à la postérité et je ne veux pas être le seul à ne pas participer à la liberté d'affabuler. Puisque je n'avais rien de vrai à raconter — car je n'avais jamais rien vécu d'intéressant —, je me suis adonné au mensonge avec des sentiments bien plus nobles que les autres. Car je dirai la vérité au moins sur ce seul point : en disant que je mens. Aussi je crois bien que j'éviterais l'accusation des gens en reconnaissant moi-même que je ne dis rien de vrai. Bref, j'écris au sujet de ce que je n'ai ni vu, ni éprouvé, ni appris d'autrui, et en outre de ce qui n'existe en aucune façon et ne peut absolument pas exister. Aussi les lecteurs ne doivent-ils nullement ajouter foi à tout cela.

L'auteur est donc un illusionniste. Mais Lucien va plus loin : après avoir établi au début du prologue une frontière entre la réflexion sérieuse et la fiction futile — en montrant pourtant l'importance primordiale de cette dernière, qui délasse tout en instruisant —, il annule la frontière entre ces deux pôles ; en assumant son mensonge, l'auteur sera plus honnête que les philosophes qui dans leurs enquêtes soi-disant rationnelles n'assument pas les leurs. Finalement, la distinction entre rationalité et fantaisie ludique s'effondre ; ceux qui se présentent comme les champions d'une démarche intellectuelle ne font qu'affabuler, et en affabulant — c'est-à-dire en tenant le seul discours qui puisse intéresser autrui, un énoncé réaliste étant forcément affligeant de platitude —, Lucien philosophera tout autant que les autres. Il pourra donc se mettre à l'école «du chef de file et maître en fariboles de ce genre [que] fut l'Ulysse» d'Homère, et plonger ainsi dans un système fictionnel fermé où les auteurs ne font qu'imiter un personnage de fiction lui-même habile conteur. En vertu de cette vertigineuse abolition des frontières entre le réel et l'illusion, il pourra à la fois insister sur le caractère mensonger et grotesque de sa parole, et intituler son ouvrage «histoires vraies». Les chroniques de Rabelais, qui se donnent comme un discours référentiel tenu par un narrateur attestant souvent de la véracité de son discours fondé sur une expertise documentaire et des témoignages directs, pourront donc en même temps être merveilleuses, construites sur ce jeu d'imitation intertextuelle mentionné par Lucien. Le modèle du silène est alors justifié : le texte grotesque et frivole sera en même temps porteur de la plus haute vérité, et la condition de l'auteur — qui est celle d'être menteur par nature, ainsi que le dit le Psaume 116 («*Homo fallax*») — ne sera pas un obstacle à la propagation d'une vérité toute divine. L'homme menteur pourra se faire aussi prophète et, comme le souligne le prologue, la Vérité lumineuse pourra se dévoiler au sein des brumes opaques de l'humanité.

Bibliographie

Mikhaïl BAKHTINE, *L'Œuvre de François Rabelais et la culture populaire au Moyen Âge et sous la Renaissance*, Paris, Gallimard, 1970 pour la trad. française.

Jean CÉARD, « Rabelais lecteur et juge des romans de chevalerie », *Études Rabelaisiennes*, XXI, Genève, Droz, 1988.

Guy DEMERSON, *Humanisme et facétie*, Orléans, Paradigme, 1994.

Mireille HUCHON, notes à l'édition du *Gargantua* et des *Grandes et inestimables chroniques*, Rabelais, *Œuvres complètes*, Paris, Gallimard, 1994.

Jean LARMAT, *Le Moyen Âge dans le* Gargantua *de Rabelais*, Paris, Les Belles Lettres, 1973.

Gérard MILHE POUTINGON, *François Rabelais : bilan critique*, Paris, Nathan, 1996.

François RIGOLOT, *Les Langages de Rabelais*, Genève, Droz, 1972.

Léo SPITZER, « Rabelais et les rabelaisants », *Études de style*, Paris, Gallimard, 1970.

L'écrivain
à sa table de travail
Science et écriture

1.

Le scalpel et la plume

1. *Médecine et parodie*

La formation médicale de Rabelais a été détermi-
nante dans la création d'une œuvre aussi originale
que celle des chroniques gigantales. Lorsqu'il publie
ses deux premiers volumes, Rabelais est un médecin
reconnu. Médecin à l'hôtel-Dieu de Lyon depuis le
1er novembre 1532, il est l'inventeur d'un appa-
reillage destiné à réduire les fractures, et le traducteur en latin de nombreux ouvrages médicaux :
Lettres médicales de l'Italien Giovanni Manardi (1462-
1536), et aussi divers traités des pères de la médecine grecque antique, Hippocrate et Galien. Mais,
fait extrêmement original, cette activité de physio-
logue n'est pas coupée de sa production littéraire ;
la médecine n'est qu'une discipline de plus à
rejoindre la longue « chaîne des sciences » revendi-
quée par l'esprit encyclopédique propre aux humanistes, trésor scientifique réinvesti dans la création
du récit. Pour nous restreindre aux bornes du *Gargantua*, la présence du savoir chirurgical semble bien

sûr évidente : les parodies de combat épique qui émaillent la geste de frère Jean abondent en « horrifiques » dissections ; les corps souffrants se multiplient comme dans les chansons de geste, extériorisant la souffrance intérieure par une amplification systématique des blessures : le débordement parodique va ici de pair avec le plaisir du médecin à disséquer allègrement sur le papier des corps dont l'Église interdisait encore l'exploration véritable. Mais nous ne nous pencherons pas ici sur cette joyeuse boucherie, dans la mesure où la médecine n'est convoquée que comme adjuvant d'une écriture parodique. Elle joue en effet un rôle beaucoup plus discret et plus fondamental à la fois pour l'économie du sens de l'œuvre, en ayant un impact direct dans la construction des personnages, et dans la représentation que l'auteur fait de lui-même dans le prologue.

2. *Médecine et réalité*

En effet — malgré de nombreux écarts merveilleux —, *Gargantua* se présente comme un récit mimétique reflétant à des degrés divers notre réalité, et renvoie une image de l'humanité certes déformée à l'échelle des géants, mais en même temps parfaitement réaliste car accordée sur la représentation médicale de l'homme au temps de la Renaissance. Les personnages ne sont donc pas de purs supports symboliques dans une lutte entre le Bien et le Mal, ni même de simples figures littéraires héritées du folklore ou de la tradition. Ils sont des êtres de chair dont le caractère est indissociablement lié à une organisation physiologique. L'invention du personnage trouve dans la combinatoire offerte par le savoir médical un cadre strict où tout tempérament, toute passion rencontrera son origine dans un équilibre corporel précis. C'est ce processus intertextuel — mais aussi transversal en termes de pratiques, puisque les sources médicales héritées de l'Antiquité finissent par déterminer la création littéraire — que nous nous proposons d'examiner ici.

2.

La physiologie antique : le cadre de l'humorisme

1. *Trouver l'humeur qui convient au personnage*

Créer un personnage, construire son caractère — ensemble d'inclinations et de propensions à éprouver telle ou telle « affection » qui interviendra dans la détermination de son action et de son comportement —, revient, pour un médecin, à isoler un certain type sanguin, ou plutôt un métabolisme, une formule sanguine particulière. En effet, selon l'héritage d'Hippocrate et de Claude Galien, le tempérament (*temperamentum*, équilibre) est un équilibre, une proportion relative de plusieurs substances qui entrent en jeu dans la composition sanguine : les humeurs. Ces dernières sont au nombre de quatre (le sang proprement dit, le phlegme ou pituite, la cholère ou bile jaune, la mélancolie ou bile noire) ; produites au terme de la digestion des aliments qui est conçue à la Renaissance comme une double cuisson dans le ventricule puis dans le foie, elles instaurent dans le corps un équilibre déterminé entre les quatre éléments (air, eau, feu, terre) et les qualités qui leurs sont attachées. Nous reproduisons, afin de clarifier cette représentation physiologique, les données proposées par le célèbre Ambroise Paré (1509-1590) dans son *Introduction à la chirurgie* (1564) :

Nourriture ⟶ Cuisson 1 (Ventricule)

Chyle (substance laiteuse) ⟶ Cuisson 2 (foie) ⟶ Sang

Épuration de 2 excréments : bile jaune et noire

Follicule fielleux   Rate

Qualités primaires	Élément	Humeur
Humide et chaud	Air	Sang
Humide et froid	Eau	Phlegme
Sec et chaud	Feu	Cholère
Sec et froid	Terre	Mélancolie

2. *À la recherche de l'équilibre*

Au terme du filtrage des excédents en cholère et en mélancolie, le sang repose sur un mélange (la « complexion »), soit équilibré, prédisposant à une bonne santé (on parlera d'eucrasie), soit déséquilibré entre ses quatre constituants, entraînant ou la prédominance d'un certain type de caractère et des passions qui l'accompagnent, ou le développement de certaines maladies (on parlera alors de dyscrasie). Il suffit que la digestion ou que le mode de vie de l'individu soit troublé pour qu'une telle perturbation survienne ; en sens inverse, une diète draconienne comme celle proposée par Ponocrates peut permettre de restaurer un équilibre perdu. Tout individu, et par extension tout personnage, ne sera donc que le reflet de sa « complexion » : la littérature n'a pas attendu Émile Zola (1840-1902) et son naturalisme du *Roman expérimental* (1880) pour mettre en scène la tyrannie du corps et de l'hérédité sur les personnages de fiction.

3.

Né sous l'emprise du phlegme

1. *Un héritage maternel*

Dans *Gargantua*, le processus d'invention des personnages à partir du canon médical de l'humorisme antique est d'autant plus fondamental qu'il touche les personnages de premier plan — Gargantua et Picrochole — et qu'il permet ainsi de structurer l'ensemble de la fiction autour d'une même thématique : la lutte contre l'influence des humeurs. La première partie du récit, consacrée à l'enfance et à l'éducation du géant, est en effet construite comme une lutte contre la prédominance du phlegme et de ses effets néfastes sur le tempérament du futur roi. Comme le souligne Manardi, dont Rabelais a traduit les lettres, conformément aux observations des médecins arabes, un excès de phlegme peut être contracté dans l'utérus maternel. Les circonstances de la naissance qui ont mis le géant au contact d'une surabondance de matières fécales et putrides en

fermentation peuvent expliquer la complexion initiale de Gargantua. Suivons la description que fait
Paré du caractère des phlegmatiques :

> [Le phlegme] rend l'homme endormi, paresseux et
> gras, ayant trop tôt les cheveux blancs […] [Les
> phlegmatiques] ont l'esprit lourd, grossier et stu-
> pide : ils sont fort paresseux et dorment profondé-
> ment : […] ils sont insatiables, et ont un appétit
> canin, quand la pituite prédominante est de l'es-
> pèce de celle qu'on appelle acide : et cuisent leurs
> viandes tardivement, dont s'ensuit qu'ils engen-
> drent grande quantité d'humeurs froides et pitui-
> teuses, lesquelles le plus souvent s'amassent au
> boyau nommé colon, lequel par ce moyen se tend
> et fait un bruit grenouillant, presque semblable aux
> cris des grenouilles : et ont grandes douleurs, et leur
> semble que les parties dolentes soient tirées et ban-
> dées, dont s'ensuit la colique passion : à raison que
> de telle matière humide et pituiteuse par une cha-
> leur imbécile, quelle est celle des hommes phleg-
> matiques, s'élèvent aisément des ventosités, qui de
> leur légèreté portées çà et là par les circonvolutions
> des intestins, les enflent, et cherchant issue dehors
> font un bruit tel que le vent passant par un étroit et
> anguste.

2. *Boire, manger, paresser*

Les premières années de Gargantua correspon-
dent parfaitement à ce portrait type, puisque le
géant est d'un appétit insatiable, qu'il s'agisse de lait
maternel ou de « purée de septembre », le bien-aimé
vin. Comme le souligne le chapitre 11, la paresse du
jeune enfant est grande, le sommeil n'étant perturbé
que pour boire ou manger. De même, rendu « merveilleusement phlegmatique des fesses » par « sa

complexion naturelle », il est sans cesse soumis aux
« ventosités » intestinales qui tyrannisent le phlegmatique, « et barytonant du cul » et « [se conchiant]
à toutes heures » (chap. 7) ou « [chiant] en sa chemise » (ch. 11). Cette incapacité à maîtriser l'excrétion sous toutes ses formes, ce qui sert de cadre
logique au discours du plaisir anal sur le « torchecul », semble normale chez un bébé ; elle trahit pourtant un tempérament qui peut s'avérer désastreux
chez celui qui est destiné à monter sur le trône pour
faire régner sur terre l'harmonie divine. Les chapitres portant sur l'éducation du prince vont alors
prendre une importance capitale, puisque seule la
jugulation du tempérament par un régime de vie
contraint va pouvoir assurer les conditions d'une
future montée sur le trône.

4.

L'éducation du géant
et ses enjeux physiologiques

1. *Dominer le phlegme*

La succession des précepteurs auprès du jeune
prince n'a pas pour seul objectif de lui faire acquérir une sagesse tout intellectuelle. Il s'agit bel et bien
d'apprendre à vivre et d'acquérir l'autonomie nécessaire à un roi qui, comme frère Jean après la victoire,
ne saurait « gouverner autrui, qui [lui-même] gouverner ne [saurait] » : ceci ne peut advenir qu'à
condition que le futur roi domine l'excès de
phlegme en lui. La diète adoptée sous le tutorat des
précepteurs sophistes s'oppose à celle instaurée par

Ponocrates. Sommeil immodéré, nourriture sur-
abondante et indigeste (les tripes qui avaient condi-
tionné l'accouchement sont alourdies par maintes
charcuteries), gestes désordonnés et hygiène
approximative : une telle diète ne peut que renfor-
cer la complexion phlegmatique, comme en témoigne la réaffirmation par Rabelais de l'excrétion
anarchique au chapitre 21. La rééducation du géant
par Ponocrates, qui s'ouvre sur une purge médica-
menteuse, est en revanche une tentative systématique de réduire l'action du phlegme.

2. *Intertextualité médicale*

Plus encore que dans le réinvestissement de l'humorisme antique, ces chapitres sont l'occasion d'un
jeu intertextuel faisant intervenir des sources médicales. Si des éléments sont redevables aux diètes de
Manardi, aux principes éducatifs exposés par Juan
Luis Vives dans son *Introductio ad Sapientiam* ou son
De tradendis disciplinis mais aussi au *Regimen sanitatis*
de l'école de Salerne, la structure d'ensemble est
dérivée du premier livre d'un traité de prime importance pour l'ensemble du *Gargantua* : le *De vita libri
tres* de l'humaniste italien Marsile Ficin (1433-1499),
célèbre traducteur et commentateur de Platon. Dans
ce traité, Ficin engage les intellectuels à se prémunir
par un régime de vie draconien contre les dyscrasies
qui les guettent, prédisposés qu'ils sont à être soit
mélancoliques, soit phlegmatiques. Rabelais s'inspire
du chapitre 8 du premier livre pour forger le nouvel
emploi du temps de Gargantua (ch. 23), dans lequel
nous trouvons l'essentiel des prescriptions suivies par
le géant : lever une heure ou deux avant le lever du

soleil, frictions du corps au sortir du lit, une demi-
heure de purgations comprenant l'excrétion, préparation à la méditation une heure durant, usage
soigneux et délicat du peigne du front à la nuque,
puis deux heures de travail, «toutefois le travail peut
être parfois prolongé jusqu'à midi, avec entre-temps
une interruption assez importante». L'emploi du
temps de la matinée du géant est tout entier contenu
ici, et si Rabelais ne respecte pas la séparation de
l'étude et de la pause pour déjeuner, il semble qu'il
relève ainsi une possibilité offerte par Ficin de pro-
longer l'étude jusqu'à deux heures de l'après-midi ;
le principe achevant le chapitre 8 chez l'humaniste
italien («Enfin, que la méditation n'outrepasse pas
le plaisir, et qu'elle demeure en deçà de ses limites»)
est en tout cas scrupuleusement respecté, puisque le
travail est constamment dépassé en un effort plaisant.

3. *La maîtrise de tous les instincts*

De même, l'exercice physique est pratiqué deux
fois par jour «l'estomac presque vide», et lorsqu'il
s'agit de le remplir, c'est toujours par un repas frugal
ainsi que le réclame Ficin, avec, comme digestif, les
coings confits préconisés au chapitre 11 du *De vita*. Le
souper étant plus consistant, Gargantua s'adonne aux
loisirs pour répondre à la règle ficinienne qui refuse
tout travail ardu «l'estomac dilaté». Toujours en
conformité avec l'hygiène antiphlegmatique du *De
vita*, pour combattre une humeur dont les qualités
élémentaires sont l'humidité et la froideur, les jours
où un climat pluvieux amplifie ces caractéristiques,
Ponocrates assèche l'air par un feu au chapitre 24, et
poursuit cette opération à l'intérieur du corps du

géant en lui faisant manger «viandes plus dessica-
tives et exténuantes». Le résultat d'une telle diète
est radical : Gargantua est devenu travailleur, endu-
rant, modéré en toute chose et, comme le souligne
le texte, il maîtrise parfaitement désormais la défé-
cation qui par le passé était des plus anarchiques,
selon le principe ficinien et manardien de la double
purgation. Ce rééquilibrage humoral, qui l'a rendu
maître de lui-même et lui a offert l'accomplissement
dans toutes les disciplines, trouve son point culminant dans l'évocation symbolique de la conquête de
l'autonomie : ils «bâtissaient plusieurs petits engins
automates : c'est à dire : soi mouvant eux-mêmes».

5.

Autres présences de l'humorisme

L a théorie des humeurs, dont la fortune pèsera
encore au XVIIᵉ siècle (pensons au *Misanthrope,
ou l'Atrabilaire amoureux* de Molière), trouve dans le
Gargantua au moins un autre point d'impact capital,
en plus de la problématique de l'inspiration mélancolique associée au vin, que l'on rencontre dans le
«Prologue» : après avoir vaincu le déséquilibre des
humeurs en lui, le géant va devoir livrer la même
lutte dans le monde extérieur, mais cette fois contre
la bile jaune incarnée par Picrochole. Figure de l'*hubris* et du déséquilibre, le roi du «Capitoly» renvoie
par l'étymologie grecque de son nom à la «bile
amère», saveur attribuée par la tradition médicale à
la cholère ou bile jaune. Si l'on suit le portrait-robot

du cholérique, on découvre trait pour trait celui de Picrochole :

> [La cholère] rend l'homme léger, subtil, facile à se cholérer, et prompt à toutes choses, maigre, agile, qui a tôt fait digestion des viandes qu'il a prises. [...] [Les hommes cholériques] sont aussi félons, audacieux, convoiteux de gloire, âpres, vengeurs des injures à eux faites ; de sorte que leur sang leur bout d'ardeur : leur face, leur voix, leur geste, leurs mouvements sont changés et mués.

Le texte rabelaisien insiste, jusqu'à la défaite de ce personnage, sur sa « cholère pungitive » (chap. 28), la « fureur des humeurs », selon Paré, qui le conduit comme par possession furieuse à répandre le chaos dans l'univers. L'opposition idéologique entre un Picrochole furieux et les géants cherchant à rétablir une harmonie terrestre fondée sur un esprit évangélique respectueux des devoirs de la créature envers son Créateur se double alors, au niveau de la disposition caractérologique des personnages, d'une opposition entre la dyscrasie cholérique et l'eucrasie de Gargantua gagnée au terme de son enfance. L'homme dominé par une intempérance humorale, comme en témoigne le discours d'Ulrich Gallet, est soumis par ces passions à l'influence des astres et promis à la déchéance, loin du repos en Dieu promis aux êtres justes et tempérés. Ici, les passions inscrites dans le corps peuvent couper définitivement le lien que le personnage se doit d'entretenir avec Dieu. Réinjecté dans la chair du texte, le savoir médical permet donc de créer des personnages tout en structurant la fiction autour d'une frontière axiologique forte.

Bibliographie

Roland ANTONIOLI, *Rabelais et la médecine*, Genève, Droz, 1977.

Marsile FICIN, *Les Trois Livres de la vie*, Corpus des œuvres de philosophie en langue française, Paris, Fayard, 2000.

Mirkon GRMEK (dir.), *Histoire de la pensée médicale en Occident : Antiquité et Moyen Âge*, Paris, Seuil, 1995 pour la trad. française.

Raymond KLIBANSKY, Erwin PANOFSKY et Fritz SAXL, *Saturne et la mélancolie*, Paris, Gallimard, 1989.

Emmanuel NAYA, *Rabelais : une anthropologie humaniste des passions*, Paris, PUF, 1998.

Groupement de textes

Humanisme et éducation

GARGANTUA DRAMATISE une question fondamentale à la Renaissance : celle de l'éducation
du prince destiné à monter un jour sur le trône.
Son importance est à la mesure des fonctions politiques et symboliques attachées à la charge royale :
en tant que chef d'un royaume qui se définit
lui-même comme une communauté de croyants, le
« roi très chrétien » doit être représentant de Dieu
sur terre pour y faire régner l'harmonie et la justice
célestes. Si le roi n'est pas divin, il est manda-
taire d'un pouvoir dont l'origine est divine (« Il n'est
de pouvoir si ce n'est dérivé de Dieu », *Épître aux
Romains*, XIII) : toute son action, loin de se résu-
mer à la régulation d'une organisation socio-écono-
mique, est alors orientée vers la réalisation ici-bas
des principes fondateurs de la Jérusalem céleste.
Une telle mission, qui semble être accomplie par
le géant au terme du récit, présuppose un ensemble
de vertus indissociables de la fonction royale :
comme l'écrit l'humaniste Guillaume Budé dans
L'Éducation du prince (1547), il est à présumer que
les rois sont parfaits en prudence, noblesse et équité,
ce qui fonde leur exercice du pouvoir et leur
positionnement au-dessus des lois.

Le problème est qu'une telle perfection n'est pas innée chez Gargantua : il est mis lors de sa naissance au contact de la fermentation excrémentielle des tripes avalées par sa mère, ce qui le dote d'un tempérament phlegmatique, et sa nature gigantale a de quoi inquiéter. Dans le folklore, le géant est un être doté d'une force ambivalente, qui peut être utilisée en bien comme en mal ; esclave de ses appétits, il est soumis à des pulsions gloutonnes, violentes et bestiales. Si l'éducation ne bride pas cette force à l'état pur, bien loin de devenir un Hercule civilisateur, il peut finir par n'être qu'un Hercule furieux et dévastateur. Avant de monter sur le trône, les vices liés à l'hérédité et à la complexion doivent donc être maîtrisés, pour que ce chaos intérieur ne risque pas de s'extérioriser plus tard à l'échelle du royaume dans l'exercice du pouvoir royal.

Dès lors, les enjeux de l'éducation de l'enfant sont primordiaux, et Rabelais a opposé ici deux modèles antithétiques qui ont des répercussions sur l'équilibre humoral et donc sur le tempérament du héros. Si l'on a tendance à faire de ce texte un des principaux manifestes de l'éducation humaniste, Rabelais est loin d'être le seul à avoir réfléchi sur la question. « L'institution du prince » ou plus généralement l'éducation sont des thèmes qui ont retenu l'attention de nombreux humanistes désireux de rompre avec les pratiques inefficaces ou obscurantistes des « pseudo-dialecticiens » de l'université scolastique médiévale : Juan Luis Vives dans son *Introduction à la sagesse* ou son *Traité sur la diffusion des sciences*, Érasme de Rotterdam dans sa *Méthode pour étudier* (1511) et son discours *Sur la nécessité de former les enfants* (1529) ont recherché cette révolution institutionnelle. Celle-ci s'est traduite

concrètement par la création, en 1530, du collège trilingue fondé par François Ier, première institution
cristallisant la formation philologique des humanistes
et venant contrebalancer le monopole de l'Université
de Paris. Dans leur volonté de réformer l'homme,
c'est-à-dire de lui rendre la grandeur de sa vocation
naturelle de créature créée à l'image de Dieu, les
humanistes de toute l'Europe ont cherché à libérer
l'homme par sa formation scolaire : Castiglione a ainsi
rêvé l'homme de cour idéal dans *Le Livre du courtisan*,
alors que Luther, dans une perspective plus spirituelle, a essayé d'harmoniser l'acquisition du savoir et
de la sagesse religieuse. Arrivant en fin de siècle, au
moment où les espoirs de l'humanisme triomphant
se sont noyés dans le sang des guerres de religion,
Montaigne explore à son tour un modèle d'éducation
libératrice, objectif que se sont posé l'ensemble des
auteurs réunis ci-dessous.

François RABELAIS (1483-1553)
Pantagruel (1532)
(modernisation par Emmanuel Naya)

*Dans sa première chronique gigantale, Rabelais avait
déjà engagé le prince sur la voie d'une éducation propre à
canaliser l'anarchie et la violence connues dans l'enfance
d'un « très redouté » héros que son père Gargantua avait
même essayé d'enchaîner. Aux quatre grosses chaînes de
fer, qui s'étaient vite révélées inutiles, il fallut substituer
des liens cette fois intériorisés, issus d'une éducation scolaire profitable. Au terme d'un tour de France des Universités, Pantagruel arrive à Paris, capitale intellectuelle du
royaume. Ses premières expériences intellectuelles y sont
bien décevantes : il rencontre un écolier limousin qui*

refoule sa langue naturelle et dissimule une vulgaire vie d'étudiant libidineux derrière un latin de cuisine inepte, il visite la bibliothèque de Saint-Victor qui accumule des ouvrages aussi cuistres que creux ; ce ne sont que contacts avec un savoir artificiel qui enferme l'homme dans une poursuite de vaine gloire. À ces vestiges de la diffusion médiévale du savoir vient s'opposer la lettre que Pantagruel reçoit au chapitre 8. Son père Gargantua l'y encourage à se jeter à corps perdu dans l'amour des bonnes lettres, à profiter de la Renaissance qu'il n'a pas connue dans son enfance. Ce programme humaniste, qui résonne pour les lecteurs de l'époque comme un manifeste en faveur du collège trilingue de Guillaume Budé contre l'éducation « sorbonnicole », vibre d'une foi dans le progrès permis par l'éducation, tout en marquant bien les limites de la quête du savoir : elle ne doit pas se faire au détriment de notre vocation spirituelle.

[…] Mais encore que mon feu père de bonne mémoire Grand Gousier eût adonné tout son étude, à ce que je profitasse en toute perfection et savoir politique, et que mon labeur et étude correspondît très bien, voire encore outrepassât son désir : toutefois comme tu peux bien entendre, le temps n'était tant idoine ni commode aux lettres comme il est de présent, et n'avais pas copie de tels précepteurs comme tu as eu. Le temps était encore ténébreux et sentant l'infélicité et calamité des Goths, qui avaient mis à destruction toute bonne littérature. Mais par la bonté divine, la lumière et dignité a été de mon âge rendue aux lettres, et y vois tel amendement que de présent à difficulté serais-je reçu en la première classe des petits grimauds, qui en mon âge viril étais (non à tort) réputé le plus savant dudit siècle.

Ce que je ne dis pas par jactance vaine, encore que je le puisse louablement faire en t'écrivant comme tu as l'autorité de Marc Tulle en son livre *De vieillesse*, et la sentence de Plutarque au livre intitulé,

Comment on se peut louer sans envie, mais pour te donner affection de plus haut tendre.

Maintenant toutes disciplines sont restituées, les langues instaurées, Grecque, sans laquelle c'est honte qu'une personne se dise savant, Hébraïque, Caldéïque, Latine. Les impressions tant élégantes et correctes en usance, qui ont été inventées de mon âge par inspiration divine, comme à contrefil l'artillerie par suggestion diabolique. Tout le monde est plein de gens savants, de précepteurs très doctes, de librairies très amples, qu'il m'est avis que ni au temps de Platon, ni de Cicéron, ni de Papinian, n'était telle commodité d'étude qu'on y voit maintenant. [...] Mais parce que selon le sage Salomon Sapience n'entre point en l'âme malivole, et science sans conscience n'est que ruine de l'âme, il te convient servir, aimer, et craindre Dieu, et en lui mettre toutes tes pensées, et tout ton espoir, et par foi formée de charité être à lui adjoint, de sorte que jamais n'en sois désemparé par péché. Aie suspects les abus du monde, ne mets ton cœur à vanité, car cette vie est transitoire mais la parole de Dieu demeure éternellement.

Martin LUTHER (1483-1546)

À la noblesse chrétienne de la nation allemande (1520)

(trad. Maurice Gravier,
revue par Albert Greiner
et Annemarie Lienhard, Gallimard, Pléiade)

Martin Luther, moine augustin, publie en 1520 un manifeste qui signe le caractère irréconciliable de sa prise de position critique face au pape et à l'Église de Rome, dont il dénonce les abus depuis trois ans. La rupture n'est pas officiellement consommée, mais son engagement va aboutir au schisme au sein de la chrétienté entre protes-

tants et catholiques ; si Rabelais n'a jamais quitté l'Église, sa position critique et sa spiritualité évangélique lui font parfois croiser des éléments théoriques d'inspiration réformée. Dans cet opuscule rédigé en allemand, Luther ne vise plus un simple public de théologiens : en se fondant sur le principe du sacerdoce universel qui abolit toute frontière entre clercs et laïcs, il s'adresse à l'ensemble des chrétiens d'Allemagne pour leur enjoindre de libérer leur Église de la perversion que la cour papale lui a fait subir. Cette « Réforme » de la vie spirituelle, qui est de fait celle de la société tout entière qui se veut « État chrétien », demande aussi une réforme de l'institution universitaire où les priorités doivent être rétablies : l'Évangile doit donc être remis au centre des études, et l'Éthique d'Aristote reléguée comme une perversion absolue de toute vraie morale (§ 25).

J'accepterais volontiers qu'on conserve la *Logique*, la *Rhétorique*, la *Poétique* d'Aristote et que, mises sous une forme nouvelle et abrégées, elles soient lues avec profit et servent à exercer les jeunes gens dans l'art de la parole et de la prédication, mais il faudrait supprimer les commentaires et scolies et, de même qu'on lit la *Rhétorique* de Cicéron sans commentaires et sans scolies, il faudrait lire la *Logique* d'Aristote toute nue, débarrassée de tous ces grands commentaires. Maintenant on n'en tire aucun enseignement utile à l'orateur ou au prédicateur, et ce n'est plus une occasion de discussions et de chicanes. À côté de cela, on aurait encore les langues, latin, grec, hébreu, les sciences mathématiques, l'histoire, au sujet desquelles je m'en remets à des juges plus compétents, et les résultats ne manqueraient pas d'être excellents, si l'on s'efforçait sérieusement de procéder à une réforme ; et certes, l'affaire est d'importance ! Car c'est à cette école que doit être enseignée et préparée la jeunesse chrétienne, l'élite de notre peuple qui assure la continuité de la chrétienté. Aussi, à mon sens, il n'est pas d'œuvre plus digne du pape et de l'empereur qu'une bonne réforme des universités, il n'existe par contre rien de plus pernicieux ni de plus diabolique que ces universités non réformées.

Baldassare CASTIGLIONE (1478-1529)
Le Livre du courtisan (1528)

Lui-même homme de cour familier de celle d'Urbino, ancien diplomate du duc de Mantoue, envoyé par le pape Clément VII comme nonce en 1524 en Espagne auprès de Charles Quint, Castiglione est un praticien du monde politique avant d'en être un des plus fameux théoriciens de la Renaissance. Son ouvrage, immense succès éditorial à l'échelle européenne, traduit en français dès 1537 (Le Parfait Courtisan), *s'intéresse à l'éducation d'un personnage laissé dans l'ombre par les nombreuses « institutions du prince » : le courtisan, individu qu'une solide formation doit rendre apte à briller en toutes circonstances, qu'elles soient mondaines, diplomatiques ou simplement amoureuses. Par son raffinement et son art d'agréer, le courtisan préfigure « l'honnête homme » du siècle suivant. Cet extrait met en lumière une éducation physique parfois négligée par les humanistes, qui, comme Vives dans son* Introduction à la sagesse, *placent l'exercice corporel sous le signe de la modération (§ 117) : l'entraînement de Gargantua trouve ainsi une justification théorique qui le renvoie aux prouesses de Gymnaste. La traduction reprise ici du § 22 du Iʳ livre est celle de Gabriel Chappuys, datant de 1580.*

Il est convenable également de savoir nager, courir, sauter, jeter la pierre, parce qu'outre l'utilité qui peut en être tirée pour la guerre, il est nécessaire souvent de faire ses preuves dans les exercices de ce genre, par lesquels on s'acquiert une bonne réputation, surtout auprès de la multitude, à laquelle il faut savoir s'accommoder.

Le jeu de paume aussi est un noble exercice et fort convenable au Courtisan, car on y voit très bien l'harmonie du corps, la promptitude et la souplesse de chaque membre, et presque tout ce qui se révèle dans les autres exercices.

Je n'estime pas moins digne de louange de savoir voltiger à cheval, ce qui, bien que ce soit chose pénible et difficile, rend l'homme léger et adroit plus qu'aucun autre exercice. Et outre l'utilité, si cette légèreté est accompagnée de grâce, la voltige donne, à mon avis, un spectacle plus agréable qu'aucun autre. […]

Mais, parce qu'il n'est pas possible de passer toujours son temps à des exercices aussi fatigants, et que la trop grande fréquence crée la satiété et fait disparaître l'admiration que provoquent les choses rares, il est nécessaire de varier sans cesse notre existence en faisant des choses différentes. C'est pourquoi je veux que le Courtisan se permette parfois des exercices plus tranquilles et plus paisibles, et pour éviter l'envie et avoir des rapports agréables avec chacun, qu'il fasse tout ce que font les autres, sans jamais cependant s'éloigner des actes louables, et qu'il se gouverne par un bon jugement qui ne le laisse tomber dans aucune sottise ; mais qu'il rie, qu'il joue, qu'il plaisante, qu'il aille au bal et qu'il danse, de telle manière toutefois que toujours il se montre homme d'esprit et discret, et qu'il ait de la grâce dans tout ce qu'il fait et dans tout ce qu'il dit.

ÉRASME de Rotterdam (1467-1536)

Sur la nécessité de former les enfants
tôt et de manière libérale (1529)

(trad. Jean-Claude Margolin, Robert Laffont)

Même s'il se range dans la catégorie de la « déclama-
tion » — discours paradoxal qui s'engage à plaider une
cause fictive — comme le fameux Éloge de la folie, *ce*
traité doit être tenu pour une prise de position tout à fait
sérieuse du plus célèbre des humanistes européens, à mettre
sur le même plan que sa Méthode pour étudier *(1511)*
ou son Institution du prince chrétien *(1516) destinée*
à l'éducation du futur Charles Quint. Érasme montre
combien il est essentiel de ne pas lésiner sur l'éducation de
ses enfants, qu'il faut commencer dès le plus jeune âge.
Comme Ponocrates au chapitre 37, il stigmatise la violence
des pédagogues avec de nombreux détails en tant que néga-
tion de la condition humaine : tout être libre doit trouver
dans son éducation un principe d'exaltation de sa voca-
tion de créature libre et de sa dignité ; le jeu, aux antipodes
de la contrainte physique, est alors la meilleure voie pour
associer l'enfant à son apprentissage.

Quand la Nature te donne un fils, elle ne te livre
pas autre chose qu'une masse de chair non dégros-
sie. C'est ton rôle de façonner pour la meilleure des
dispositions une matière qui t'est soumise et obéis-
sante en tout point. Si tu chômes, tu as une bête !
Si tu veilles, c'est, pour ainsi dire, un dieu que tu
obtiens. Dès sa naissance, l'enfant peut être formé
aux qualités propres à l'homme. Aussi, selon
l'oracle virgilien : « Dès ses plus tendres années,
consacre-lui ton principal effort. » Travaille la cire,
tant qu'elle est parfaitement molle, modèle l'argile
qui est encore humide, imbibe une jarre des crus
les meilleurs quand elle est toute neuve, teins la

laine lorsqu'elle vient du foulon, blanche comme neige, et qu'elle n'est souillée d'aucune tache.

[...] La force de chaque être réside dans les aptitudes que lui a données la nature. Ne voyons-nous pas de très jeunes enfants courir toute la journée par-ci par-là avec une étonnante légèreté et sans éprouver de lassitude ? Si un Milon en faisait autant, il serait fatigué. La raison ? C'est que le jeu et cet âge sont apparentés, et que les enfants voient dans cet exercice un jeu et non un travail. Or en toute chose, la plus grande part du désagrément provient de l'imagination, elle qui parfois fait éprouver du mal là même où il n'y en a point. Mais puisque la providence naturelle a refusé aux enfants ce pouvoir, afin que leur insuffisance physique soit exactement compensée de ce côté, le rôle du précepteur sera, comme nous l'avons dit, d'exclure par un grand nombre de moyens cette même imagination et de faire porter à l'étude le masque du jeu.

Michel de MONTAIGNE (1533-1592)

Essais (1592)
(modernisation par Emmanuel Naya)

Écrit certainement vers 1579 pour Diane de Foix alors enceinte, ce chapitre 26 du Livre premier des Essais *applique au domaine de la pédagogie les principes philosophiques qui sous-tendent l'œuvre tout entière. Tout comme les* Essais *sont eux-mêmes un libre-essai des facultés naturelles de l'auteur appliquées sur une suite de divers sujets, l'éducation de l'enfant doit être l'occasion d'une libération de tous les asservissements intellectuels dont l'institution scolaire est souvent le vecteur. Nombreux sont les chapitres des* Essais *qui se penchent sur la légitime acquisition du savoir. Cette dernière, en parfaite cohérence avec le scepticisme hérité des Anciens — mouvement perpétuellement reconduit d'autosurveillance et d'autolimitation de l'esprit —, semble se confondre avec l'expérience dans ce qu'elle a de plus singulier et de plus intime, à la jonction de l'âme et du corps (III, 13). Au principe institutionnalisé d'aliénation de l'individu que peut être une école arrogante et dogmatique, surtout sous sa forme scolastique, Montaigne préfère une rééducation de notre jugement, conscient de sa fragilité et de la relativité de ses représentations (III, 11).*

« De l'institution des enfants » (I, 26)

[...] À un enfant de maison qui recherche les lettres, non pour le gain (car une fin si abjecte est indigne de la grâce et faveur des Muses, et puis elle regarde et dépend d'autrui), ni tant pour les commodités externes que pour les siennes propres, et pour s'en enrichir et parer au dedans, ayant plutôt envie d'en tirer un habile homme qu'un homme savant, je voudrais aussi qu'on fût soigneux de lui choisir un conducteur qui eût plutôt la tête bien faite que bien pleine, et qu'on y requît tous les deux, mais plus les mœurs et l'entendement que la science ; et qu'il se conduisît en sa charge d'une nouvelle manière. On ne cesse de criailler à nos oreilles, comme qui verserait dans un entonnoir, et notre charge ce n'est que redire ce qu'on nous a dit. Je voudrais qu'il corrigeât cette partie, et que, de belle arrivée, selon la portée de l'âme qu'il a en main, il commençât à la mettre sur la montre, lui faisant goûter les choses, les choisir et discerner d'elle-même : quelquefois lui ouvrant chemin, quelquefois le lui laissant ouvrir. Je ne veux pas qu'il invente et parle seul, je veux qu'il écoute son disciple parler à son tour. Socrate et, depuis, Arcésilas faisaient premièrement parler leurs disciples, et puis ils parlaient à eux. [...]

« Des boiteux » (III, 11)

[...] Il s'engendre beaucoup d'abus au monde ou, pour le dire plus hardiment, tous les abus du monde s'engendrent de ce qu'on nous apprend à craindre de faire profession de notre ignorance, et que nous sommes tenus d'accepter tout ce que nous ne pouvons réfuter. Nous parlons de toutes choses par précepte et résolution. Le style à Rome portait que cela même qu'un témoin déposait pour l'avoir vu de ses yeux, et ce qu'un juge ordonnait de sa plus certaine science, était conçu en cette forme de parler : « Il me semble ». On me fait haïr les choses vraisemblables quand on me les plante pour infaillibles. J'aime ces mots, qui amollissent et modèrent la témérité de nos propositions : *À l'aventure, Aucunement, Quelque, On dit, Je pense,* et semblables. Et si j'eusse eu à dresser des enfants, je leur eusse tant mis en la bouche cette façon de répondre, enquêteuse, non résolutive : « Qu'est-ce à dire ? Je ne l'entends pas, Il pourrait être, Est-il vrai ? » qu'ils eussent plutôt gardé la forme d'apprentis à soixante ans que de représenter les docteurs à dix ans, comme ils font. [...]

Chronologie

François Rabelais
et son temps

1.

L'apprentissage humaniste

François Rabelais naît probablement en 1483, à la Devinière, métairie de la région de Chinon qui appartenait à son père, Antoine Rabelais. Ce dernier occupait les fonctions juridiques d'avocat au siège de Chinon, et de sénéchal de Lerné. L'enfance de Rabelais nous est à peu près inconnue, et l'on ne peut que supposer qu'elle fut remplie des joies de la campagne et des plaisirs liés au terroir chinonais tant célébrés par l'auteur dans ses trois premiers livres. Son père, licencié en droit, dut veiller à donner à son fils une solide éducation.

Jusqu'en 1511, où on le retrouve novice chez les franciscains de la Baumette, dans les environs d'Angers, auprès desquels il complète sa formation, nous perdons la trace de Rabelais ; et à nouveau durant la période qui court jusqu'en octobre 1520, lorsqu'il change de couvent pour intégrer celui des cordeliers de Fontenay-le-Comte. C'est au cœur de cette vie monacale que Rabelais constitue sa culture humaniste, notamment en droit et en théologie, mais aussi en philosophie. L'immersion chez les cordeliers, dont

l'attitude est plutôt réactionnaire, est toutefois difficile pour lui comme pour son camarade Pierre Lamy.
Leurs livres en grec leur sont confisqués en 1523, et
même s'ils finissent par leur être restitués, les deux
amis fuient cette abbaye : Lamy rejoint Bâle tandis
que Rabelais gagne l'abbaye bénédictine de Maille-
zais. Malgré ces déboires, les années au couvent
auront plongé notre écrivain dans la lecture de la
Bible, texte central dans lequel les chrétiens placent
toute leur foi. Elles auront aussi développé, à cause
de la frustration ressentie au sein d'une communauté
intellectuelle et spirituelle trop figée, son intérêt pour
l'humanisme et l'évangélisme : le besoin de liberté
pour déployer l'esprit a probablement été vivement
ressenti par Rabelais qui, dès son entrée chez les cordeliers, entama une correspondance avec le plus
célèbre des humanistes français, Guillaume Budé.

1492   Christophe Colomb débarque à Haïti et à
       Cuba, découvrant un nouveau continent.
1515   Sacre de François Ier à Reims. Victoire de Mari-
       gnan.
1517   Martin Luther publie ses 97 puis 95 thèses
       critiquant l'Église romaine.
1519   Charles Quint succède par élection à Maximi-
       lien à la tête de l'Empire.
1523   Guillaume Briçonnet et les évangélistes de
       Meaux sont condamnés par la Sorbonne.
1525   Défaite de Pavie, François Ier est le prisonnier
       temporaire de Charles Quint.
1529   Louis le Berquin, traducteur de l'humaniste
       évangéliste Érasme, est brûlé.
1530   Institution du Collège trilingue des lecteurs
       royaux.

2.

Le chirurgien-écrivain

Rabelais quitte toutefois l'habit religieux, incompatible — selon le principe du respect de l'intégrité des corps — avec les études médicales qu'il veut entreprendre. Il s'inscrit le 17 septembre 1530 à l'Université de médecine de Montpellier, pour finir par y donner des cours sur Hippocrate et Galien dès le printemps de l'année suivante en tant que stagiaire. Rabelais y bénéficie de l'enseignement des plus grands spécialistes français de son époque, et notamment du célèbre Rondelet qui s'incarnera dans le personnage de Rondibilis du *Tiers Livre*.

Cette formation médicale le conduit à Lyon en 1532, où il la poursuit sur deux niveaux complémentaires : non seulement en publiant chez le célèbre Sébastien Gryphe une traduction du deuxième livre des *Lettres médicales* de l'Italien Manardi ainsi qu'un recueil d'opuscules d'Hippocrate et de Galien, mais surtout en entrant en fonction à l'hôtel-Dieu le 1er novembre. Il y devient un praticien extrêmement réputé. Cette carrière hospitalière ne le détourne pas de ses préoccupations littéraires. Il est vraisemblable qu'en cette même année 1532 il collabore à la publication du livret des *Grandes et Inestimables Chroniques du grand et énorme géant Gargantua*, ou en assume même la rédaction intégrale, en parallèle de la publication de *Pantagruel* chez Claude Nourry dit « Le Prince », à l'occasion des foires d'automne, d'une part, et de la *Pantagruéline Pronostication pour l'an 1533* assortie d'un *Almanach* pour la même année, d'autre part. Le succès de ces chroniques gigantales est immédiat, comme celui de cette « pronostication » dont l'intérêt est de tourner en dérision l'astrologie dite « judiciaire » par des prédictions farfelues. L'activité de Rabelais ne baisse pas, puisqu'on peut supposer que le *Vrai Gargantua*, publié dès 1533, est de sa plume. En relation désormais avec les plus grands humanistes d'Europe (il a contacté Érasme de Rotterdam dès 1532), il voit sa notoriété littéraire s'établir définitivement, tout autant grâce au succès de la diffusion de ces textes qu'à cause de leur stigmatisation par les autorités religieuses de la Sorbonne ; dès 1533, Nicolas le Clerc inscrit le *Pantagruel* dans une liste de livres à interdire. À la fin de cette année, Rabelais entame une longue suite de voyages en Italie, accompagnant à Rome l'évêque de Paris, Jean du Bellay, conseiller du roi François Ier. Lui qui avait déjà inséré dans son *Pantagruel* plusieurs éléments de propagande royale, il entre ainsi dans l'entourage direct d'un souverain dont il reçoit le soutien face aux attaques du pouvoir religieux centralisé à la Faculté de Théologie de Paris, à la Sorbonne.

3.

L'affaire des Placards

Un des tournants majeurs de la vie de Rabelais, comme pour beaucoup d'évangélistes — catholiques critiques qui voulaient réformer l'Église de l'intérieur, sans volonté de schisme, pour la recentrer sur les principes du Nouveau Testament —, est la fameuse affaire des Placards survenue dans la nuit du 17 au 18 octobre 1534. Des affiches dénonçant la messe catholique comme un blasphème sont placardées à Paris, Blois et Orléans, et même sur la porte de la chambre du roi à Amboise. Cette attaque pamphlétaire attribuée aux protestants marque la fin de la liberté que le roi leur avait accordée, lui pourtant si favorable aux aspirations de réforme de l'Église de Rome, avec laquelle les relations diplomatiques sont tendues, et influencé par sa sœur Marguerite de Navarre, figure majeure du cercle évangéliste français. En dénonçant jusqu'au cœur de la Cour le rite catholique, c'est la personne même du roi en tant que chef spirituel du royaume qui se trouve atteinte : l'événement devient une affaire d'État ; entre le 10 novembre et Noël, 16 « hérétiques » présumés sont brûlés à Paris. Pris entre les arguments des catholiques ultra de la Sorbonne et les prélats libéraux tels que Jean du Bellay, François Ier ne peut empêcher que Rabelais soit inquiété pour l'obscénité de *Pantagruel*, mais aussi pour son évangélisme.

Notre auteur s'enfuit de Lyon le 13 février 1535, avant de rejoindre en août en Italie Jean du Bellay, récemment nommé cardinal, qui le protège et le fait rentrer en grâce auprès du pape. C'est certainement lors de ce début d'année 1535 que l'on peut situer la première édition du *Gargantua* chez François Juste (le volume n'est pas daté), récit exaltant la royauté éclairée et ridiculisant les théologiens, professeurs sorbonnagres et autres hypocrites bigots. Lorsqu'il revient en France en mai 1536, Rabelais a obtenu son absolution pour avoir quitté l'habit religieux quelques années plus tôt, et peut réintégrer l'abbaye bénédictine de Saint-Maur-des-Fossés près de Paris. Dès le 17 janvier 1536, le pape Paul III l'autorise même à cumuler la vie religieuse et l'exercice de la médecine. Au printemps 1537, Rabelais peut donc recevoir son grade de docteur en médecine de la faculté de Montpellier, où il donne un cours à la fin du mois de mai. Sa carrière prend un nouvel essor dans le monde, puisqu'il participe en février au banquet des humanistes en l'honneur d'Étienne Dolet, et qu'il finit par entrer au service personnel de Guillaume du Bellay, seigneur de Langey, dont la mort en 1543 est évoquée au *Quart Livre*, le frère du cardinal Jean et nouveau gouverneur du Piémont. Rabelais le suit en Italie fin 1539. Jusqu'en 1542, les allers et retours se succèdent entre la France et Turin ; cette année-là, les deux premiers romans de Rabelais sont remaniés par l'auteur, ce qui donne lieu à une édition en un volume intitulé *Grandes annales très véritables des Gestes merveilleux du grand Gargantua et Pantagruel son fils, Roi des Dipsodes,* où l'auteur laisse enfin tomber le masque d'Alcofribas Nasier pour signer « François Rabelais, Docteur en médecine ».

1535   Exécution de l'humaniste Thomas More, auteur de l'*Utopie* (1516).
1538   Fin des guerres opposant la France à l'Empire.
1538   Henri VIII est excommunié par le pape. Le schisme anglican est consommé.
1541   Calvin instaure la Réforme à Genève, où le poète Clément Marot se réfugie en 1542.

4.

Mourir en militant

Malgré son succès éditorial stable, la position de Rabelais se fragilise de plus en plus : son protecteur Guillaume du Bellay meurt en 1543, suivi par François Ier en mars 1547. Ce rempart gallican et royal se fissure donc au moment où la réaction de l'Église catholique contre la Réforme prend corps, puisque le concile de Trente s'ouvre le 13 décembre 1545 ; un an plus tôt, en août, les *Grandes annales* ont été censurées par la Sorbonne. C'est durant cette nouvelle période d'incertitudes que Rabelais publie le *Tiers Livre* en 1546 chez Wechel à Paris, prolongation des aventures de Pantagruel et de son ami Panurge, avant que l'ouvrage soit censuré comme les précédents dès le 31 décembre. Le récit, tournant autour du dilemme d'un Panurge hésitant à se marier de peur d'être cocu, propose une exploration pessimiste des possibilités offertes aux lumières naturelles de l'homme, et finit de manière sceptique sans conclusion définitive. Heureusement, Jean du Bellay est reconduit au conseil privé du nouveau roi Henri II, et Rabelais le suit à nouveau à Rome en août 1547.

Sur la route de l'Italie, Rabelais remet à l'imprimeur lyonnais Pierre de Tours le manuscrit inachevé du *Quart Livre* comprenant onze chapitres seulement, mais publié en l'état dès 1548. L'éloignement ne met pas Rabelais à l'abri des attaques venues de tous côtés : alors que Gabriel De Puy-Herbault, fer de lance de la Faculté de Théologie de Paris, stigmatise en Rabelais un misanthrope vicieux digne de la Réforme genevoise et donc passible de damnation éternelle dans son *Theotimus* (1549), Calvin, le chef de file de cette Réforme genevoise, l'attaque dans son *Traité des scandales* (1550) comme un « chien » blasphémateur ouvrant à ses lecteurs les portes de l'enfer. Il n'est pas étonnant alors que Rabelais, profitant du privilège royal qui lui a été accordé pour dix ans en août 1550, publie en janvier 1552 une version définitive du *Quart Livre* où Pantagruel et Panurge poursuivent d'île en île une odyssée maritime qui les confronte aux pires formes de la cruauté et de la bêtise religieuse. Ce récit prend une fois de plus fait et cause pour la royauté française que la « crise gallicane » de 1551 avait opposée au pape Jules III jusqu'en avril 1552. Jusqu'à la fin de sa vie (il meurt en mars 1553), Rabelais milite donc pour une réforme religieuse dans laquelle la royauté aurait pu jouer un rôle moteur, en se séparant de Rome. Rabelais disparu, les récits continuant l'épopée de Pantagruel et de Panurge se multiplient, jusqu'à la publication d'un *Cinquième Livre* en 1564, montage remanié de brouillons rabelaisiens par lequel l'éditeur cherche à mettre un point final aux chroniques gigantales et à l'histoire de Panurge.

1545   Massacre des Vaudois en Provence ordonné par le cardinal de Tournon qui les accuse de suivre la Réforme luthérienne.
1547   Institution de la Chambre ardente, cour de justice destinée à envoyer les hérétiques au bûcher.

Bibliographie

Richard COOPER, *Rabelais et l'Italie*, Genève, Droz, 1991.

Joël CORNETTE, *Chronique de la France moderne : le XVIᵉ siècle*, Paris, Sedes, 1995.

Janine GARRISSON, *Royaume, Renaissance et Réforme*, Paris, Seuil, 1991.

Arlette JOUANNA, *La France au XVIᵉ siècle*, Paris, PUF, 1996.

Madeleine LAZARD, *Rabelais l'humaniste*, Paris, Hachette, 1993.

Georges LOTE, *La Vie et l'œuvre de François Rabelais*, Genève, Slatkine reprints, 1972 pour la réédition.

Thierry WANEGFFELEN, *Une difficile fidélité*, Paris, PUF, 1999.

Éléments pour une fiche de lecture

Regarder l'illustration

- Observez le tableau dans son ensemble. Avez-vous l'impression de regarder des géants entourés de personnages de taille normale ou bien de voir la famille de Gargantua en taille réelle entourée de minuscules personnages ? Qu'est-ce qui donne cette impression ?
- À votre avis, quel âge a le petit Gargantua ici ? Comment définiriez-vous son attitude ? Candide, polissonne, débonnaire, curieuse ?
- Préparez un exposé sur la représentation du personnage de Gargantua en peinture. Vous devriez en trouver de nombreux exemples.

Le paratexte

- D'après votre propre lecture du *Gargantua*, dites en quoi le modèle du silène proposé par Alcofribas Nasier peut sembler pertinent.
- Quels sont les renversements du pour au contre successifs qui dynamisent ce paradoxe de l'intérieur et de l'extérieur tout au long du prologue ?
- Quelle est la représentation de l'auteur et de l'invention littéraire proposée dans ce prologue ?

Quelle est la représentation du lecteur et de l'acte interprétatif que l'on y trouve ?

Les personnages

- Les géants, père et fils, sont caractérisés de manière ambivalente : déterminez avec précision les traits psychologiques que Rabelais leur prête, et dont l'association est assez inattendue.
- Le système des personnages est souvent organisé selon un principe d'opposition binaire, autour d'une frontière idéologique ou comportementale qui sépare deux personnages, ou des groupes de personnages. Essayez de repérer de telles structures qui permettent de mieux caractériser les personnages par distinction, et aussi de structurer plus fermement l'œuvre.
- En tant que parodie de roman de chevalerie, *Gargantua* est aussi un roman de formation. Identifiez les étapes de l'évolution de Gargantua.
- Frère Jean prend une place inattendue dans le récit : caractérisez-le, en mettant cette étude du personnage en perspective avec la critique traditionnelle du moine. En quoi est-il singulier dans le modèle de spiritualité qu'il propose ?
- Picrochole est l'incarnation même de la démesure : relevez les marques lexicales de cette *hubris*.

Utopies politiques : modèles et contre-modèles

- Le texte oppose clairement deux types de royauté : précisez tous les aspects de cette oppo-

sition, dans ses implications politiques, philosophiques et religieuses.

- La délibération et le conseil sont des fondements
  importants de l'action sur lesquels le texte insiste
  à de nombreuses reprises. Quel rôle jouent-ils, et
  quelles formes prennent-ils dans l'ensemble du
  récit ?
- En quoi peut-on dire que l'abbaye de Thélème
  est une utopie ? Pourquoi vient-elle clôturer le
  récit ? Y a-t-il rupture, effets de continuité avec
  d'autres éléments religieux épars dans le texte,
  voire effet de clôture par écho entretenu avec le
  début de cette chronique ?
- Travaillez sur l'organisation paradoxale de cette
  abbaye, et sur ce qui la rend viable. Sur quoi
  Rabelais fait-il reposer le miracle d'une telle vie
  communautaire ?

Lectures complémentaires

- Comparez les modalités de la formation et de
  l'avènement du Prince dans le *Pantagruel,* ainsi
  que les deux amitiés épiques liant Gargantua et
  frère Jean d'une part, Pantagruel et Panurge de
  l'autre.
- Embarquez-vous dans l'odyssée nautique du
  Quart Livre, pour y étudier le rôle dévolu à frère
  Jean. Comparez aussi la portée religieuse des
  deux récits, en étant sensible à la tension entre
  une perte manifeste d'optimisme dans la figura-
  tion de la cause évangélique, et la permanence
  d'un combat frontal contre des formes de religion perverties.

Sujet d'exposé et de réflexion

- La parodie des récits épique et chevaleresque dans *Gargantua*.
- Lucien Febvre, dans *Le Problème de l'incroyance au XVIe siècle* (1942), disait : « Rabelais fut pour son temps un libre esprit. Il fut un homme de robuste intelligence, de vigoureux bon sens et dégagé de maints préjugés qui avaient cours autour de lui » (Paris, Albin Michel, 1942, p. 424 de la réédition de novembre 1988). Vous essaierez de discuter ce point de vue à partir de votre lecture du *Gargantua*.

DANS LA MÊME COLLECTION

Alexandre DUMAS, *La Tulipe noire* (213)

ÉSOPE, Jean de LA FONTAINE, Jean ANOUILH, *50 Fables* (186)

Georges FEYDEAU, *Feu la mère de Madame* (188)

Gustave FLAUBERT, *Trois Contes* (6)

Théophile GAUTIER, *3 Contes fantastiques* (214)

Romain GARY, *La Promesse de l'aube* (169)

Jean GIONO, *L'homme qui plantait des arbres + Écrire la nature* (anthologie) (134)

Nicolas GOGOL, *Le Nez. Le Manteau* (187)

Wilhelm et Jacob GRIMM, *Contes* (textes choisis) (72)

Ernest HEMINGWAY, *Le vieil homme et la mer* (63)

HOMÈRE, *Odyssée* (18)

Victor HUGO, *Claude Gueux* suivi de *La Chute* (15)

Victor HUGO, *Jean Valjean (Un parcours autour des Misérables)* (117)

Thierry JONQUET, *La Vie de ma mère!* (106)

Joseph KESSEL, *Le Lion* (30)

Jean de LA FONTAINE, *Fables* (34)

J. M. G. LE CLÉZIO, *Mondo et autres histoires* (67)

Gaston LEROUX, *Le Mystère de la chambre jaune* (4)

Jack LONDON, *Loup brun* (210)

Guy de MAUPASSANT, *12 contes réalistes* (42)

Guy de MAUPASSANT, *Boule de suif* (103)

MOLIÈRE, *Les Fourberies de Scapin* (3)

MOLIÈRE, *Le Médecin malgré lui* (20)

MOLIÈRE, *Trois courtes pièces* (26)

MOLIÈRE, *L'Avare* (41)

MOLIÈRE, *Les Précieuses ridicules* (163)

Composition Bussière.
Impression Novoprint
à Barcelone, le 12 août 2013
Dépôt légal : août 2013
1ᵉʳ dépôt légal dans la collection : mai 2004.
ISBN 978-2-07-031510-9./Imprimé en Espagne.